REIHE – PRINZIPIEN UND PRAXIS DER HOMÖOPATHIE

PRINZIPIEN UND PRAXIS DER HOMÖOPATHIE

Die Reaktionen und die LM-Potenzen

Ravi Roy
DHMS

„Die Reaktionen"
Ein täglicher Begleiter in der homöopathischen Praxis
Reihe: Prinzipien und Praxis der Homöopathie
Ravi Roy

1. Auflage September 2010
ISBN 978-3-921-108-91-0

D-82418 Murnau-Hagen · Burgstraße 8 · Tel. 08841-4455
verlag@lage-roy.de · www.lage-roy.de

Lektorat: Gerhard Juckoff, Lüttelforst
Satz und Umschlaggestaltung: Bettina Eder, Ohlstadt
Druck: Druckerei & Verlag Steinmeier, Deiningen

Inhalt

Warum erscheint das Buch in der alten Rechtschreibung?

Wir wollen damit ein Zeichen setzen, zum Überlegen anstoßen und eine positive und heilsame Gegenkraft gegen die rasend wachsende zerstörerische Tendenz auf unsere Erde positionieren.

Was hat die neue Rechtschreibung Positives bewirkt? Sie soll eine Vereinfachung sein. Sie soll uns die Sprache leichter machen. Schnell, einfach, gerade. Denn wir haben keine Zeit.

Oh, Muße, wo bist du geblieben? Oh, das Schöne, wer hat dich so geschändet?

Ach du sanfte Schönheit der Kunst, du bist gerade gebogen worden. Achtlos wurden die wogenden Gefühle niedergetrampelt. Ach du gelinde Linde, du warst einfach im Wege.

Die Sprache ändert sich, aber müssen wir deswegen ihre die Schönheit zerstören? Wir müssen nicht wie Goethe oder Shakespeare schreiben. Jedoch sollten wir Erhabenheit, kraftvollen Ausdruck und Präzision anstreben.

Ich bin von Indien gekommen, um die Homöopathie in der Originalsprache zu studieren.

Was für eine schockierende Tatsache erlebe ich hier: Die Politiker in Deutschland können es wagen und schaffen es tatsächlich, die Sprache der Dichter und Denker zu verstümmeln, sie ihrer Kraft zu berauben.

Ähnliches passiert auch mit der Heilkunst. Die Schulmedizin will alles gerade haben, durch alle Störungen durch mit ihrer

Keule, alles „Ungerade“, alles „Kranke“ wegmachen mit ihren Instrumenten der Zerstörung.
Greift diese Handlungsweise auf die Homöopathie über, bleibt uns bloß eine Hülle.

Wir haben in uns die Macht, nicht nur die Homöopathie in die ursprüngliche Erhabenheit zurückzubringen, sondern auch die Kunst und die Sprache.

Schützen wir die Homöopathie. Schützen wir die homöopathische Nomenklatur. Schützen wir das Erbe Hahnemanns und das Heil der Homöopathie.

Danksagung

Dieses Buch ist das Resultat gemeinsamer Bemühungen von vielen Freunden und Bekannten. Wie auf den verschiedensten Wegen Mitarbeit und Hilfe eingebracht wurden, ist an sich ein Roman.

Als ich mir 2008 endlich die Zeit nahm, dieses Buch richtig zu Papier zu bringen (es existierte fragmentarisch in Schriftform), besprach ich vieles telefonisch mit meinem Bruder in Amerika, der Professor der Mathematik ist. Im Laufe eines der Gespräche bot er mir seine Hilfe an, um dieses wichtige Werk strukturiert zu gestalten. Entschlossen schrieb ich alles auf Deutsch nieder, übersetzte es ins Englische und traf mich für zwei Wochen mit ihm. Ein mathematischer Geist verlangt Präzision, Struktur und klare Definitionen. Es wurde alles umstrukturiert und so zu einem Werk in Englisch. Ich kam von Amerika zurück, überzeugt ein gutes Werk geschaffen zu haben und ließ die englische Version gleich lektorieren.

Jetzt bat ich meinen Sohn Jonas, das Buch zurück ins Deutsche zu übersetzen und gleichzeitig seine Kommentare hinzuzufügen. Er stellte alles auf den Kopf, weil er einige Ungereimtheiten und Unklarheiten fand und weil Erklärungen fehlten. Es wurde mir klar, daß einige der Grundsätze, die ich mit meinem Bruder besprochen hatte, von mir nicht unbedingt umgesetzt worden waren.

Jetzt fing erst die wirkliche schriftstellerische Arbeit an, die Texte leserfreundlich zu gestalten und vieles umzustrukturieren. Dabei fiel mir auf, wieviel noch zu sagen und zu erklären ist. Zahlreiche Fälle wurden eingebaut, um die einzelnen Punkte zu verdeutlichen.

Während dieser Zeit fragte ich unseren Freund Hans Baranek, ob er Lust hätte, seine Meinung über das Buch zu äußern. Er war so begeistert, daß eine richtige Zusammenarbeit entstand.

Wir trafen uns immer wieder, um die Kapitel zu bearbeiten und entsprechend ein- und umzubauen. Das Buch wuchs und wuchs durch Anregungen von allen Seiten auf mehr als das Doppelte seines ursprünglichen Umfangs an.

Aber damit war die Geschichte nicht zu Ende. Eines Tages dachten wir, daß es eine gute Idee wäre, die Kapitel Jutta, der Lebensgefährtin von Hans, die keine Homöopathin ist, zum Lesen zu geben. Das war eine glückliche Entscheidung, da sie uns auf schwierige Stellen aufmerksam machen konnte, wodurch neue, übersichtlichere Strukturen eingebaut und für noch mehr Klarheit gesorgt werden konnte. Begriffe wurden besser präzisiert, so daß Fehlinterpretationen weitgehend ausgeschlossen werden können.

Carola, meine Frau, hat durch ihre Anregungen, vor allem durch die, an schwierigen Stellen Zeichnungen einzubauen, für weitere Klarheit gesorgt.

Ebenfalls beigetragen haben Stefan Pfennig mit fachlichen Anregungen, Irmgard Bihler-Nestle bei Rechtschreibung und Logik und Claudia Pöcker mit der Endkorrektur. Auch sie haben durch ihre Anmerkungen und Vorschläge das Buch bereichert.

Meinen herzlichsten Dank.

Forum: www.ravi-roy.de/forum

Da in diesem Buch viele umfangreiche Themen aufgegriffen worden sind, wird dieses Forum als Diskussionsrunde und regen Austausch für die Leser aufgestellt.
Für fachliche Fragen stehe ich selbstverständlich zur Verfügung.

Vorwort

Seit 1980 bilde ich in Deutschland Homöopathen aus, und über die Jahre wurde ich immer wieder gefragt, ob es nicht ein Buch über die Reaktionen geben würde, da dieses Thema, wie ich es in dieser Ausführlichkeit lehre, bisher nicht in der homöopathischen Literatur zu finden ist. Ich plane schon lange, ein Buch über die Prinzipien und die Praxis der Homöopathie zu schreiben. Die Reaktionen sind ein wesentlicher Teil davon, doch sind sie so umfangreich, daß ihnen ein eigener Platz gebührt und daß sie in einem separaten Buch Raum finden sollten. Da das Gesamtprojekt ein paar Jahre in Anspruch nehmen wird, hat mich letztendlich die Nachfrage nach einem Buch über die Reaktionen und deren Wichtigkeit dazu bewogen, dieses Buch zuerst, vor meinem anderen Buch, *Prinzipien und Praxis der Homöopathie, Theorie und Heilgesetze*, zu schreiben. Das Wissen über die Reaktionen ist eine wesentliche Grundlage für die homöopathische Heilkunst, die auf natürliche und ganzheitliche Art und Weise auf den Menschen heilsam einwirkt.

In diesem Buch ist dieses Wissen so aufbereitet, daß es leicht aufgenommen und in die Praxis integriert werden kann.

Ungefähr zur gleichen Zeit, als ich anfing, das Buch über die Reaktionen zu schreiben, veröffentlichte Professor Robert Jutte, Leiter des Instituts für Geschichte der Medizin der Robert Bosch Stiftung, eine Schrift über die LM-Potenzen. Es heißt *Kleine Schriften zur Homöopathiegeschichte, Band 3: The History of Q-Potencies.* Möchten Sie mehr über die Geschichte der LM-Potenzen erfahren, so empfehle ich Ihnen dieses Heft.

Das Wissen über die Reaktionen habe ich mir in meiner 40-jährigen Laufbahn als Homöopath aus der gesamten homöopathischen Literatur inklusive der Zeitschriften angeeignet. Es ist bewundernswert, wie genau und präzise die großen Meister der Homöopathie ihre Beobachtungen und Schilderungen gemacht haben. Jedoch werden die Gesetzmäßigkeiten meist wie selbstverständlich innerhalb der Fallbeschreibungen mit beschrieben. Ferner finden wir in den homöopathischen Zeitschriften oft ganz nebenbei unzählige wichtige Hinweise, welche in den homöopathischen Fachbüchern nicht zu finden sind.

Ich habe all diese wertvollen und teilweise wenig bekannten Hinweise und Beobachtungen, die der Homöopathie Hahnemanns und den Heilgesetzen entsprechen, in meiner Praxis bestätigen können. Gleichzeitig habe ich natürlich in meiner langen und intensiven Tätigkeit als Homöopath eine Vielzahl von eigenen Erfahrungen und Erkenntnissen gewonnen, die ebenfalls in dieses Buch einfließen.

Jeder Studierende möchte am liebsten gleich die Essenz der Homöopathie in einem Buch finden. Deshalb habe ich die wichtigsten Bücher, die mir dieses Wissen nähergebracht haben, mit Kommentaren am Ende des Buches zusammengefaßt. Stolpern Sie nicht über die Tatsache, daß viele der Autoren die Einzelgabe befürworten. Auch ich habe dies anfangs so praktiziert, weil ich es auf der Universität und von meinem Vater nicht anders gelernt hatte. Ich hatte zwar auch schon in Indien mit den LM-Potenzen experimentiert, die mein Vater von einem indischen Hersteller immerhin schon bezogen hatte, denn er hatte vor, sie in seiner Praxis einzusetzen. Doch als ich 1976 nach Deutschland kam, um die Homöopathie in ihrer Muttersprache und in ihrem Vaterland noch gründlicher studieren zu können, war der Geist Hahnemanns natürlich hier noch viel präsenter als in Indien. Hier lernte ich glücklicherweise sehr schnell einige Koryphäen kennen, die mit den LM-Potenzen auf beeindruckende Art und Weise sehr erfolgreich arbeiteten – unter ihnen waren Drs. Georg von Keller, Artur Braun und Benno Wipp.

Jede Schule mit ihrem Arbeitsmodell hat ihren Platz in der Homöopathie, da die Bedürfnisse der Menschen sehr unterschiedlich sind. Jedoch müssen die Grundprinzipien und Regeln von jedem angewandt werden, um konsequent gute Heilresultate zu erzielen. Wir können die Homöopathie nicht in gleicher Weise wie z. B. J.C. Burnett ausüben, aber die Essenz aus seiner Praxis können wir in das gesamte Wissen der Homöopathie integrieren. Das Gleiche gilt für Kent, Lippe, Farrington und alle Homöopathen, die etwas Grundsätzliches zur Homöopathie beitrugen, auch für diejenigen , die sich gegen Hahnemann aufgelehnt haben. Der Weg zur Einigung liegt darin, daß man die Person und ihre wissenschaftliche Leistung voneinander getrennt betrachtet.

Einleitung

Homöopathie ist eine Heilmethode, in der die momentane Reaktion des Organismus auf ein Medikament ein wesentlicher Bestandteil der Behandlung ist. Das Medikament und die Art der Reaktion, die es hervorruft, bilden einen dynamischen Prozeß, der in allen Aspekten verstanden werden muß. Denn dieser Prozeß, wenn richtig genutzt, ist die Brücke über den Fluß des Verderbens (die Krankheit) in das Land der Fülle (die Gesundheit).

Die richtige Beurteilung der Reaktion auf ein Medikament ist daher die Basis der homöopathischen Behandlung. Jede Heilmethode, bis zu den ältesten Schriften der Heilkunst, enthält dieses Thema als einen Teil ihrer Beobachtungen. Oft sind diese Abhandlungen nur fragmentarisch, aber manchmal auch sehr lang und ausführlich. In der Regel wurden die Reaktionen bei der Beschreibung eines Mittels oder bei den Krankheitsbildern abgehandelt. Das heißt, es ging eher um spezifische Reaktionen und nicht um die Arten der Reaktionen generell. Es waren daher keine strukturierten Abhandlungen, die die Reaktionen insgesamt kategorisierten und analysierten.

Die Schulmedizin beschränkt sich rein auf die biochemische Reaktion des Körpers bei Medikamenten. In der Allopathie geht es darum, die unerwünschten Reaktionen – die sogenannten Nebenwirkungen – auf ein Medikament, zu minimieren oder gar zu antidotieren, ohne dabei die gewünschte Wirkung zu beeinträchtigen. Wenn keine Möglichkeit bekannt ist, die unerwünschten Reaktionen zu lindern, muß der Patient sie eben voll ertragen.

Die Naturheilkunde bzw. Phytotherapie ist da etwas genauer in der Beschreibung der Medikamente und ihrer Reaktionen. Sie sieht bei manchen Reaktionen auch die Möglichkeit, daß durch sie Heilung stattfinden kann. Schwitzen in einem bestimmten Stadium des Fiebers wäre zum Beispiel eine Heilreaktion, und in der Naturheilkunde würde man nicht medikamentös eingreifen. Doch nach der Erkenntnis, daß Schwitzen eine Heilreaktion sein kann, wurde diese Reaktion aus dem Zusammenhang gerissen und verallgemeinert. So werden oft Tees verabreicht, um Schwitzen bei allen möglichen Krankheiten und in unterschiedlichen Fieberstadien hervorzurufen. Somit wurde etwas für allgemeingültig erklärt, was nicht allgemeingültig ist.

In der Homöopathie ist die Beachtung und eine sehr differenzierte Analyse der Reaktionen absolut notwendig für die weitere Behandlung und Heilung. Auf der Basis von Hahnemanns Schriften habe ich eine Struktur entworfen, die die Reaktionen eindeutig klassifiziert. Das Ziel dieser Strukturierung ist, eine allgemeine und umfassende Grundlage zu schaffen, um Reaktionen auf homöopathische Mittel grundsätzlicher zu verstehen. Dieses Buch ist das Resultat davon und diese Prinzipien haben sich wieder und wieder bewährt. Der Weg ist nicht immer einfach und oft sind die unterschiedlichen Arten und Möglichkeiten der Reaktion so ineinander verschlungen, daß es ein langwieriger Prozeß sein kann, den Fall zu entwirren und zu einem guten Abschluß zu bringen.

Über viele Reaktionen wurde zwar in der Homöopathie bereits geschrieben, aber sie blieben weitgehend undefiniert[1]. In diesem Buch habe ich alle Reaktionen klar und eindeutig definiert sowie Feinheiten herausgearbeitet, um sie in der Praxis verständlicher zu machen und die Mittelgabe zu erleichtern. Wo immer es möglich war, habe ich die Originalquellen angegeben. Die Struktur, die ich entworfen habe, hat mir in meiner Praxis zu einer klaren Vorgehensweise verholfen. Es ist jedoch durchaus denkbar, daß man die Reaktionen auch anders organisieren könnte und daß mit der Zeit, im Sinne der praktischen Anwendung und einer erfolgreichen Behandlung, immer bessere und klarere Definitionen herausgearbeitet werden.

So habe ich die Reaktionen nach den bestehenden Begriffen und meinem eigenen Verständnis der Reaktionen in zwölf Kategorien eingeteilt. Die Erörterung jeder dieser Kategorien bildet jeweils ein Kapitel, außer „ Das Mittel wirkt nicht “, welches drei Kapitel umfaßt, nämlich neben dem Kapitel 4, „Das Mittel wirkt nicht“, auch die Kapitel 5 und 6, („Blockaden , Teil 1 und 2“). Einige der zwölf Kategorien beinhalten Unterkategorien, die ausführlich in den entsprechenden Kapiteln behandelt werden. Hier die Liste der zwölf Reaktionen:

1. Besserung
2. Verschlimmerung
3. Das Mittel wirkt nicht
4. Reaktionslosigkeit
5. Restsymptome
6. Scheinverschlimmerung
7. Verschlechterung und Prüfung
8. Spezielle Reaktionen
9. Ausscheidungsreaktion
10. Anfallsleiden oder periodische Zustände
11. Alter Zustand bzw. alte Symptome
12. Neuer Zustand bzw. neue Symptome

In diesem Buch wird auch die Geschichte und die Entwicklung der LM-Potenzen erzählt sowie die Handhabung der LM-, C- und D-Potenzen beschrieben. Wir müssen ein Verständnis für den aktuellen Erkenntnisstand der Homöopathie haben und dabei die Notwendigkeit der Integration aller Potenzen in die eigne Praxis erkennen. Durch die Regeln wird die Verwendung klarer und eine sichere Handhabung ermöglicht. Blockaden an sich sind ein höchst wichtiges Thema und werden sehr ausführlich besprochen, wobei Mythen über Antidote u. a. richtiggestellt werden.

Die Kenntnis und das Verständnis der Reaktionen bilden die Basis für die erfolgreiche homöopathische Behandlung mit dem Ergebnis, wie es sich Hahnemann vorstellte und anstrebte: die Ausrottung der Wurzeln der krankmachenden Ursachen tief im Menschen, in seinem Geist, seiner Seele und seinem Körper.

Die Homöopathie ist die einzige Therapie, die Reaktionen als einen wesentlichen Teil der Behandlung betrachtet, sie genau beobachtet und aufgrund dieser Beobachtungen Schlußfolgerungen zieht, um den Heilungsprozeß optimal begleiten zu können. Hahnemann und andere Homöopathen haben die Prinzipien der Heilung angewandt, um die Reaktionen zu verstehen. Aufgrund dieses Verständnisses konnten sie die richtigen Schritte festlegen, die den Heilungsprozeß ermöglichen. Sie nahmen die Regeln und Prinzipien, die von anderen Heilern seit Anbeginn der Zeiten entdeckt wurden, fügten ihre eigenen Beobachtungen hinzu und verwendeten sie für das homöopathische Verständnis von Reaktionen. Tatsächlich bediente sich Hahnemann von Anfang an dieser Heilprinzipien und schaffte sofort das Fundament für ein strukturiertes und wissenschaftliches Heilsystem. (Die Verdünnung von Arzneien war möglicherweise das erste Prinzip, das er anwandte. Er leitete es von Paracelsus Diktum „Die Dosis macht das Gift" ab.)

Mit den *Chronischen Krankheiten* übergab uns Hahnemann die Essenz seiner Beobachtungen und die Regeln in bezug auf die Reaktionen. Die Richtlinien für die Behandlung von chronischen Krankheiten, die wir dort finden (besonders ab Seite 137, aber auch an anderer Stelle), können auf die homöopathische Behandlung im allgemeinen und nicht nur bei chronischen Krankheiten angewandt werden.

Hahnemann hat uns die Grundregeln für die Reaktionen gegeben und gezeigt, wie wir die besten Resultate auf homöopathische Weise erzielen können. Zusätzlich ist die homöopathische Literatur unendlich reich an Hinweisen, Regeln und Ratschlägen zu diesem Thema. Besonders in den alten Zeitschriften findet man einen wahren Schatz an Heilungsberichten, welche uns durch die Art des Verschreibens eines Mittels und die Folgebehandlung einen Grundstein für die erfolgreiche Durchführung der homöopathischen Heilung bei einem ähnlichen Fall liefern. Jedoch sind diese unschätzbar wertvollen Informationen derart verstreut, daß es eine Arbeit von vielen Jahren war, sie aufzuspüren, zu sammeln und in der täglichen Praxis zu überprüfen. Was das zusätzlich erschwerte, sind Deutungen der Reaktionen von den verschiedenen philosophischen Richtungen in der Homöopathie, welche oft ganz unterschiedlich, teilweise sogar konträr dargestellt werden. Dies hat weitreichende Konsequenzen für die homöopathische Behandlung und führt zu einer allgemeinen Verwirrung und Unsicherheit, besonders unter Anfängern.

Über die Verordnung von mehr als einem Mittel haben bereits viele Homöopathen geschrieben. Sie erkannten, daß mehrere Totalitäten in einem Menschen existieren, von denen manche möglicherweise gleichzeitig auftreten können. Diese verschiedenen Totalitäten können auf rein geistiger Ebene vorhanden sein oder alle Ebenen mit einbeziehen. Schon bevor Hahnemann 1835 nach Paris übersiedelte, hat er die Anwendung von Hilfs- bzw. Begleitmitteln empfohlen, um die Wirkung des Hauptmittels zu unterstützen. In Paris selbst war es für ihn eine Selbstverständlichkeit, mehr als ein Mittel zu verschreiben. Ab einer gewissen Zeit, nach langen Korrespondenzen mit Hahnemann, war auch für Bönninghausen das Verordnen von zwei Mitteln normal, wie wir seinen Krankenjournalen entnehmen können.

Die früheren Bedenken, mehrere Mittel parallel zu geben und damit die verschiedenen Wirkungen der Arzneimittel nicht auseinanderhalten zu können, verflüchtigten sich bei Hahnemann mit der Zeit und den entsprechenden Erfahrungen. Ihm wurde klar: Sollte die Wirkungsweise eines Mittels gut bekannt sein, ist seine Wirkung ohne weiteres von der eines anderen gut zu unterscheiden, zumal die Mittel nicht gleichzeitig gegeben werden, sondern zeitlich getrennt. Dies hat sich in der Praxis sehr gut bewährt. Nicht nur der Homöopath kann die Wirkungen auseinanderhalten, sondern es gibt auch Patienten, die sie sehr genau unterscheiden können.

Es ist das Ziel dieses Buches, dem Leser diese Informationen auf klar gegliederte und verständliche Weise zugänglich zu machen. Mein Bestreben ist, Klarheit und Eindeutigkeit in dieses Thema zu bringen, damit das Wissen über den richtigen Umgang mit den Reaktionen in der homöopathischen Praxis gezielt eingesetzt werden kann.

Noch ein Wort zum Schreibstil: Er ist nicht rein wissenschaftlich und das hat auch seinen Grund. Die Wissenschaft funktioniert auf der mentalen Ebene und läßt keine Empfindung zu, d.h. die Gefühlsebene wird ausgeschaltet. Das ist in der Theorie auch richtig, da Prinzipien und Regeln rein zu dieser Ebene gehören. In der Praxis haben wir es aber mit Lebewesen zu tun, und der Mensch ist besonders gefühlsbetont, auch wenn viele Menschen ihre Gefühle sehr gut verbergen bzw. unterdrücken können. Das Leben, und vor allem die Gefühlsebene, ist flexibel und bewegt sich ständig. Daher haben die Krankheiten auch keine starren Pathologien, sondern sind beweglich und sehr individuell in ihrem Erscheinungsbild. Prinzipien sind zwar strenge Gesetzmäßigkeiten, jedoch müssen sie im Einklang mit der Empfindung, d.h. beweglich, angewandt werden. Es sind ja oft die Empfindungen, die uns neue Richtungen finden und gehen lassen. Erst dann bestimmt das Prinzip oder die Regel, wie wir richtig zu handeln haben. Die Gesetzmäßigkeiten und Regeln verhindern, daß wir uns durch die Gefühle in eine falsche Richtung ziehen lassen.

Also werden hier die Reaktionen nicht trocken, eckig und geradlinig dargestellt, sondern mit der passenden Prise Gefühl. Dies hilft, diese Prinzipien und Regeln auf der Gefühlsebene zu integrieren, und im realen Leben, vis-a-vis mit dem Patienten, sanfte und sichere Entscheidungen zu fällen.

In diesem Sinne wünsche ich Ihnen viel Spaß, Einfühlungsvermögen und großen Nutzen beim Lesen des Buches.

Kapitel 1

Besserung

Grundsätzliches zur Besserung

Es ist der Wunsch eines jeden Heilers, in unserem Fall eines jeden Homöopathen, nachdem er sich für ein bzw. mehrere Mittel entschieden hat, daß es dem Patienten damit unverzüglich gut geht. Eine Besserung wird jedoch nur dann stattfinden, wenn das Mittel genau zu dem vordergründigen Zustand paßt. Ist es ein neuer Patient, ist dieser Wunsch besonders stark. Die Erfüllung dieses selbstverständlichen Wunsches wird aber nicht von allen Homöopathen oder homöopathischen Kreisen für richtig bzw. erfüllbar gehalten. Die allgemein verbreitete Meinung ist, daß eine Heilung zwar letzten Endes eintreten wird, aber der Patient zuerst durch viel Leid gehen muß. Der Stand der Dinge zu diesem Thema ist heute nach 200 Jahren Homöopathie noch ungeklärt. Die sofortige Besserung durch das Simillimum nach den von Hahnemann aufgestellten Gesetzmäßigkeiten ist bis heute in den Einzelheiten von keinem homöopathischen Gremium oder Individuum besprochen worden, d. h. die homöopathische Welt hat sich damit noch nicht richtig auseinandergesetzt. Die Besserung und andere Reaktionen sind bis heute noch nicht ausführlich in einem Buch behandelt worden. In der Wissenschaft jedoch wird immer wieder eine neue, übersichtliche und klare Basis der Gesetzmäßigkeiten und Regeln geschaffen.

Über die letzten zwei Jahrhunderte bildeten sich verschiedene homöopathische Schulen. Jede von ihnen folgte einem oder ein paar Aspekten der Besserung. Jede Schule machte ihre Erfahrungen, doch wurden die wertvollen Erfahrungen nicht koordiniert und zusammengetragen. Im Grunde können wir eine solche Behauptung für jede Art von Reaktion, die in diesem Buch besprochen wird, aufstellen. Daß Menschen ihren Weg gehen, ist wichtig für das Wachstum einer Wissenschaft, da so die verschiedenen Aspekte eines Themas gründlich erforscht werden können. Dafür müssen sich einzelne Schulen bzw. Menschen mit den Aspekten und Themen sehr genau auseinandersetzen. In den Anfängen einer neuen Wissenschaft werden Beobachtungen oft verschieden oder gar falsch gedeutet. Das ist ganz natürlich, da alles noch neu und keine gut geordnete Basis erarbeitet worden ist. Mit wachsendem Wissen nimmt die Struktur mehr und mehr Form an, und Interpretationen auf einer solideren Grundlage werden möglich. Mit fortschreitender Entwicklung müssen die ursprünglichen Definitionen überdacht und, wenn nötig, verändert werden. Alte Ideen sollten verworfen oder dem neuen Wissensstand angepaßt werden, der aus den Beobachtungen und Erfahrungen durch Anwendung der wissenschaftlichen Prinzipien gewachsen ist. Hahnemann hat sehr viel erforscht und wie ein richtiger Wissenschaftler seine Vorgehensweise immer entsprechend abgeändert.

Unglücklicherweise entwickelten sich mit der Zeit viele der homöopathischen Schulen immer weiter auseinander. Dabei kann schnell der Bezug zu den Wurzeln der Homöopathie Hahnemanns abhanden kommen. Wie schon erklärt, wurden die wichtigen und richtigen Erkenntnisse der verschiedenen Schulen nicht zusammengetragen, um eine gemeinsame erweiterte Grundlage zu schaffen, sondern sie sind heute noch in der gesamten homöopathischen Literatur verstreut. So war manchmal nur das Grundverständnis des Ähnlichkeitsgesetzes das Einzige, was die verschiedenen Schulen gemeinsam hatten. In gewisser Weise definierte jeder die Grundlagen der Homöopathie nach eigenem Gutdünken – manchmal ohne dabei die Definitionen Hahnemanns in ihrer Totalität und Integrität mit einzubeziehen.

Um ermutigende und anhaltende Resultate zu erzielen, reicht es jedoch nicht, einfach zu wissen, daß es dem Patienten besser geht. In der homöopathischen Literatur stossen wir oft auf die Meinung, daß die Erstverschreibung eine relativ einfache Angelegenheit sei, aber selbstverständlich ist die Erstverschreibung nicht ohne die Grundkenntnisse der Homöopathie und der wichtigsten Mittel der Materia medica möglich. Doch die wahre Kunst der Homöopathie beginnt erst *nach* der Erstverschreibung, wie es z. B. Margaret Tyler in ihrem Aufsatz „The Second Prescription“ darlegt. Diese Kunst wird durch Beobachten der Reaktion auf das Mittel immer weiter verfeinert und von immer tieferem Verständnis getragen. Die Reaktion ist zwar die Basis für eine weitere Verschreibung, doch ist der nächste Schritt nicht unbedingt gleich die Verordnung des nächsten Mittels. Die Besserung ist jetzt der momentane Zustand und ist daher genauestens unter die Lupe zu nehmen. Was genau zu tun ist, wenn die Besserung einsetzt, ist also ein wichtiger Aspekt der homöopathischen Behandlung, der in diesem Kapitel eingehend beleuchtet wird.

Es gibt ein Sprichwort, das besagt: „Wer heilt, hat recht”. Ich habe mir diese Weisheit zur Richtlinie gemacht und alle Homöopathen studiert, die ihre Patienten wahrlich und im homöopathischen Sinne gesund machten – indem sie die zugrunde liegenden Ursachen der Krankheit beseitigten.

Zur Reaktion *Besserung* habe ich eine umfassende Analyse ausgearbeitet, die ich in zwei Hauptpunkte unterteile:

A. Zeichen der Besserung

1. Regel der Besserung
2. Regel zur Reduzierung der Mittelgaben

B. Weitere Besserungsregeln und Ausnahmen

1. Die Notwendigkeit bzw. der Vorteil, das Mittel weiterzugeben, nachdem der akute Fall abgeschlossen ist
2. Welche Gründe gibt es bei jeder Art von Fall – akut und chronisch -, mit dem Mittel bei Besserung aufzuhören?
3. Wann ist es sinnvoll, Mittel über mehrere Jahre hinweg zu geben?
4. Der Patient der beständigen Potenz
5. Wiederholung in Fällen, in denen der Tod unabwendbar ist
6. Nach einigen Gaben aufhören
7. Es findet nur eine Linderung statt

Bevor wir uns jedoch mit diesen Punkten befassen, sollten wir uns über folgendes Gedanken machen:

Wie schon eingangs betont, erwarten Patienten und Behandler nach der Verordnung und Einnahme eines Mittels eine Besserung der Symptome. Aus bestimmten Gründen hat sich dies in der Homöopathie jedoch etwas anders entwickelt.

Eine Schule der Homöopathie hat Hahnemanns frühe Beobachtung beibehalten, daß nach der Einnahme des homöopathischen Mittels eine homöopathische Verschlimmerung – heute in *nicht korrekter Weise* Erstverschlimmerung genannt – eintreten soll. Diese Verschlimmerung der Symptome wurde als notwendig für die Heilung angesehen. Im folgenden werde ich dieses Phänomen, und wie es dazu kam, kritisch betrachten.

Die Erstverschlimmerung

Noch ganz am Anfang seiner homöopathischen Praxis beobachtete Hahnemann in vielen Fällen eine starke Intensivierung der Symptome nach einer einzelnen Gabe eines Mittels. Wenn diese Verschlimmerung nicht zu übermächtig war, trat mit dem Abflauen dieser Verstärkung der Symptome eine Besserung ein, und dem Patienten ging es eine Weile gut. Eine übermässige Verstärkung der Symptome schrieb Hahnemann einer zu großen Dosis zu. Darüber schreibt er eingehend in seinem *Organon*, v. a. in den §§ 275-276. Später nannte Hahnemann die Verstärkung der Symptome durch potenzierte Mittel „die homöopathische Verschlimmerung"– die sogenannte Erstverschlimmerung. Er betrachtete sie als eine normale und notwendige Reaktion bei akuten Erkrankungen (§§ 157-160, 5. und 6. Auflage), aber nicht unbedingt bei chronischen Krankheiten. Bei chronischen Krankheiten sollte das, wenn überhaupt, die Ausnahme sein (§ 246, 5. Auflage). In der Fußnote zu § 246 sagt Hahnemann, daß er zwar in den früheren Auflagen des Organon Einzelgaben empfohlen habe, aber jetzt davon Abstand nehme. So finden wir noch in der 4. Auflage (erschienen 1829) des Organon (§ 155 und §§ 240-245) die These der „homöopathischen Verschlimmerung" auch bei chronischen Krankheiten und aus diesem Grund die Empfehlung, prinzipiell nur Einzelgaben zu geben.

Die These der homöopathischen Verschlimmerung (der Erstverschlimmerung) besagt: Nur eine Einzelgabe der Arznei ist notwendig für die Heilung. Der Heilungsprozeß beinhaltet immer zuerst, kurz nach der Einzelgabe des Heilmittels, eine Verstärkung der Symptome des Patienten. Deswegen wird dies heute Erstverschlimmerung genannt. Diese homöopathische Verschlimmerung dauert kürzer oder länger, je nach Konstitution und Zustand des Patienten.

Hahnemanns war bis Ende seines Lebens (siehe 6. Auflage) der Meinung, daß eine homöopathische Verschlimmerung bei akuten Erkrankungen die Regel sei. Doch änderte Hahnemann bezüglich der chronischen Krankheiten später seine Meinung, wie man in der 1833 erschienenen 5. Auflage des Organon in § 246 nachlesen kann. Bei chronischen Krankheiten war Hahnemann bis 1829 derselben Meinung. Das zeigen seine Worte in der 4. Auflage: „Sie (die homöopathische Verschlimmerung) ist somit begrüssenswert und notwendig für die Heilung." Dies wurde fast wie ein Gesetz ausgesprochen. Höchstwahrscheinlich führten diese Worte bei Homöopathen zu dem Dogma der notwendigen „Erstverschlimmerung" und der Einzelgabe.

⊙ Definition:

Die homöopathische Verschlimmerung bzw. die Erstverschlimmerung

Hahnemann arbeitete anfangs mehrere Jahre mit der These, daß eine „homöopathische Verschlimmerung" (heute als Erstverschlimmerung bezeichnet) ein unabänderlicher Teil des Heilungsprozesses ist. Heute noch gibt es sehr verbreitet diese Meinung und viele Schulen, die dies für richtig und wichtig halten. Diese These besagt:

Das richtige Mittel verursacht grundsätzlich eine Verschlimmerung. Gleich nach der Einnahme des Mittels wird es dem Patienten schlechter gehen und die Symptome seines Zustandes werden intensiviert. Nach Abklingen dieser ersten Reaktion, die auch bis zu mehreren Wochen andauern kann, wird dann eine Besserung des Allgemeinzustandes und der Symptome eintreten.

Die Besserung kann in chronischen Fällen ein paar Wochen bis einige Monate andauern. In akuten Fällen kann sie sogar nur ein paar Stunden anhalten, manchmal auch nur Minuten, z. B. bei Neuralgien. In einfachen Fällen ist es auch möglich, daß es nach der Einzelgabe und der darauffolgenden Erstverschlimmerung zur Heilung kommt.

Die Entwicklung der Idee der Einzelgabe und die Beobachtung der homöopathischen Verschlimmerungen war ein Prozeß, den Hahnemann über Jahrzehnte durchmachte. Er hat anfänglich, auch teilweise später, seine Mittel je nach Zustand wiederholt, bevor er bei chronischen Krankheiten eine Zeitlang nur Einzelgaben verordnete.

Am Anfang war für Hahnemann die homöopathische Verschlimmerung ein Phänomen, das nur bei akuten Krankheiten vorkam. Schon in der 1. Auflage des *Organon* von 1810, § 132, spricht Hahnemann davon. Dieser Paragraph bleibt fast unverändert bis zur 6. Auflage. In der Fußnote dazu berichtet Hahnemann über die Beobachtung anderer Ärzte zu diesem Phänomen, in denen das Mittel zufällig homöopathisch (ähnlich) war. Ab der 2. Auflage, 1819, ergänzt er die Fußnote mit der Bemerkung: Es käme nicht zu der homöopathischen Verschlimmerung, wäre das Mittel materiell nicht so hoch dosiert. Erst in der 3. Auflage, 1824, § 167b (in den späteren Auflagen § 161), spricht er über die Möglichkeit einer gewissen „homöopathischen Verschlimmerung“ bei chronischen Krankheiten. Laut Hahnemann geschieht diese in den ersten Tagen und zwar phasenweise, nicht durchgehend, bevor die endgültige Dauerbesserung eintritt. Also finden wir in seiner Darstellung einen wesentlichen Unterschied zwischen der Art der Verschlimmerung bei akuten und der bei chronischen Krankheiten. Doch in der 6. Auflage, § 161, revidiert Hahnemann seine Meinung komplett und nimmt Abstand von einer homöopathischen Verschlimmerung bei chronischen Krankheiten. (Zum Unterschied zwischen Verschlimmerung durch zu hohe Potenz und zu hohe Dosis (Materie) siehe Kapitel 2.)

Der Weg zu einer Heilung ohne die sogenannte Erstverschlimmerung war also lang und umfaßt nahezu Hahnemanns gesamte Lebenszeit und Laufbahn. Vielleicht kam das Dogma der Erstverschlimmerung innerhalb der Homöopathie dadurch zustande, daß die Ideen, die Hahnemann am Ende seines Lebens entwickelte, nicht mehr zu allen Homöopathen durchdrangen. Tatsache ist jedoch leider, daß manche Homöopathen noch heute die „Erstverschlimmerung“ als unabdingbar betrachten und oft zu hohe Potenzen geben, welche starke Verschlimmerungen hervorrufen; sie scheinen fast eine Verschlimmerung provozieren zu wollen.

Für Hahnemann war die Erkenntnis, daß eine homöopathische Verschlimmerung nicht notwendig ist, ein Triumph. Auch wenn es am Anfang oft so schien, als sei sie doch notwendig und wenn sie auch ein notwendiger Teil auf Hahnemanns Weg zu einem immer besseren Heilverfahren war, so können wir uns glücklich schätzen, daß Hahnemann diesen Weg bereits für uns beschritten hat. Anstatt weiterhin den Weg der homöopathischen Verschlimmerungen zu gehen, können wir uns die Erkenntnisse Hahnemanns aus seinem späteren Leben zunutze machen.

Wie es Hahnemann schließlich gelang, die homöopathische Verschlimmerung zu eliminieren, wird ausführlich im nächsten Kapitel „Die Geschichte der LM-Potenzen” beschrieben.

Aus der Geschichte der Verdünnung und Potenzierung und aus der Erfahrung anderer Homöopathen sowie meinen eigenen Beobachtungen kann ich sagen, daß es hauptsächlich zwei Ursachen gibt, welche die sogenannte Erstverschlimmerung auslösen:

- einmal sehr hohe Dosen des materiellen Heilmittels, wodurch auch tödliche Verlaufsformen eintreten können;
- zweitens zu hohe Potenzen, *gleich anfänglich* verordnet, welche den Patienten manchmal wochenlang unnötig leiden lassen.

Sehr hohe Potenzen haben ihren Platz, und wenn sie passen, sind sie höchst heilsam und absolut sanft; ohne jegliche Verschlimmerungen vollbringen sie ihre Heilwirkung. Waren die sehr hohen Potenzen unangebracht, haben sie jedoch teilweise und/oder unwiderruflich geschadet. Kent hat nicht umsonst gesagt, daß er lieber in einem Raum mit einem Dutzend Riesen-Schwertkämpfern sein würde als in den Händen eines verantwortungslosen Hochpotenzlers. Leider war er selbst ein ausschließlicher Anwender von Hochpotenzen und dem einen Simillimum, das bei einer Person alles heilen kann. Wo Urtinkturen und niedrige Potenzen geheilt hätten, hantierte er verzweifelt mit den höheren Potenzen.

Meine Erfahrungen aus der täglichen Praxis sowie die unzähligen Darstellungen akuter Fälle in den homöopathischen Zeitschriften zeigen, daß auch bei akuten Fällen eine homöopathische Verschlimmerung die Ausnahme ist (siehe „Verschlimmerung nach der ersten Gabe", Kapitel 3)

Es ist die passende Potenz für den Menschen und dessen Zustand, welche uns das Heilmittel ohne Verschlimmerung geben und wiederholen läßt!
Es spielt dabei keine Rolle, ob es eine C-, D- oder LM-Potenz ist.

Zusammenfassung: homöopathische Verschlimmerung

- Mit wachsendem Wissen und Erfahrung sowie der Ansammlung von Fakten entwickelt sich eine Wissenschaft immer weiter. Keine Interpretation ist endgültig.
- Die ersten Schritte einer Wissenschaft und deren Interpretation müssen immer teilweise oder ganz überarbeitet, erneuert und/oder erweitert werden.

- Die homöopathische Verschlimmerung bestätigt zwar die Richtigkeit der Mittelwahl, läßt sich jedoch letztendlich nicht mit Hahnemanns Ideal der sanften Heilkunst vereinbaren. Das Heilmittel in der richtigen Potenz und Dosierung zeigt in der Regel seine deutliche Heilwirkung nach kurzer Zeit und ohne Verschlimmerung.
- Um die heftigen Reaktionen und homöopathische Verschlimmerungen zu vermeiden, entwickelte Hahnemann über die Verdünnung (Reduzierung der Materie) und durch Verschütteln (Erhöhung der Heilkraft) das Potenzierungsverfahren. Letzten Endes gelang es ihm auch, mögliche homöopathische Verschlimmerungen durch Verdünnung der Potenzen, wodurch sie sanfter werden, zu vermeiden. Dies gilt auch für die C- und D- Potenzen. (Ausführliches darüber im nächsten Kapitel: „Die Geschichte der LM-Potenzen".)

A. Zeichen der Besserung

Um mit Sicherheit sagen zu können, daß eine Besserung eingetreten ist, muß *ein klares und eindeutiges Abklingen der Symptome und Beschwerden, für die das Mittel gegeben wurde,* stattfinden.

Eine echte Besserung und nicht nur eine Unterdrückung der Symptome können Sie an den bald eintretenden Zeichen erkennen:

- Ein positives Allgemeinbefinden stellt sich bald oder manchmal sofort ein.
- Der Patient nimmt das Mittel gerne.
- Bewußtseinsprozesse auf seelischer Ebene machen sich bemerkbar. Der Patient fängt z. B. an, seiner Umwelt – Menschen, Natur, Wetter etc. – und deren Einfluß auf ihn Auf-

merksamkeit im positiven Sinn zu schenken. Dieser Vorgang geschieht bei einer Besserung mit Leichtigkeit, ohne Probleme oder Beschwerden zu verursachen.

1. Die Regel der Besserung

Bei akuten kurzfristigen Fällen ist ein Mittel selten für längere Zeiträume angezeigt. Längere akute Krankheiten, wie z. B. Hepatitis, benötigen jedoch meist über einen längeren Zeitraum den Einsatz eines Mittels. Auch bei den subakuten Fällen wird ein Mittel länger gebraucht. Manchmal kann das subakute Mittel auch den dahinterliegenden chronischen Zustand teilweise oder ganz abdecken.

Solange ein Mittel eine positive Wirkung zeigt und es keinen Grund gibt, etwas anderes zu tun, sollte das Mittel weiter gegeben werden. Ein Zeitraum hierfür kann vorher nicht festgelegt werden.
(Ausnahmen werden in späteren Kapiteln behandelt.)

2. Regel zur Reduzierung der Mittelgaben

Anfänglich legt man die Wiederholung des Mittels auf der Basis des momentanen Zustandes fest. Geschieht die Besserung nicht schnell genug, sollte das Mittel so oft wiederholt werden, bis eine deutliche und stetige Besserung eintritt.

Sobald die Krankheit unter Kontrolle ist, sollte das Mittel weniger häufig gegeben werden. Vor allem wird dies an der stetig fortschreitenden und stabilen Besserung festgestellt – das Auf und Ab wird viel weniger.

Je besser es dem Patienten geht, desto weniger häufig sollte ein Mittel wiederholt werden. Die Häufigkeit des Wiederholens reduziert sich sozusagen im Einklang mit dem Grad der Besserung.

In akuten Fällen bei einer Wiederholung von z. B. alle zwei Stunden wird bei Besserung der Abstand auf bis zu alle vier bis sechs Stunden verlängert. Sollte das Mittel länger notwendig sein (siehe *Punkt B – Weitere Besserungsregeln und Ausnahmen),* wird es dann ein- bis zweimal pro Tag gegeben.

Bei chronischen Fällen kann die Mittelgabe auf alle zwei bis drei Tage und mit der Zeit auf noch weniger reduziert werden.

Fallbeispiele zu A.

Fall 1

Einem Jungen mit unterentwickelten Geschlechtsteilen wurde Calcium jodatum erst in der LM 30 und dann LM 60 einmal täglich gegeben. Nachdem die Geschlechtsteile sich deutlich entwickelt hatten, wurde nach einigen Monaten die LM 90 nur noch alle drei Tage verabreicht. Als wir nach einem Jahr auf die Potenz XM übergingen, wurden die Wiederholungen sogar auf einmal wöchentlich reduziert. Nach einem weiteren Jahr war der Zustand auf der körperlichen Ebene ausgeheilt. Um die Bearbeitung der seelischen Hintergründe weiterhin zu unterstützen, wurde jetzt das Mittel in der CM alle zwei Wochen verordnet.

Fall 2 – Vorsicht bei Aussage des Patienten

Nachdem eine Patientin ein Mittel eine Weile genommen hatte, rief sie mich eines Tages wegen einer zusätzlichen kleineren Beschwerde an. Sie klagte außerdem, daß es ihr grundsätzlich schlecht ginge. Ich war etwas verwundert und fragte, wie es ihr mit dem ursprünglich verschriebenen Mittel ergangen war. Sie erwiderte, es sei ihr sehr gut gegangen, weswegen sie das Mittel bald abgesetzt hatte. Nach einer Weile nahm sie ein anderes Mittel wegen anderer Beschwerden. Nun waren die ursprünglichen Beschwerden wieder da und sie wollte ein neues Mittel.

Die Patientin deutete an, daß das anfängliche Mittel nicht tief genug gewirkt hätte, um ihren damaligen Zustand zu heilen, sonst wären die Beschwerden nicht wiedergekommen.

Hier ist es leicht, sich in die Irre führen zu lassen und ein neues Mittel zu geben, da der Zustand ja angeblich schlimmer war. Tatsächlich aber erfuhr ich, als ich genauer nachfragte, daß ihr Zustand besser als vor der Einnahme des Mittels war, im Grunde gar nicht so schlimm, wie sie anfänglich darstellte.

Wir müssen mit den Meinungen der Patienten vorsichtig umgehen! Es kann leicht passieren, daß wir ihre Interpretation einfach akzeptieren. Aber vor allem sollte ein tiefwirkendes Mittel nicht einfach ohne gute Gründe abgesetzt werden.

Ich verschrieb ihr also nochmals dasselbe Mittel jedoch in einer höheren Potenz, da sie sich so beschwert hatte und weil sie zwischendurch auch noch ein anderes Mittel genommen hatte. Die Besserung setzte sofort ein.

Fall 3 – Prinzip geht vor dem Wunsch des Patienten

Die Mutter eines Babys, welches an atopischem Ekzem litt, rief vier Tage nach der Verschreibung eines Mittels an. Sie war unzufrieden, weil an der Haut ihres Kindes wenig Besserung zu sehen war. Obwohl die Röte abends nachließ, flammte sie jeden Morgen erneut auf.

Allerdings schlief das Baby jetzt besser. Außerdem war es viel fröhlicher, lachte viel und war allgemein zufrieden.

Geht es dem Patienten allgemein besser, muß die Mitteleinnahme weitergeführt werden. Also ordnete ich an, das Mittel weiter zu geben, und dem Kind ging es zusehends besser.

Man muß sich als Homöopath vor dem Bedürfnis, den Patienten zu schnell und um jeden Preis zufriedenzustellen, in acht nehmen. Das Hauptproblem für die Mutter in diesem Fall war, daß die Haut nicht viel besser geworden war. Es waren jedoch erst vier Tage vergangen! Ist man sich über die Regeln der Reaktionen nicht im Klaren, können die wiederholten Forderungen des Patienten ablenken, besonders wenn z. B. eine Mutter alle paar Tage anruft. Überzeugt die Mutter den Behandler davon, daß der Zustand der Haut schlimmer ist, wird das Mittel abgesetzt, obwohl es weiter gegeben werden muß. Jeder Fall ist anders, also müssen wir uns auf die Prinzipien verlassen, die uns den Weg zeigen. Es gibt auch Fälle, in denen solche tiefsitzenden Krankheiten erstaunlich schnell besser werden. Ein zweites Mittel sollte nur dann verschrieben werden, wenn sich die Haut nach geraumer Zeit überhaupt nicht verändert, obwohl sich der Allgemeinzustand deutlich verbessert.

Fall 4 – Arsen – Kalium-ars.

Ein Fall von Erbrechen während der Schwangerschaft. Das letzte Mittel war vor einigen Wochen sehr effektiv. Jetzt reichte es lediglich, die Häufigkeit des Erbrechens zu reduzieren. Es verbesserte auch nicht das Allgemeinbefinden der Frau.

Diesmal mußte sie nicht, wie beim letzten Mal, durch das Trinken von eiskaltem Wasser erbrechen. Sie konnte aber nur sehr kleine Mengen trinken und war sehr unruhig; konnte sich nicht hinlegen und ausruhen. Sie empfand starke Übelkeit und mußte viel würgen. Schlucken tat sehr weh, da der Hals gereizt war. Das Erbrochene war bräunlich.

Ich verschrieb *Arsen C 1000,* nach jedem Erbrechen einzunehmen. Es half etwas am Abend, am nächsten Tag war das Erbrechen wieder genauso schlimm wie davor. Die Schwangere hatte lange versucht, tapfer zu sein, aber jetzt konnte sie nicht mehr und war verzweifelt. *Wenn zwar die Symptomatik von Arsen vorliegt, es aber nicht die erhoffte Wirkung bringt, dann ist Kalium arsenicosum bei Erbrechen ein wichtiges Mittel, besonders wenn das Kali-Element vorhanden ist, d. h. der Versuch, tapfer zu sein.*

Ich verschrieb *Kali-ars.* LM 6. Je nachdem, wieviel besser es ihr ging, sollte es entsprechend seltener wiederholt werden (*Regel der Reduzierung der Mittelgaben*).

Am nächsten Tag ging es ihr sowohl körperlich als auch geistig viel besser. Zwar hatte sie noch viel Speichelfluß und verspürte kurzzeitig starke Übelkeit, aber sie mußte sich nicht mehr übergeben. Es hatte sich aber ein kleiner, etwas lästiger Husten dazugesellt.

Im Laufe der Behandlung mit Kali-ars. tauchten immer wieder manche dieser kleineren Symptome wie Übelkeit, Speichelfluß oder Husten kurzzeitig auf.

Derartige kleinere Symptome, die während der Genesung auftreten, sind unwichtig und können ignoriert werden, denn sie verschwinden von alleine. Das Mittel wird nach den Regeln der Besserung weiter gegeben.

Das Beispiel zeigt, wovon wir uns nicht stören lassen sollten, um die Regel – bei Besserung des Zustandes das Mittel weiter geben – mit Sicherheit umsetzen zu können.

B. Weitere Besserungsregeln und Ausnahmen

1. Die Notwendigkeit bzw. der Vorteil, das Mittel weiter zu geben, nachdem der akute Fall abgeschlossen ist

Man könnte meinen, daß das Mittel abgesetzt werden sollte, sobald das akute Leiden geheilt wurde. Die Erfahrung lehrt jedoch, daß das nicht unbedingt immer der Fall ist.
In folgenden Situationen sollte das akute Mittel weiter gegeben werden:

Nicht selten offenbart sich das *akute* Mittel als das Mittel, das auch für die *chronische Behandlung* benötigt wird. In Fällen mit vielen verschiedenen Facetten kann es eine Weile dauern, bis der Mensch durch die Verstrickung der oberen Schichten zu seinen tieferen oder Primärursachen vorstößt. Dies trifft besonders bei Fällen zu, die schulmedizinisch oder mit anderen unterdrückenden Therapien behandelt wurden. Nicht selten erfährt der Patient nach einer kürzeren oder längeren konstitutionellen Behandlung eine schwere akute Erkrankung, die der Gesamtheilung dient und hilft, krankheitserhaltende Gifte auch auf subtileren Ebenen auszuscheiden. Jetzt braucht der Patient dasselbe akute Mittel weiter, da es in der Regel auch die Primärursachen des chronischen Zustandes abdeckt. Normalerweise kann der exakte Zeitpunkt, wann sich die Primärursache zeigt, nicht vorhergesagt werden. Wir können ihn nur vermuten. Aus diesem Grund sollte das zuletzt eingesetzte akute Mittel, besonders wenn es tiefwirkend ist, weiter gegeben werden, sofern sich keine Kontraindikation herausstellt.

Ein unkompliziertes Beispiel, weil es nur einen Zustand enthält, verdeutlicht dies:

Fallbeispiel – das akute Mittel heilt den chronischen Zustand

Ein Junge mit Phimose wurde aufgrund seiner allgemeinen und anderen Symptome behandelt. Nach ein paar Monaten hatte sich bezüglich der Phimose noch kaum etwas geändert. Dann erlitt er eine schwere Erkältung. Das zweite Mittel (Folgemittel) für die Erkältung war *Sulfur*, mit der sie heilte. Sulfur sollte die nächsten drei bis vier Wochen weiter gegeben werden – Sulfur ist ein wichtiges Mittel bei Phimose. Nach drei Wochen rief die Mutter an und fragte, ob es notwendig sei, die Behandlung fortzusetzen, denn die Phimose war nun geheilt.

Hier erhebt sich die Frage, warum Sulfur nicht gleich gegeben wurde. Doch auf welcher Basis hätte man Sulfur verordnet?

Ein Mittel muß angezeigt sein, und der richtige Zeitpunkt ist wichtig. Der letztere Punkt wird im Kapitel 4, „Das Mittel wirkt nicht“, behandelt.

Es gibt auch einfache Fälle, in denen das akute Mittel *einen weiteren Aspekt* der Beschwerden des Patienten abdeckt. Wenn der akute Zustand geheilt ist, dann wird auch dieser Teil der Beschwerden in Ordnung kommen, wenn das Mittel weiter genommen wird.

Fallbeispiel – chronische Aspekte werden durch Wiederholung des akuten Mittels geheilt

Ein Junge bekam *Aconit* für eine akute Erkrankung. Er fühlte sich damit so gut, daß er fragte, ob er es weiter nehmen könne, als seine Beschwerden schon geheilt waren. Schon nach einer Woche hatte sich auch sein gesamter chronischer Zustand wesentlich gebessert: In Situationen, die ihm Angst bereiteten, hatte er zuvor immer mit Panik reagiert. Nun war er in der Lage, da zu bleiben, ohne in Panik zu geraten oder wegzulaufen. Er nahm Aconit so lange weiter, bis er von der Angst befreit war.

Der dritte Grund, ein Mittel weiter zu geben, basiert auf Hahnemanns Miasmentheorie. Wenn in einem akuten Fall die Wahl auf ein wichtiges *antimiasmatisches Mittel* oder eine *Nosode* fällt, dann sollte das Mittel so lange wie möglich weiter gegeben werden. Dadurch können die Miasmen auf einer tiefen Ebene angegangen werden. In den *Chronischen Krankheiten* schreibt Hahnemann, daß wir nicht annehmen sollten, das Miasma sei überwunden, sobald die Symptome verschwunden sind. Wir sollten das Miasma unablässig angehen, bis die Heilung zu den Wurzeln vorgedrungen ist. Woran wir dies erkennen können, finden Sie unter Punkt 2b.

Manche Homöopathen sind dem Einsatz von Nosoden in akuten Fällen nicht so zugeneigt. Aus meiner Erfahrung haben sie sich jedoch auch in sehr akuten Situationen als überaus effektiv und nützlich erwiesen.

Es gibt noch einige weitere Gründe, ein Mittel auch dann weiter zu geben, wenn es dem Patienten viel besser geht. Einer der wichtigsten besteht in *lebensgefährlichen Situationen.* Wenn man in einem solchen Fall das Mittel zu schnell absetzt, bevor der pathologische Zustand vollständig beseitigt ist, besteht die Gefahr, daß sich der Zustand des Patienten schlagartig verschlechtert. Der Patient kann, wenn das Mittel am Tag abgesetzt wurde, weil es ihm scheinbar besser ging, noch in der darauffolgenden Nacht sterben, besonders in den frühen Morgenstunden, wenn die Lebenskraft niedrig ist. Wenn man bei einer so rasanten Verschlechterung des Zustandes durch das zu frühe Absetzen des Mittels noch die Möglichkeit hat, einzugreifen, - denn es geht oft so schnell, daß zum Handeln nicht viel Zeit bleibt –, sollte rasch überprüft werden, ob nicht ein neues Notfallmittel in Frage kommt. Ansonsten dasselbe Mittel sehr häufig geben.

Also gilt auch hier die Regel, daß ein Mittel grundsätzlich erst mal weiter gegeben werden sollte, sogar wenn oder gerade wenn es dem Patienten sehr viel besser geht. Die tieferen Vorgänge und Wirkungen eines Mittels sind oft weder für den Therapeuten noch den Patienten an der Oberfläche zu sehen. Sie geschehen sozusagen im Verborgenen. Ist ein Mittel nicht mehr angezeigt oder braucht der Patient es wirklich nicht mehr, dann wird es dem Behandler deutlich ersichtlich.

Ein einfaches Beispiel soll diesen Umstand verdeutlichen. Nehmen wir einen Patienten mit einem Blutgerinnsel im Gehirn. Die Homöopathie kann diesem Menschen sehr schnell zur Besserung verhelfen, was den Homöopathen dazu verleiten könnte, das Mittel voreilig abzusetzen. Hier entstehen die häufigsten Probleme, so daß Patienten mitten in der Nacht in Panik ins Krankenhaus gebracht werden.

Wir können den Organismus nicht in so kurzer Zeit heilen, solange die Sekundärursachen des Problems (Blutgerinnsel) nicht behoben sind. Zwar geht es dem Patienten besser, und er mag sogar symptom- und beschwerdefrei sein, aber wir müssen uns verdeutlichen, daß wir nur die Oberfläche sehen. Auf den tieferen Ebenen haben wir womöglich noch nicht einmal angefangen, an dem Problem zu rütteln. Ein Blutgerinnsel entsteht nicht einfach von alleine. Wir müssen uns über die Gründe Gedanken machen und sie mit einbeziehen. Deckt das akute Mittel nicht die tieferen Ebenen ab (dies gehört zur Arzneimittelkenntnis), brauchen wir ein Folgemittel, welches dies tut. Ohne eine Weiterbehandlung mit einem Mittel, das auch die Ursachen abdeckt, wird der Krankheitszustand heimtückisch wiederkehren und den Betroffenen im unpassendsten Moment überraschen. Solange das Blutgerinnsel (Sekundärursache) nicht ganz beseitigt ist, besteht akute Lebensgefahr. Die Primärursache birgt auch Gefahr für die nahe oder fernere Zukunft. Deckt das Mittel auch die Primärursache ab, geben wir es noch weiter. Andernfalls brauchen wir ein Folgemittel für die tieferliegende Ursache.

Unsere Absicht ist es, den chronischen Zustand zu behandeln und zu heilen. Daher müssen wir Folgendes verstehen:

- Wie lange sollte ein Mittel in derselben Potenz weitergegeben werden?
- Wann erhöhen wir die Potenz?
- Wie erkennen wir, wenn ein Mittel nicht mehr wirkt?

Diese Fragen werden im nächsten Kapitel beantwortet, aber erst einmal gilt:

Solange die Besserung, wie sie definiert wurde, weitergeht, kann das Mittel in der gewählten Potenz weiter gegeben werden.

2. Welche Gründe gibt es bei jeder Art von Fall – akut und chronisch – mit dem Mittel bei Besserung aufzuhören?

Es gibt viele Gründe, das Mittel weiter zu geben, aber genauso gibt es genügend Gründe und Zeichen, das Mittel abzusetzen:

a. Wenn das Mittel nichts mehr bringt und auch die höheren Potenzen keine Wirkung zeigen.
b. Wenn die Symptome sich verändern.
c. Wenn sich andere Symptome des Mittels einschleichen, die bisher nicht dagewesen waren.
d. Wenn ein dazugehöriges Nebensymptom einfach nicht weggeht.
e. Wenn der Zustand geheilt ist.

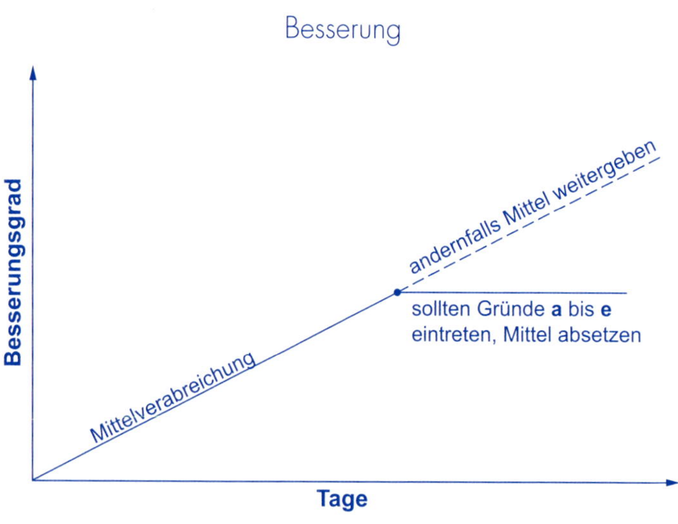

Punkt 2a wird im Kapitel 9 „Restsymptome“ und 2b im Kapitel 15 „Neue Symptome“, behandelt. Das folgende Beispiel erläutert c und d:

Fallbeispiel

Ein Junge bekam eine fieberhafte Erkältung, die sofort die Lunge befiel. So wie sich die Symptome entwickelten, wäre wahrscheinlich eine Lungenentzündung daraus geworden. Von Anfang an war es ein klarer Fall von Sulfur. Ich verschrieb *Sulfur LM 120*, zweimal täglich zwei Tropfen auf etwas Wasser.

Die Besserung setzte sofort ein, und das Mittel wurde 14 Tage lang genommen. Der Zustand war sehr gut, und die Lungen waren mindestens die letzten zwei Tage frei. Sogar die mitbeteiligten Ohren waren wieder in Ordnung. Appetit war auch da. Der Junge ging wieder zur Schule.

Das Kind hatte aber abends noch leichtes Fieber. Die Frage war nun: Sollte Sulfur weitergegeben werden oder nicht? Mein Gefühl sagte mir, daß diese leichte Temperaturerhöhung eine Reaktion des Körpers auf Sulfur sei und es Zeit wurde, das Mittel abzusetzen. Meines Erachtens *verursachte dieses Mittel jetzt eine leichte Reizung im Organismus.*

Im Zweifelsfall ist es immer am besten, aufzuhören, abzuwarten und zu beobachten. Braucht der Organismus das Mittel noch, wird er uns das meist sehr schnell mitteilen: Dem Patienten wird es wieder schlechter gehen, und die Symptome werden anfangen, teilweise oder gänzlich wiederzukehren.

In diesem Fall hatte ich mich bereits entschieden, als mir eine weitere Information diese Entscheidung bestätigte. Die Mutter teilte mir mit, das Kind sei abends rastlos gewesen und hätte die letzten zwei Tage nur schwer einschlafen können.

In dem obigen Fall gibt es einige wichtige Punkte zu berücksichtigen:

- Das abendliche Fieber hätte erst nach dem Rückgang des ursprünglichen Fiebers anfangen können. Die beteiligten Personen können sich nicht immer genau an alle Details erinnern, besonders wenn sich der Fall über so viele Tage erstreckt. Oder manchmal haben sie einfach nicht gut aufgepaßt. Eine Rückkehr des Fiebers ist in jedem Fall ein Grund, das Mittel abzusetzen.
- Das anhaltende abendliche Fieber, wenn schon alles andere in Ordnung ist, ist ebenfalls Grund genug, das Mittel abzusetzen. Siehe Punkt 2d bei „Gründe, das Mittel abzusetzen".
- Die Rastlosigkeit und die Einschlafprobleme waren Symptome von Sulfur, Punkt 2c – und somit auch Gründe, das Mittel abzusetzen.
- Ferner blieb die Potenz während des ganzen Falles unverändert. Also war es kein Fall, in dem eine Potenzänderung stattfand, die den Organismus manchmal fürkurze Zeit leicht aufwühlen kann.

In Bezug auf Punkt 2e (wenn der Zustand geheilt ist) empfiehlt Hahnemann, das Mittel in chronischen Fällen weiter zu geben, sogar wenn alle Symptome verschwunden sind. Er behauptet, das Miasma sei nicht notwendigerweise beseitigt, wenn die Symptome nicht mehr sichtbar sind, und wenn die Heilung der tieferliegenden Ursache vollendet sei, würde der Körper uns dies wie folgt mitteilen: entweder kommen die Symptome meist in abgeschwächter Form wieder zurück oder gleich nach der Einnahme des Mittels würde für einige Minuten eine unerwünschte Wirkung, wie von Strom, eintreten. Erst dann wäre der richtige Zeitpunkt da, um mit dem Mittel endgültig aufzuhören.

Ich habe viele weitere Arten gefunden, in denen es die Seele ist, die uns mitteilt, daß das Mittel nicht mehr gebraucht wird:

- Jedes Mal, wenn der Patient das Mittel nimmt,
fühlt er sich nicht so wohl.

- Ein schwer zu beschreibendes unangenehmes Gefühl tritt ein.
- Das Mittel schmeckt nicht mehr.
- Der Patient will das Mittel nicht mehr nehmen.
- Der Patient entwickelt eine Abneigung gegen das Mittel.
- Der Patient vergißt, das Mittel zu nehmen.
- Der Patient freut sich nicht mehr auf das Mittel.
- Manchmal ist die Stimme der Seele sehr klar: *„Dies ist deine letzte Gabe. Nimm das Mittel danach nicht mehr."*

Bei Kindern:

- Das Kind schreit/weint beim Versuch, ihm das Mittel zu geben.
- Das Kind dreht den Kopf weg/ beißt die Lippen zusammen/ die Zähne fest zu.
- Das Kind schlägt den Eltern das Mittel aus der Hand/ es fällt runter und ist unbrauchbar.
- Das Kind läuft davon.
- Usw.

Zu dem Punkt „Das Mittel schmeckt nicht mehr" muß man bei Urtinkturen unterscheiden: Es gibt Menschen, die den Geschmack einer Urtinktur nicht aushalten können, auch wenn sie zu ihnen paßt, d. h. ihr Simillimum ist. Nach einer Weile kann es dazu kommen, daß sie die Urtinktur doch mögen. Wenn dann im Laufe der Zeit die Urtinktur nicht mehr so gut schmeckt, ist es Zeit, sie abzusetzen.

Wie bereits in vorigen Abschnitten angedeutet, ist es also sinnvoll, das Mittel nicht sofort abzusetzen, wenn die Heilung vermeintlich stattgefunden hat, sondern erst dann, wenn klare Signale kommen, das Mittel nicht mehr weiter zu nehmen.

Zusammenfassung

- Eine Besserung ist eine eindeutige und positive Wirkung des Simillimum auf den Körper sowie den Geist und die Seele.
- Im Falle der Besserung wird das Mittel in steigenden Potenzen weiter gegeben, bis der Körper uns klar sagt, daß er das Mittel nicht mehr braucht.

3. Wann ist es sinnvoll, Mittel über mehrere Jahre hinweg zu geben?

Ich habe viele Patienten gehabt, die ein Mittel täglich in immer höheren Potenzen nahmen, sogar über Jahre hinweg. In solchen Fällen haben wir ein tiefwirkendes Mittel, und der Patient entwickelt sich seelisch und geistig immer weiter. In der Regel waren die körperlichen Symptome minimal und bald vergangen.

Es geht hier um Menschen, die schon länger an sich arbeiten. Sie wollen geistig und seelisch ursächlich so gründlich und progressiv vorankommen, wie es für sie möglich ist. Es liegt eine große Bereitschaft vor. Was die Widerstände anbelangt, wie im Abschnitt „Die Theorie der Verschlimmerung" im Kapitel 3 dargestellt, wird es auch wenig Probleme geben. Indem diese Menschen bewußt und gründlich an sich arbeiten, brauchen sie hauptsächlich nur das Grundmittel. Andere Mittel werden nur kurz oder gar nicht gebraucht. Das sind die Voraussetzungen für die problemlose Wiederholung des Mittels.

In einem Fall wurde alleine *Lycopodium* über 16 Jahre in immer steigenden Potenzen bis zu weit über eine Million von einem Menschen genommen. Die Entwicklung, welche der Mensch bei solch einer homöopathischer Behandlung macht, ist mit Worten nicht zu fassen. Ich habe an mir selbst in jeder mir denkbaren Weise experimentiert. Deswegen kann ich aus erster Hand beurteilen, ob alles in rechten Bahnen läuft. Es mag zum Entsetzen von Einzelgaben-Homöopathen sein, aber es sind die Resultate, die für sich sprechen sollten, und nicht irgendeine Meinung. In dem Moment, in dem der Mensch etwas für sich als unmöglich betrachtet, ist es auch unmöglich und umgekehrt. Es müssen, um das Unmögliche möglich zu machen, die Gesetzmäßigkeiten in ihrer Logik weitergeführt werden.

Ich fange dabei fast immer mit einer LM-Potenz an. Wenn die Möglichkeiten der LM-Potenzen erschöpft sind – man bekommt sie meist bis zur LM 360, teilweise bis LM 500 –, fahre ich mit der Centesimalpotenz XM (C 10. 000) fort.

Dies entspricht dem *Prinzip des allmählichen Aufbaus,* wobei Körper und Geist langsam aufgebaut werden und sich anpassen. So kann der Mensch später ohne Probleme damit umgehen, wenn täglich XM- oder noch höhere Potenzen gegeben werden. Körper und Geist sind so aufgebaut und umstrukturiert, daß sogar die mächtigen Energien der höheren Potenzen problemlos durchfließen können.

Wir finden dieses Prinzip in der griechischen Mythologie in der Geschichte von Zeus und dem Kalb. Als das Kalb geboren wurde, fing Zeus an, es einmal täglich hochzustemmen. Das Kalb wuchs und wurde jeden Tag schwerer, aber in gleichem Masse wuchsen auch die Muskeln und die Kraft von Zeus. Als das Kalb langsam zu einem ausgewachsenen Ochsen herangewachsen war, konnte Zeus es immer noch ohne Probleme in die Höhe stemmen.

4. Der Patient der beständigen Potenz

Normalerweise läßt die positive Wirkung einer gewissen Potenz nach einer Weile nach. Deswegen erhöhen wir die Potenz bei einer längeren Behandlung nach den oben gegebenen Regeln. Doch es gibt auch Ausnahmen. In seltenen Fällen ist eine bestimmte Potenz viel länger angebracht. Sie wirkt und wirkt und wirkt, manchmal über einen sehr langen Zeitraum. Erhöhen wir jetzt die Potenz, geht es dem Patienten nicht gut. Gehen wir wieder zurück zu der vorherigen Potenz, setzt sich die positive Wirkung fort. Setzen wir das Mittel ab, geht es dem Patienten wieder schlechter. Also müssen wir bei derselben Potenz bleiben. In diesem Falle ist diese eine Potenz das Beste für den Patienten. Meist sind es ältere Menschen mit einfachen Beschwerden. Der Patient ist glücklich damit, das Mittel regelmäßig einzunehmen. Er lebt ein einfaches Leben und mehr will er nicht. Er ist zufrieden mit sich und seiner Situation. In diesem Fall sollten wir uns auch damit zufriedengeben und nicht versuchen, tieferliegende Ursachen zu behandeln. Wir lassen die Drachen schlafen!

5. Wiederholung in Fällen, in denen der Tod unabwendbar ist

Hat es einen Sinn, ein Mittel weiter zu geben, wenn wir wissen, daß wir den Patienten nicht retten können? Auf jeden Fall! Denn das richtige Mittel kann nicht nur den Übergang in den Tod erleichtern, sondern durch die regelmäßige Wiederholung wirkt es auch auf den Geist und die Seele und kann dem Patienten helfen, sein Leben besser zu verstehen. Denn welchen Sinn hat es, zu sterben und nicht zu wissen, warum? Dies könnte passieren, wenn das Mittel zu früh abgesetzt wird. Unterdrükkende Therapien fördern weder das Verständnis beim Patienten für seine Probleme noch den Weitblick für sein Leben.

6. Nach ein paar Gaben aufhören

Manche Homöopathen wiederholen ein Mittel nur so lange, bis die Wirkung deutlich eingesetzt hat, um es dann abzusetzen und abzuwarten. Dies funktioniert in manchen Fällen sehr gut und kann den Eindruck erwecken, daß es eine heilsame Methode für alle Arten von Fällen sei. Dies betrifft jedoch nur die unkomplizierten Fälle, bei denen nicht verschiedene Faktoren gleichzeitig im Spiel sind und keine Lebensgefahr in der bereits beschriebenen Weise besteht, bei denen die Vitalität gut und die Lebenskraft stark ist.

Die potenzielle gute Wirkung, wie oben geschildert, werden wir in den meisten Fällen nicht bekommen oder nur sehr selten. Das ist dann eine Sache des Zufalls. In einer Heiltherapie sollten wir nicht viel dem Zufall überlassen. Wir müssen klar und entschlossen vorgehen und den Stier bei den Hörnern packen, um das Beste bei jedem Fall zu erreichen.

Möglicherweise sind die Fälle, bei denen diese Art des Verschreibens sinnvoll sein kann, und zwar die, in denen das verordnete Mittel nur begrenzte Zeit angezeigt ist. Das sind Fälle, bei denen von vornherein das Folgemittel deutlich ist und wir auch ungefähr wissen, wie lange es dauert, bevor das nächste Mittel in Frage kommt. Bei solchen Fällen habe ich auch manchmal mit zufriedenstellenden Resultaten in dieser Weise behandelt.

Oder es handelt sich um ein Zwischenmittel für kleine akute Beschwerden während der chronischen Behandlung. Bekommt jemand z. B. durch kaltes Duschen Beschwerden, gibt man das Zwischenmittel dafür, bis sich eine deutliche Besserung einstellt. Dann hört man damit auf. Sobald der Zwischenzustand vorbei ist, fährt man mit dem vorherigen Mittel fort.

7. Es findet nur eine Linderung statt

Bei einem Fall, in denen das Simillimum nur lindert, d. h. palliativ wirkt (manchmal können eine Zeitlang nur Palliative gefunden werden), ändert sich die Regel der Wiederholung. Ein Palliativum verliert sehr schnell seine positive Wirkung. Es hat keinen Sinn, die Palliative in höheren oder niedrigeren Potenzen zu geben, da sie keine Wirkung mehr haben werden. Man muß das nächstpassende Mittel finden, das den Patienten voranbringt.

Eine Linderung ist nicht das Ziel einer Heilung. Sie findet statt, wenn das verordnete Mittel ein Simile ist, also nur teilweise paßt. Das Mittel wirkt zwar kurz sehr gut, aber dann nicht mehr und wird auch in Zukunft nicht mehr wirken.

Kapitel 2

Die Geschichte der LM-Potenzen und ihre Handhabung

Wo finden die hohen, niedrigen und LM-Potenzen ihren Raum im gesamten Gefüge der Homöopathie?

Die Geschichte und die Entwicklung der LM-Potenzen war schwierig und ein Weg mit vielen Hindernissen, was bis heute sich in den kontroversen Ansichten über den ihnen zukommenden Platz und ihre Anwendung in der Homöopathie niederschlägt. Es gibt über gewisse Punkte Uneinigkeiten, besonders wegen der in weiten Kreisen herrschenden Meinung, daß die Einzelgabe die ursprüngliche und deswegen klassische und einzig richtige Methode ist. Obwohl das Verhältnis zwischen der *Hahnemannschen Homöopathie* und der sogenannten klassischen Homöopathie hier von essentieller Bedeutung ist, wird das Thema aufgrund seiner Vielfalt und seines Umfangs im Folgeband *Theorie und Heilgesetze* näher erläutert.

Hahnemann hat viele Kontroversen in den Gemütern der verschiedensten Lager ausgelöst, und nur wenige können und konnten seine Entdeckung überhaupt akzeptieren, geschweige denn als universal gültig ansehen. Schon zu Hahnemanns Zeiten gab es Uneinigkeit unter den Homöopathen, was 1833 zu ihrer Spaltung führte. Wie viele andere, die etwas Besonderes auf unserer Erde schaffen, war auch Hahnemann ein schwieriger Mensch. Solche Menschen haben eine unnachgiebige Überzeugung und müssen sie auch haben, um ihre Aufgabe unbeirrt durchführen zu können.

Die Frage ist, ob wir den Menschen und den Wissenschaftler Hahnemann mit seinen herausragenden Leistungen neutral betrachten können. Dafür brauchen wir ihm nicht unbedingt seine menschlichen Fehler zu vergeben. Aber wenn wir es doch tun, wird es uns leichter fallen, seine Ideen im richtigen Licht zu betrachten. Vielleicht werden wir dann seinen Umzug nach Paris in den letzten Jahren seines Lebens als Krönung seines irdischen Schaffens erkennen und achten, und uns nicht darüber grämen, daß er Deutschland den Rücken gekehrt hat. Wir würden über die abstruse Idee, das dekadente Pariser Leben habe ihn senil gemacht und die LM-Potenzen seien das Resultat eines verwirrten Greises, lächeln. Das ganze Leben Hahnemanns war äußerst fruchtbar, und seine letzten Jahre, insbesondere die letzten zehn, widmete er einigen wichtigen Themen, z. B. auch der Erforschung der LM-Potenzen. Wir brauchen nur, ohne voreingenommen zu sein, seine Schriften der späteren Jahre (die 2. Auflage der Chronischen Krankheiten, die 6. Auflage des Organon und seine Krankenjournale) zu studieren, um seinen scharfsinnigen Geist auch am Ende seines Lebens zu erkennen.

Bevor wir aber Schritt für Schritt die Entwicklung der LM-Potenzen beleuchten und uns mit der jahrelangen Arbeit Hahnemanns beschäftigen, steht die fast märchenhafte Geschichte des Verlustes der endgültigen Erkenntnisse und deren Wiederauffindung an. 1842, neun Jahre, nachdem die 5. Auflage des Organon erschienen war, und sieben Jahre nach seiner Auswanderung nach Paris, beendete Hahnemann die 6. Auflage. Er war noch in Verhandlungen mit seinem Verleger, als er im Februar 1843 akut erkrankte. Wir müssen uns die damalige Zeit vorstellen, um eine Idee von den Zeiträumen zu bekommen, in der Verhandlungen durchgeführt werden konnten. Es war nicht so einfach wie heute: den Telefonhörer in die Hand zu nehmen und ein Fax oder eine E-Mail zu schicken. Es dauerte. Hahnemann erholte sich nicht mehr von seiner Krankheit und starb am 2. Juli 1843.

Wie in jedem Märchen, gibt es auch hier einen Bösewicht, in diesem Fall Melanie, Hahnemanns zweite Frau. Melanie gab das Manuskript nicht ohne weiteres aus der Hand. Sie wollte viel Geld dafür, was trotz der jahrelangen Bemühungen amerikanischer und englischer Homöopathen eine Veröffentlichung verhinderte. Nach vielen vergeblichen Jahren verloren auch die optimistischsten Homöopathen die Hoffnung. Die 6. Auflage blieb unveröffentlicht und geriet in Vergessenheit. Melanie, „die böse Frau", die Hahnemann von Deutschland weggeführt hatte, soll der Homöopathie Unheil gebracht haben, und es wurde viel Übles über sie geschrieben. Wie dem auch sei, Melanie hatte die Sonne in das Leben Hahnemanns gebracht, und er wünschte sich folgende Worte auf seinem Grabstein:

„In diesem unserem Grabe vermischen sich Asche mit Asche, Gebein mit Gebein, wie die Lebenden die Liebe vereint hat."

Ganz entschuldigen sollten wir sie auch nicht. Hahnemann hatte vollstes Vertrauen zu Melanie. Sie war jede Sekunde bei ihm und unterstützte ihn, wann immer sie konnte. Melanie war, nach Hahnemanns eigenen Worten, ein lebendiges Lexikon des homöopathischen Wissens, der Arzneimittel, der Prinzipien und Regeln, besonders aber der letzten Erkenntnisse Hahnemanns in der Homöopathie. Aus diesem Grund benannte Hahnemann sie als seine einzige und rechtmäßige Nachfolgerin. Sie sollte die Hüterin seines Nachlasses sein. Wir können überhaupt nicht wissen, was in dieser Zeit in ihr vorging. Jedoch hatte ihre vermeintliche „Bösewichtrolle" einen wichtigen Einfluß auf die Entwicklung der Homöopathie, auf die wir im Laufe der weiteren Geschichte zurückkommen werden.

Mit der Zeit, bzw. nach dem Tode Melanies 1878, ging das gesamte Vermächtnis Hahnemanns in den Besitz der Familie Bönninghausen über. Melanie hatte dafür gesorgt, daß ihre gemeinsame Pflegetochter, Sophie Bohrer, in die Familie Bönninghausen einheiratete. Melanie holte nach der Heirat ihre Pflegetochter und deren Mann, Karl von Bönninghausen, den Sohn von Clemens von Bönninghausen, nach Paris. Die Versuche von Clemens von Bönninghausen (Freund und Zeitgenosse Hahnemanns) sowie von Homöopathen aus Amerika und England, den Nachlaß Hahnemanns zu erwerben, waren bis dahin erfolglos. Das Schicksal brachte schließlich doch den Nachlaß in die Hände der richtigen Person (den Schwiegersohn von Melanie), wobei Clemens von Bönninghausen, der 1864 starb, dies nicht mehr erlebte. Am Ende, im Jahre 1920, schaffte es der deutsche Homöopath Dr. Richard Haehl nach über zwanzig Jahren Bemühungen, den Nachlaß Hahnemanns zu erwerben.

Gleich 1921 erschien sowohl auf Deutsch als auch auf Englisch die 6. Auflage des Organon. Das war aber, nach fast achtzig vergangenen Jahren, nahezu bedeutungslos. Alle, die sehnlichst darauf gewartet hatten, waren nicht mehr am Leben. Verlorene Manuskripte besitzen immer den Hauch des Geheimnisvollen und einen gewissen Reiz, ein großes Geheimnis zu entdecken. Das scheint hier nicht der Fall gewesen zu sein, denn als die 6. Auflage veröffentlicht wurde, war das nicht die Sensation in der homöopathischen Welt, die man hätte erwarten können. Es ist schwer zu sagen, warum kaum mehr Interesse an der 6. Auflage bestand. War es das 20. Jahrhundert oder die Nachkriegszeit, die diesen Verlust des Interesses bewirkten? Möglicherweise waren es Kent und andere Homöopathen, die in diesem Zeitraum das homöopathische Bewußtsein bedeutend beeinflußten. Es scheint so, als ob die homöopathische Welt die Veröffentlichung der 6. Auflage kaum bemerkte. Es gab lediglich ein paar Bemerkungen bzw. eine kurze Kritik mehrere Jahre später, die aber der Besonderheit dieser Auflage nicht gerecht wurden.

Das Organon kann nicht wie ein Roman durchgelesen werden. Man muß es studieren und jede einzelne Zeile, inklusive der Fußnoten, genau durchdenken. Um die Entwicklung der Homöopathie und Hahnemanns grundlegende Ideen genau verstehen zu können, müssen alle Auflagen herangezogen werden. Es sind nicht nur die genialen Beobachtungen Hahnemanns enthalten, sondern auch die Weisheiten der Jahrtausende, welche er einbaute. Fehlerfrei? Nein, aber eine fast lückenlose Darstellung von den Heilprinzipien und Regeln.

Wenige haben solch ein Studium durchgezogen, darunter Richard Haehl. Er beschreibt in Details die Potenzen, Dosis usw. in seinem Buch *Samuel Hahnemann. Sein Leben und Schaffen.* Er schrieb dieses monumentale Werk in weniger als zwei Jahren, nachdem er den Nachlaß Hahnemanns in seinem Besitz hatte. Natürlich hatte er in den 25 Jahren zuvor alles, was bis dahin über Hahnemann existierte, sowie seine eigene Sammlung von Hahnemanns Briefen und anderen Dokumenten immer wieder durchgearbeitet. Seine Recherchen zu den einzelnen Fakten in diesem Buch sind beeindruckend. Er erwähnt sogar, daß die späteren Potenzen von Hahnemann eine 1 zu 50.000-Verdünnung waren und daß Hahnemann sie „Medicaments au Globule" nannte. Jedoch machten seine Ausführungen über die „LM-Potenzen" keinen Eindruck auf die homöopathische Welt. Es mußte jemand kommen, der das Vermächtnis der LM-Potenzen in seinen Geist aufnehmen, erkennen, damit arbeiten und experimentieren wollte.

Die Wiederentdeckung der LM-Potenzen

Es ist ein ruhiger Tag im Jahr 1942, genau hundert Jahre nachdem Hahnemann die 6. Auflage des Organon vollendete. Der Schweizer Arzt Rudolf Flury blättert durch die 6. Auflage des Organon. Auch andere hielten diese Auflage in ihren Händen, hatten die Zeilen gesehen und gelesen. Es gehörte jedoch einiges mehr dazu, um sie Wirklichkeit werden zu lassen. Etwas treibt Flury. Seine Aufmerksamkeit bleibt beim § 270 hängen. Der Paragraph und besonders die Fußnote dazu ist sehr lang, denkt er. Das war bei der 5. Auflage nicht der Fall, ist sein Gedanke. Schon die Paragraphen ab 246 haben ihn nachdenklich gemacht. Neugierig fängt er an, den Paragraphen und die Fußnote zu lesen. Im Vergleich zu dem, was ihm bisher in der Homöopathie bekannt war, ist in diesem Paragraphen und der Fußnote alles neu. Er beginnt noch einmal und liest die vielen Zeilen sorgfältig durch. Danach sitzt er lange Zeit nachdenklich da. Die LM-Potenzen sind in diesem Moment wiederentdeckt worden und haben im Geist eines geborenen Homöopathen Fuß gefaßt. Das bedeutende Erbe Hahnemanns schwebt nicht mehr in der Vergessenheit. Die mögliche Bedeutung dieser Entdeckung hat Flury elektrisiert. Er ist von der Wichtigkeit der Entdeckung überzeugt. Es steht aber noch die Umsetzung dieses Wissens über die LM-Potenzen an. Diese Potenzen gibt es ja nicht im Handel.

Woher bekäme er die Mittel, die nach diesem neuen Potenzierungsverfahren hergestellt werden sollten? Damals war es noch üblich, daß Homöopathen ihre Mittel teilweise selbst herstellten. Heute ist es in Deutschland gesetzlich anders geregelt. Ein Landarzt könnte heute nur dann selbst dispensieren, wenn er die Erlaubnis dazu hätte. Damals war es noch möglich, und so entschied sich Flury, die Mittel selbst herzustellen.

Er experimentierte sechs Jahre lang ausschließlich mit den LM-Potenzen, bevor er seine Arbeit der Welt bekanntgab. 1948 hielt er den ersten Vortrag darüber. Die homöopathische Welt um ihn herum, also hauptsächlich die Schweizer und Franzosen, waren skeptisch. Ihr Hauptargument war, daß solche hohen Verdünnungen die Mittel zu schwach machen würden, als daß sie noch wirksam sein könnten. Doch Flury gab nicht auf, die anderen Homöopathen nicht nur von der Wirksamkeit überhaupt, sondern auch von der Sanftheit der Wirkung zu überzeugen. In seiner Praxis kamen wirklich keine Verschlimmerungen mehr vor, die bei Anwendung der C-Potenzen die Regel waren. 1950 wurden seine beiden Vorträge unter dem Titel *Les Dilutions au Cinquante-Millième de la VI. Edition de l'Organon* in der Publikationsreihe von Lyon Laboratoires veröffentlicht. Flury stieß bei den Homöopathen in seinem Bekanntenkreis auf viele Widerstände. Täglich wiederholen?! Und dann solche hohen Potenzen?! (In den folgenden Absätzen werde ich auf diese Punkte eingehen.) Es dauerte wiederum, bis überhaupt jemand bereit war, einen Versuch durchzuführen. Aber mit der Zeit fingen Homöopathen an, den Aussagen von Flury Glauben zu schenken, und die LM-Potenzen einzusetzen. Einer der bedeutendsten unter ihnen war der Schweizer Homöopath Adolf Voegeli. So erreichte endlich Mitte des 20. Jahrhunderts eines der wichtigsten Vermächtnisse Hahnemanns die Menschheit.

Hahnemanns langer Entwicklungsprozeß der LM-Potenzen

Es war ein langer Weg zu den LM-Potenzen. Heute sind die Begriffe Potenzen, Dynamis, Potenzieren usw. so selbstverständlich für uns Homöopathen, daß wir uns in die Zeit, bevor wir Zugang zu diesem Wissen durch Hahnemann bekamen, versetzen sollten.

Dazu gibt es einige Punkte, die wir näher betrachten sollten:

- den Weg und die Entwicklung, welche dieses Bewußtsein geschaffen haben,
- den Grundsatz der sanften Heilung bzw. der Heilung „auf dem unnachteiligsten Wege", wie in § 2 des Organon festgelegt,
- die schnelle Heilung bzw. „Hebung der Krankheit auf dem kürzesten Wege" (§ 2),
- die Zuverlässigkeit der Methode oder der Art des Verordnens, „nach deutlich einzusehenden Gründen"(ebenfalls § 2).

Wir versetzen uns also in die Zeit vor der Entdeckung der Homöopathie. Es war in der Medizin üblich, materielle Gaben eines Medikaments in größeren Dosen zu geben. Wurde die Arzneisubstanz von einer Pflanze extrahiert, nannte man es Urtinktur (heute nennt man in der Homöopathie alles, das noch nicht potenziert worden ist, Urtinktur). Damals nannte man andere Substanzen aus der Natur Ursubstanzen (wie Austernkalk). Sie waren rein, d. h. unverändert. Ferner gab es die chemischen Substanzen oder Präparate. Dies war auch Hahnemanns Hintergrund, als er noch als normaler Arzt praktizierte, und er verwendete die Urtinktur bzw. die Ursubstanz oder eine chemisch hergestellte Verbindung wie alle anderen Ärzte auch. Hahnemann kannte jedoch ebenfalls Paracelsus Idee von Essenzen und sehr kleinen Dosen. Das Ideal der sanften Heilung war es überhaupt, das ihn auf den Weg der Homöopathie geführt hatte, und er schrieb und wetterte oft gegen die Idee, „die Qualen der Hölle seien nötig, bevor Heilung eintreten kann". Roßkuren waren die normale Vorgehensweise zu Hahnemanns Zeiten. Er hielt nichts von solchen Kuren.

Es hat sich eingeprägt, daß Hahnemann 1784 aufhörte zu praktizieren, weil er die Nutzlosigkeit und Schädlichkeit der allgemeinen Medizin nicht mehr mit seinem Gewissen vereinbaren konnte. Doch in Wirklichkeit war es etwas anders. Er verwendete ab da ausschließlich nur jene Heilmittel, die sich bei bestimmten Zuständen in seiner Praxis bewährt hatten (siehe Hahnemanns *Gesammelte kleine Schriften*). Alles Schädliche, alles, was dem Patienten nicht half, ließ er gänzlich weg. Hahnemann verabreichte schon zu dieser Zeit kleinere Dosen als andere Ärzte, wie aus seinen Schriften herauszulesen ist. Er folgte der Heilidee von Paracelsus: „Die Dosis macht das Gift aus." Sein eigens hergestelltes Quecksilberpräparat, Mercurius solubilis, ist ein Paradebeispiel für die Behandlung von Syphilis mit kleinen Dosen. So konnte er schon damals Syphilis-Fälle heilen, wo andere mit ihren Roßkuren Schaden anrichteten. Als Hahnemann 1790 die Homöopathie entdeckte und seine Heilmethode änderte, hatte er bereits, in seinen Bemühungen sanft und unschädlich zu sein, die ersten Ansätze gemacht, kleinere Mengen der Arzneisubstanz zu verordnen.

Die grundsätzlichen Eigenschaften der LM-Potenzen, sanft, sicher, schnell und unschädlich zu sein, sind bereits in den Grundlagen von Hahnmanns rationeller Heilkunde enthalten. Für ihn war es von höchster Wichtigkeit, daß seine Angaben zuverlässig waren. Er bedauerte immer die wundervollen Heilversprechungen neuer Erkenntnisse bzw. Arzneisubstanzen, die von seinen Kollegen hoch gepriesen wurden, aber jeweils den Härtetest nicht bestanden (in dieser Hinsicht hat sich bis heute nichts geändert). Aus diesem Grund dauerte es lange, bevor Hahnemann sich mit genauen Angaben festlegte. Obwohl seine Dosen im Vergleich zu denen von anderen Ärzten wesentlich kleiner waren, blieben sie trotzdem noch verhältnismäßig groß.

Als Hahnemann anfing, seine Behandlung nicht mehr empirisch, sondern nur auf der Basis des Similiaprinzips durchzuführen, beobachtete er etwas Neues. *Je ähnlicher das Mittel den Beschwerden des Patienten und je sensibler dieser Mensch war, umso heftiger waren die Heilreaktionen bzw. Verschlimmerungen* (§§ 275-276, 5. Auflage des Organon).

Wir können nicht genau wissen, wann Hahnemann anfing, seine Arzneien in der Weise zu verdünnen, wie es uns aus der Homöopathie bekannt ist, da er darüber keine Angaben macht. Obwohl in seinem Aufsatz von 1796, „Versuch über ein neues Prinzip zur Auffindung der Heilkräfte der Arzneisubstanzen", keine Angaben zur Dosis zu finden sind, müßte er schon in diesen sechs Jahren seines Experimentierens mit dem homöopathischen Heilprinzip Versuche mit Verdünnen von Arzneien gemacht haben. 1798 erwähnt er erstmals Verdünnungen ohne jedoch Angaben zu machen (Apothekerlexikon und Übersetzung von *Edinburgh Dispensatorium*). Und schon drei Jahre später, 1801, verwendet er plötzlich sehr hohe Verdünnungen. Dies läßt vermuten, daß er bereits 1796 verdünnt hatte. *Chamomilla* verwendete er in der extremen Verdünnung 1/3.840.000.000 Gran (über drei Milliarden Mal verdünnt) und *Aconit* sogar noch höher, bis zu 1/1.800.000.000.000 Gran (über eine Billion). Ein Gran ist (war) ein winziges Apothekergewicht (ca. 65 mg), mit anderen Worten: ein Körnchen („granum" ist das lateinische Wort für „Korn"). Diese alten Begriffe waren in der neueren Vergangenheit noch aktuell. Wir selbst arbeiteten in Indien, als ich noch ein Kind war, mit diesem „komplizierten" Gewichtssystem, bis das metrische System auf einen Schlag alles ersetzte.

Manchmal schien Hahnemann seine Erkenntnisse willkürlich an verschiedenen Stellen preiszugeben. 1799 gab er plötzlich, ohne viele Erklärungen und Angaben, die sogenannten winzigen, infinitesimalen Dosen bekannt, aber genauere Angaben machte er erst viel später. Erst durch seine *Krankenjournale* wurde es möglich (ab 1799 schon vollständig im Nachlaß vorhanden), einiges davon nachzuvollziehen. Einige besonders schwere Verschlimmerungen auf Urtinkturen, bei denen die Patienten fast ums Leben kamen, veranlaßten ihn, auch seine geringeren Dosen in Frage zu stellen, wie Hahnemann im Organon erwähnt. Das kann doch nicht sein, daß der Patient an der Heilung fast stirbt! Diese Art von Gedanken ließ Hahnemann mit aller Kraft eine Lösung suchen. *In der Geschichte der Homöopathie sind Patienten durch falsche Dosierungen und falsche Anwendung der Prinzipien tatsächlich ums Leben gekommen!* Natürlich ist das im Vergleich zu der Schulmedizin eine Bagatelle. Durch das genaue Beachten der Gesetzmäßigkeiten der Heilkunde wird kein Schaden vorkommen. Hahnemanns Überzeugung, daß es eines der höchsten Ziele jeder Heilkunst sei, so sanft wie möglich zu heilen, ließ ihn in unvorstellbare Tiefen dieser Heilkunst eintauchen.

Dies paßt zu seinem Motto: *aude sapere – wage es, zu wissen (oder weise zu sein).* Horaz hat es in seiner ersten Epistel so ausgedrückt: „Dimidium facti qui coepit habet: sapere aude, incipe“ (Frisch gewagt ist halb gewonnen: Wage es, weise zu sein, geh weiter). Dies kann auf verschiedene Weise ausgelegt bzw. interpretiert und übersetzt werden: Es paßt sehr gut zu Hahnemann, da er seinen Weg unbeirrt ging. Er war keiner, der schon auf dem halben Weg zur Wahrheit seinen „Stab“ niederlegte (was der erste Teil des oberen Zitats besagt). Er war stets bemüht, mit Mut seinen eigenen Verstand zu benutzen und weiser zu werden – er ist immer weitergegangen und weiser geworden (dies bedeutet der zweite Teil des Zitats). Wieviel Mühe Hahnemann sich gegeben hat, drückt sein Biograph, Richard Haehl, mit diesen Worten aus: „Welch ein Opfer und Vorsicht, welch ein unerschöpflicher Fleiß und Eifer!“ Hahnemanns Ziel war es nicht, nur die Heilkräfte der Arzneisubstanzen herauszufinden, sondern eine Theorie der Dosierung zu etablieren. Deshalb testete er die Dosis bei jeder einzelnen Arznei in den verschiedensten Fällen über Jahre und Jahrzehnte.

So finden wir bei seinen Verordnungen einmal ganz hohe Verdünnungen bei einigen Mitteln und dann wieder nur ganz geringe, sogar solche in der Urtinktur. Stets auf der Suche nach einem sanfteren Heilverfahren, wird Hahnemann schließlich zum Potenzierverfahren geführt.

Zuerst nannte Hahnemann das neue Potenzierverfahren Verdünnung, da es am Anfang auch für ihn nichts anderes war. Nachdem Hahnemann sein Verfahren auf das Verhältnis von einem Teil der Heilsubstanz zu 99 Teilen Trägersubstanz standardisiert hatte, nannte er es die erste Verdünnung, die zweite Verdünnung usw. Die Potenzierung selbst ist rein zufällig entstanden. Er legte nach seiner Standardisierung der Verdünnung auch fest, wie oft die Verdünnung jedes Mal verschüttelt werden sollte. Der Grund des Verschüttelns war, die Heilsubstanz gleichmäßig in der Trägersubstanz zu verteilen. Das alles war aber ein ganz langer Prozeß. Hahnemann experimentierte mit vielen Möglichkeiten. Er verschüttelte sogar bis zu eine halbe Stunde lang. Anfänglich legte er zehnmal Verschütteln als Standard fest. Später und bis in die 5. Auflage (§ 270) empfiehlt er nur noch zwei Verschüttelungen pro Potenzierschritt. Der Grund für nur zweimaliges Verschütteln ist wieder der gleiche: die Mittel mild zu halten, um Verschlimmerungen zu vermeiden bzw. so weit wie möglich zu verringern. Hahnemann neigte dazu, die Giftstoffe viel stärker zu verdünnen als die anderen Arzneien, obwohl er anfänglich z. B. *Nux vomica* gerne in materiellen Dosen verordnete. Als er immer mehr verdünnte und auch dabei jedes Mal kräftig verschüttelte, nahm er nach einer Weile ab der 6. Verdünnung eine andere – energetische – Art der Wirkung des Mittels wahr und entwickelte das Konzept von *Dynamis*. Er fing an, den Begriff „Lebenskraft" zu benutzen und die verschüttelten Verdünnungen „Potenzen" zu nennen.

Wie bereits im ersten Kapitel unter „Die Erstverschlimmerung" dargestellt, kam Hahnemann Schritt für Schritt von zu hoher Dosis und unerwünschter Verstärkung der Symptome über Verdünnen, Verschütteln, Potenzieren und homöopathische Verschlimmerung zur Einzelgabe. Die Verschlimmerung trat jedoch nicht immer auf, besonders bei einfachen Fällen, und es folgte oft die vollständige Heilung auf die eine Gabe (Fußnote von § 246, 5. Auflage). So dachte Hahnemann: *Wenn eine homöopathische Verschlimmerung nicht immer vorkommt, müßte es möglich sein, diese ganz zu eliminieren.*

Zusammenfassend können wir über Hahnemanns vierzigjährige Experimentierzeit sagen, daß er die Verschlimmerungen auf ein Minimum reduzieren konnte und die Verdünnung und Potenzierung standardisierte. Aber er war mit seinen Resultaten noch nicht ganz zufrieden. Die Heilung ging ihm nicht schnell genug voran, und Verschlimmerungen gab es auch noch.

Zur gleichen Zeit fing er an, sich mit dem Gedanken der häufigeren Wiederholung des Mittels bei chronischen Krankheiten anzufreunden. Die lange Zeit der Einzelgaben war vorbei, und Hahnemann begann das Mittel zwar nicht täglich, aber doch regelmäßig (§ 247, 5. Auflage) zu wiederholen. Den Grund und die Regeln der Ausführung erläutert er im § 246 der 5. Auflage. Zuweilen, sagt er, schafft die Einzelgabe des passenden Mittels langsam die Heilung in 40 bis 100 Tagen. Aber in der Regel muß dann wiederholt werden. Also müßte es im Interesse des Patienten und natürlich des Arztes liegen, den Zeitraum um die Hälfte, ein Viertel und sogar noch mehr zu verkürzen, um eine schnellere Heilung zu erlangen. „...und dies läßt sich auch, wie neuere, vielfach wiederholte Erfahrungen gelehrt haben, recht glücklich unter drei Bedingungen ausführen: Erstens, wenn die Arznei mit aller Umsicht recht treffend homöopathisch gewählt war, zweitens, wenn sie in der feinsten, die Lebenskraft am wenigsten empörenden und sie dennoch gehörig umstimmenden Gabe gereicht wird, und drittens, *wenn eine solche feinste, kräftige Gabe der best gewählten Arznei in angemessenen Zeiträumen wiederholt wird.“ (§ 246)*

Zum ersten Mal kommen wir einem der wichtigsten Punkte bei den LM-Potenzen näher, der regelmäßigen Wiederholung des Heilmittels bei chronischen Krankheiten. Hahnemann schrieb schon neun Jahre vor der Beendigung der 6. Auflage über die gute Möglichkeit, ein Mittel zu geben, ohne eine Verschlimmerung auszulösen, und bei chronischen Krankheiten dieses häufiger zu geben. Er habe so eine Möglichkeit gefunden, die allerdings noch durch Experimente bestätigt werden müßte.

Ausführlich zu dieser Methodik schreibt er im Vorwort des dritten Bandes der *Chronischen Krankheiten*, 2. Auflage. Meiner Meinung nach wurde der Teil über die tägliche Wiederholung in der englischen Übersetzung der *Chronischen Krankheiten* von Tafel (amerikanischer Übersetzer) im Jahre 1896 absichtlich gestrichen. (Siehe meinen Artikel „The LM-Potencies" in *The British Journal of Homoeopathy*, Juni 2001.) Das heißt, daß die englischsprachige homöopathische Welt, der Großteil der damaligen Homöopathen, im Dunkeln blieb und noch immer ist. Ich war so überrascht, den Teil über die täglichen Wiederholungen in der englischen Übersetzung nicht finden zu können, daß ich keine Worte fand. Ich dachte zuerst, daß ich irgendwo einen Fehler gemacht haben mußte. Ich ging zurück zum deutschen Original, da war der Teil vorhanden.

Diese Experimente, die Hahnemann bereits angedeutet hatte, leiteten eine radikale Veränderung in seiner Ausübung der Homöopathie ein. Hahnemanns Überzeugung von der Möglichkeit der schnellen und trotzdem sanften Heilung führten ihn bald zu der Lösung. 1829 verharrt er noch dogmatisch bei Einzelgaben. 1833 empfiehlt er häufigere Wiederholungen des Heilmittels bei chronischen Krankheiten, 1837 in der 2. Auflage der *Chronischen Krankheiten*[1] sogar die tägliche Wiederholung. Dort stellt er auch die Methodik dar. Er erlangt die nächste Station seiner Errungenschaften: die individuelle Wiederholung je nach Patient und Fall. Er erwähnt sogar die Möglichkeit, zweimal am Tag das Mittel zu geben. Damit legte er den Grundstein für die endgültige Entwicklung der LM-Potenzen. Jetzt blieb nur noch ein wichtiges Dogma zu durchbrechen.

---

[1] *Er schreibt dort auch über die anderen Reaktionen, die er erlebte und wie man mit ihnen umgeht. Nicht nur deswegen ist es ein extrem wichtiges Werk, das leider nur sehr selten erwähnt oder zitiert, bzw. gelesen wird. Viele Homöopathen beziehen sich nahezu ausschließlich auf das Organon.*

Plötzlich, 1829, hatte er die Dreissigerpotenz als Standardpotenz festgelegt. Seine Schüler waren „übermütig" in ihrer Begeisterung geworden. Es wurde immer höher potenziert. Es gab schon die Tausenderpotenz und noch höhere. Hahnemann selbst probierte die C 200 und sogar bis zu C 1.500 (Biographie Hahnemanns von Richard Haehl). Aber er war unzufrieden. Die Resultate waren widersprüchlich, und sie konnten nicht richtig eingeordnet und endgültig ausgearbeitet werden, denn es fehlte noch sehr viel an Erfahrung. Er hatte Angst, daß seine Schüler unüberlegt handeln könnten. „Es muß ein Ende geben", sind seine Worte. „Irgendwo muß eine Grenze sein." Deswegen legte er dogmatisch die Dreißigerpotenz als Standard fest, woraufhin sich viele Stimmen gegen Hahnemann erhoben. Es kam sogar zu einem Bruch unter den Homöopathen, da sein Dogma dem Prinzip der Individualisierung widersprach. Beide Seiten sind nachvollziehbar, aber so verhärteten sich die Fronten. Man muß dem Meister trotzdem recht geben, wenn wir bedenken, daß er erst 24 Jahre nach Beginn der Homöopathie langsam anfing, genauere Angaben zu Potenzen und Dosierungen herauszugeben.

Aber im Jahre 1837 benutzt Hahnemann immer noch die Centesimalpotenzen, obwohl die Methodik der Verabreichung der der LM-Potenzen entspricht. Er benutzte und löste einige Globuli in Wasser auf (je nach Patienten größere oder kleinere Mengen) unter Zugabe von Alkohol oder Holzkohle für die Haltbarkeit. Er wies an, das Fläschchen fünf- bis sechsmal *vor jeder Einnahme* zu schütteln. Seiner Meinung nach ist es genau diese kleine Erhöhung der Potenz durch das Verschütteln jedes Mal vor der Einnahme, wodurch der Organismus die Heilenergie ohne Aufruhr aufnehmen kann. Zitat Hahnemann: „Die Gabe jedes Mal in ihrem Dynamisations-Grade, wenn auch nur um ein Weniges verändert und modifiziert wird, so nimmt die Lebenskraft des Kranken dieselbe Arznei, selbst in kurzen

Zwischenzeiten, unglaublich viele Male nacheinander mit dem besten Erfolg und jedes Mal zum vermehrten Wohle des Kranken, ruhig und gleichsam auf" (2. Auflage der *Chronischen Krankheiten*, Vorwort zum 3. Band). Bei dieser Methode der Schüttelschläge und der zusätzlichen Verdünnung beobachtete er also keine ungünstigen Reaktionen, d. h. es fanden keine kleineren oder heftigeren Verschlimmerungen statt – nur eine sanfte und stetige Besserung.

In der 6. Auflage empfiehlt Hahnemann als Standard jedes Mal zehn Schüttelschläge, jedoch bei empfindlichen Menschen weniger Schüttelschläge, reduziert bis auf zwei (§ 247).

Das Ideal der sanften und schnellen Heilung wurde jetzt erreicht.

Mit dieser Methode eliminierte er die homöopathische Verschlimmerung, die heute sogenannte Erstverschlimmerung, und beschleunigte die Heilung drastisch.

Jetzt mußte nur noch das genaue Herstellungsverfahren und eine verfeinerte Art der Verabreichung gefunden werden.

Zusammenfassung

- Schon 1837 hatte Hahnemann genügend mit der täglichen Wiederholung des Mittels bei chronischen Krankheiten experimentiert, daß er seine Resultate veröffentlichen konnte.
- Er benutzte noch C-Potenzen, die durch Verdünnung sanfter wurden.
- Die Arznei wird für den Organismus leichter aufnehmbar, indem sie jedes Mal etwas höher potenziert wird.

Die Herstellungsweise der LM-Potenzen

Es gibt einen Irrglauben, einen Mythos, daß die LM-Potenzen sehr hohe Potenzen sind und deswegen gefährlich und nicht nach Hahnemanns Vorgaben verwendet werden können. Es sind hier zwei Punkte zu erläutern. Erstens, ob die LM-Potenzen grundsätzlich Hochpotenzen sind, und zweitens, ob man auch hohe Potenzen wiederholen kann. Wenn wir die Herstellung, wie von Hahnemann in der 6. Auflage des *Organon* beschrieben, genau unter die Lupe nehmen, finden wir den ersten Punkt auf gar keinen Fall bestätigt, wie unten gezeigt wird. Was den zweiten Punkt anbelangt, finden Sie alles dazu im Abschnitt „Das Wissen über die Potenzen".

Die erste Besonderheit an den LM-Potenzen ist: Alle Substanzen werden erst bis zur dritten Centesimalpotenz trituriert, d. h. verrieben. Bis zur 5. Auflage des *Organon* potenzierte Hahnemann nur die frischen Pflanzensäfte direkt flüssig, indem er zwei Tropfen der Urtinktur mit 98 Tropfen Weingeist zur ersten Potenz verdünnte und dann weiter (§ 270). Alle anderen Substanzen, außer Schwefel, wurden erst mit Milchzucker drei Stunden lang zur C 3 verrieben (§ 271). Das Triturationsverfahren hat Hahnemann auch genau in der Fußnote zum § 270 der 6. Auflage des *Organon* beschrieben.

Nach diesem ersten, neuen Herstellungsschritt beginnt nun die eigentliche Methodik der LM-Potenzierung, die stets zwei Arbeitsschritte pro Potenz umfaßt. Ein Teil der dritten C-Potenz wird nun mit 100 Teilen (Tropfen) Alkohol in einem Gläschen verdünnt. Dieses Gläschen wird jetzt 100mal geschüttelt. Hier finden wir zwei neue Punkte, einen kleinen und vielleicht unbedeutenden und einen zweiten von großer Bedeutung. Bisher hatte Hahnemann einen Teil mit 99 Teilen verdünnt. Das ändert er ab auf einen Teil zu 100 Teilen. Im Grunde ist es jetzt eine exakte centesimale Verdünnung, wogegen früher alles nur 99- bzw. bei frischen Säften erst 49mal verdünnt wurde. Der zweite Punkt ist: Bei jedem Mal wird die Flasche 100-mal verschüttelt. Das bedeutet eine 50-fache Erhöhung gegenüber den C-Potenzen der späteren Jahre und eine zehnfache Erhöhung gegenüber seinen früheren Angaben.

Allerdings behielten einige Potenzierer Hahnemanns frühere Anweisungen bei, für die Centesimalpotenzen zehnmal die Flasche zu verschütteln, v. a. Korsakoff. Später machten die Arzneimittelfirmen die zehnmalige Verschüttelung bei C-Potenzen zum Standard.

Wenn wir auf dieser Basis die LM-Potenzen nach dem heutigen Standard der Potenzierung betrachten, dann finden wir, daß eine LM 1 eine recht niedrige Potenz ist. Sie liegt nur etwas über einer C 3, da die Ausgangsbasis für die LM-Potenzen die C 3 ist. Wir müssen stets im Bewußtsein behalten, daß es die Verschüttelung ist, die die Potenzierung ausmacht. Daher ist es auch eine einfache Rechnung, für eine LM-Potenz die entsprechende C-Potenz zu ermitteln. 10 Schüttelschläge pro Potenzierschritt bei der C-Potenz ergeben 100 Verschüttelungen bei der 10. Centesimalpotenz. Die LM wird bei jedem Potenzierschritt 100-mal geschüttelt, also 10-mal so oft wie die C-Potenz. Eine LM 1 entspricht also der 10. C-Potenz plus der 3., die das Ausgangsprodukt bei den LM-Potenzen bilden, das macht insgesamt eine C 13. Ähnlich würde also eine LM 2 einer C 23 entsprechen. Wir finden also die entsprechende C-Potenz, indem wir den Wert der LM-Potenz mit 10 multiplizieren und 3 addieren. Eine LM 30 ist also in etwa mit einer C 300 zu vergleichen, was nicht sehr hoch ist.

In seinen Anfängen, 1799, hat Hahnemann viel mehr verdünnt und weniger Schüttelschläge gemacht: nur einmal einen kräftigen Schlag bei einer Verdünnung von 1 zu 25.000 oder mehr (siehe *Kleine Schriften*).

Nach dem ersten Schritt des Potenzierens kommen wir zum zweiten Schritt des Verfahrens. Den Inhalt des Gläschens läßt man nun über 500 kleine Globuli (in der Größe von Mohnsamen) in einen Papierfilter laufen und trocknen. Diese 500 Globuli sind dann die erste LM-Potenz. Für jede weitere Potenz wird die Prozedur wiederholt: Eines der 500 Globuli wird in 100 Tropfen Alkohol aufgelöst, diese Flüssigkeit wird wiederum 100-mal geschüttelt und über 500 weiteren Globuli entleert, was dann die zweite Potenz ergibt. So kommt die Verdünnung von 1 : 50.000 zustande.

Alle LM-Potenzen werden flüssig verordnet. In einer Anwendungsflasche von 10 ml wird ein Globulus der benötigten Potenz in etwa 20prozentigem Alkohol aufgelöst.

Hahnemann hat schon 1824 angefangen, Globuli aus seinen Flüssigkeiten herzustellen. Aber das machte er nur bei der Potenz, die er jeweils benutzen wollte, und nicht bei jeder Stufe. D. h., es wurde immer von der Flüssigkeit ein Tropfen genommen und weiterpotenziert. Um Globuli herzustellen, wurden also z. B. 10 ml Flüssigkeit von der C 24 über 500 Globuli geschüttet. Wie wir sehen, wurde schon wie bei den LM-Potenzen verfahren. Zur Krönung wurden bei den LM-Potenzen nun alle bisherigen Verfahren zu einem großen Ganzen zusammengefügt.

Die grundsätzlichen Unterschiede bei der Herstellung der LM-Potenzen sind also: 100 Verschüttelungen pro Potenzierschritt anstelle von 10 wie bei den C-Potenzen, und die zweite Verdünnung, die darin besteht, daß nach dem Schütteln die potenzierte Flüssigkeit auf 500 Globuli (Teile) verteilt wird, was bei der Herstellung der C-Potenzen entfällt.

Das Missverständnis bezüglich der Höhe der Potenzen rührt möglicherweise von der hohen Verdünnung her, indem hohe Verdünnungen mit hohen Potenzen verwechselt werden. Es ist jedoch die hohe Verdünnung, welche die häufige Wiederholung bei fast allen Patienten und bei jeglicher Art von Krankheit ermöglicht. Hahnemann löste das Problem der Verschlimmerung durch die 50.000fache Verdünnung bei jedem Schritt der Potenzierung, wodurch die Härte weicht und das Mittel sanfter wird, obwohl er bei jedem Schritt mehr potenzierte (100mal verschüttelte).

Alles in allem waren Hahnemanns Leben und Erfahrungen mit der Potenzierung eine Reise, die letztendlich zu den LM-Potenzen führte.

Das Wissen über die Potenzen - die Handhabung der LM-Potenzen

Wie ist das Prozedere bei der Behandlung mit den LM-Potenzen – mit welcher Potenz fangen wir an und wie geht es dann weiter?

Hahnemann schlägt in der 6. Auflage des *Organon* vor, mit der LM 1 anzufangen. Er empfiehlt, die Potenz sieben bis 15 Tage zu geben und dann mit der nächsten Potenz weiterzumachen, also mit der LM 2. In dieser Weise soll Schritt für Schritt die Potenz erhöht werden. Hahnemann stellte seine Potenzen selbst bis zur 10. LM-Potenz her. Seine Frau Melanie half ihm dabei. In vielen Fällen waren nur wenige Potenzschritte erforderlich, um eine Heilung zu erreichen. In Kapitel 4 erkläre ich, warum diese Vorgehensweise in der Praxis nicht immer verläßlich zum gewünschten Resultat führt. Bevor ich nach Deutschland kam, hatte ich Hahnemanns Methode in einigen Fällen erfolgreich angewandt. Aber glücklicherweise waren bis dahin die LM-Potenzen auch viel höher erhältlich, und niemand, den ich kannte, praktizierte noch nach Hahnemanns Vorgaben. Im allgemeinen fing man mit der LM 6 oder etwas höher an. Dies erschien mir sinnvoll, und ich begann ernsthaft damit zu experimentieren. Seit 1979 behandle ich fast ausschließlich mit den

LM-Potenzen. Dadurch hatte ich die Gelegenheit, die verschiedensten Reaktionen, die mit den Wiederholungen des Mittels zusammenhängen, zu beobachten.

Die Regel für die Potenzerhöhung

Fängt eine eindeutige Besserung an nachzulassen, ist es Zeit, die nächsthöhere Potenz zu geben.

Das eindeutige Nachlassen der positiven Wirkung eines Mittels, d. h. wenn nicht mehr dieselbe Qualität in der Wirkung vorhanden ist, erkennen wir an den folgenden zwei Indikatoren:

1. Der Patient fühlt sich nicht mehr so gut.
2. Der Patient fühlt sich allgemein weiterhin gut, aber der Zustand stagniert – die Besserung schreitet nicht weiter fort.

Der erste Punkt ist leicht zu erkennen, der zweite manchmal nur sehr schwer: Hat der Patient noch eindeutig das durch das Mittel erzeugte Wohlbefinden, obwohl keine weitere Besserung des krankhaften Zustandes erfolgt, haben wir dadurch noch ein zusätzliches Zeichen für die gute Wirkung des Mittels. Dies ist ein sicherer Grund, das Heilmittel auf einer regelmäßigen Basis weiter zu geben und die Potenz nach Bedarf zu erhöhen.

Um den richtigen Zeitpunkt für einen Potenzwechsel zu erkennen, bedarf es oft eines sehr feinen Gespürs, besonders wenn der Patient das Gefühl hat, daß der durch die vorhergehende Potenz ausgelöste Prozeß auf der seelischen Ebene noch weiterläuft. Die Ausdrucksweise des Patienten zeigt an, ob der Prozeß einen höheren Impuls braucht. Selbst wenn der Prozeß auf der seelischen Ebene abgeschlossen ist, schreitet das Lernen hier noch eine Weile fort. Die Art und Weise, wie der Patient darüber erzählt, wird die Notwendigkeit verdeutlichen, ob ein

Impuls auf der nächsthöheren Ebene, gleichzusetzen mit einer höheren Potenz, für eine tiefergehende Heilung benötigt wird.

Um die Wiederholung des Mittels besser einzuschätzen, können uns die folgenden Beobachtungen in Zusammenhang mit den Potenzregeln weiterhelfen:

Die Wirkungsdauer einer Potenz
Die Potenzserien
Die Schwingungsebenen der Potenzen

1. Die Wirkungsdauer einer Potenz

Anhand einiger Faustregeln können wir einschätzen, wie lange eine Potenz ungefähr wirkt, wenn sie regelmäßig eingenommen wird. Unser Ausgangspunkt hierfür ist eine tägliche Gabe des Mittels. In diesem Fall entspricht die Anzahl der Gaben der Anzahl der Tage. Über viele Jahre habe ich Folgendes beobachtet:

- Die Potenzen LM 6 bis LM 30 wirken etwa 20 bis 30 Tage.
- LM 60 wirkt circa 40 bis 60 Tage.
- LM 90 wirkt ungefähr 60 bis 90 Tage.
- LM 120 wirkt in der Regel 80 bis 120 Tage.
- Über die LM 120 hinaus wirken die Potenzen etwa drei bis sechs Monate.

Wird mehr als eine Gabe am Tag gegeben, verkürzt sich die oben angegebene Wirkungszeit bis auf ein Drittel. Je öfter das Mittel pro Tag gegeben wird, desto mehr verringert sich die gesamte Wirkungszeit.

Beispiel: Eine LM 30, die viermal täglich gegeben wird, wirkt nur etwa zehn Tage. Danach wird die Wirkung bald nachlassen. Manchmal hört sie auch von einem Tag auf den anderen schlagartig auf.

Ab der LM 120 reduziert sich die Wirkungszeit einer Potenz bei mehrmaligen täglichen Wiederholungen nicht wesentlich.

Gehen wir fließend von einer niedrigeren zu einer höheren Potenz über, um die Gesundheit des Patienten langsam aufzubauen, wirken die nächsthöheren Potenzen etwas kürzer als die oben angegebenen Werte bei derselben Anzahl von Gaben. Wie weit sich die Wirkungsdauer reduziert, ist – wie fast jede Regel in der Homöopathie – von Person zu Person verschieden.

Beispiel: Wenn wir mit der LM 6 anfangen und uns langsam zur LM 30 hocharbeiten, werden wir feststellen, daß die Heilwirkung der LM 30 meist schon nach 20 Tagen nachlässt.

Diese Regel wirkt sich etwa ab der LM 120 anders aus. Wenn wir bereits mit der LM 120 beginnen, reduzieren sich gewöhnlich die Wirkungszeiten der nächsthöheren Potenzen nur gering, können sich sogar bei einer bestimmten Potenz noch erhöhen. Bisher konnte ich keine Regel dafür finden.

2. Die Potenzserien

Im Laufe meiner dreißigjährigen Erfahrung mit den LM-Potenzen habe ich die nachstehenden Potenzserien für mich festlegen können:

LM 6, 12, 18, 30, 60, 90, 120, 150, 180, 240, 300, 360 etc. Eine LM 24, in der Reihenfolge 6, 12, 18 gegeben, hat sich als eher ungünstig erwiesen. Ebenso verhält es sich bei diesen Reihenfolgen mit der LM 45 nach der LM 30. Die Wirkung ist fast negativ. Die Patienten fühlen sich unwohl damit. Jedoch eine LM 24 bzw. LM 45 nach einer anfänglichen LM 18 bzw. LM 30 ist unproblematisch. Aber, wie überall, habe ich auch hier Ausnahmen erlebt.

LM 6, 12, 24, 45, 90, 150, 210, 240 etc. ist eine weitere mögliche Reihenfolge. Andere Variationen sind durchaus möglich.

Wirkungsdauer und Potenzserien für niedrige Potenzen

Die niedrigen Potenzen werden ganz anders angewendet. Die Urtinktur bis D oder C 6 kann mehrmals täglich über mehrere Wochen und sogar Monate gegeben werden. Die Potenzerhöhung erfolgt normalerweise in Einzelschritten, ab der 6. Potenz in Dreier- oder Sechserschritten. *Ferner werden die ganz niedrigen Potenzen bis D/C 6 nicht verschüttelt.* Sonst haben wir auf einen Schlag nach zehnmaligem Verschütteln die nächsthöhere Potenz erreicht, von z. B. D oder C 1 auf D oder C 2, und das ohne weitere Verdünnung. Diese Potenzerhöhung ohne Verdünnen macht die Wirkkraft zu stark, was gegen eine sanfte Heilung wirken könnte. Von der zwölften Potenz bis zur 24sten wird in manchen Fällen vor der Einnahme verschüttelt, aber nur zwei- bis maximal fünfmal. Auch diese Potenzen können oft sehr lange gegeben werden.

Potenzen ab C 30

Ab der C 30 können wir jeweils zwei- bis 10-mal verschütteln. Die C 30 und höhere C-Potenzen wirken in der Regel deutlich länger als die LM-Potenzen. In der Literatur ist häufig zu finden, daß die C 30 oder auch C 200 über mehrere Wochen und Monate täglich mit sehr gutem Erfolg gegeben werden. Genauso kann auch mit höheren Potenzen verfahren werden (XM und höher), wenn der Mensch in der Lage ist, sie ohne Probleme zu nehmen. Dabei kommt es jedoch immer auf die sanfte Wirkung, die wenn notwendig durch die entsprechende Verdünnung (siehe Kapitel 9) erzielt wird, und auf stetige Besserung an.

Potenzsprünge

Wenn wir in einer Potenzserie eine bestimmte Potenz auslassen, indem wir z. B. nach der LM 60 direkt zur LM 120 übergehen und die LM 90 auslassen, nennen wir dies einen Potenzsprung. Werden zwei Potenzen ausgelassen, so ist das ein Doppelsprung.

Es gibt zwei Gründe, die uns zu einem Potenzsprung veranlassen könnten:

1. Wenn eine bestimmte Potenz außerordentlich gut gewirkt hat und man das Gefühl hat, die Wirkung ginge über die nächsthöhere Ebene hinaus.
2. Wenn die Wirkung einer Potenz minimal oder sehr langsam ist – und man aus Erfahrung weiß, daß man in solchen Fällen vom Mittel mehr erwarten kann.

3. Die Schwingungsebene der Potenzen

Die Potenzen haben ihren Schwingungsrahmen. Diese Tatsache hat Kent für die mittleren und höheren C-Potenzen nach meinen Recherchen als Erster eindeutig erwähnt und die Reihe C 30, C 200, M, XM, 50M, CM usw. festgelegt. Bis dahin haben die Homöopathen die Potenzen in ihrer Höhe instinktiv eingesetzt.

Ich habe für mich die folgende Schwingungsskala für die Centesimal- oder Dezimal- sowie die LM-Potenzen festgestellt:

(1) Die Potenzen 0 bis 3 bilden eine Ebene, wobei die Urtinktur sich von den Potenzen 1 bis 3 deutlich abhebt, sie dürfte als eine eigenständige Ebene betrachtet werden. 4 bis 6 kann man als dazugehörig oder als separate Ebene betrachten. Jede Ebene besteht aus einer Reihe von Potenzen. Die niedrigste davon ist ganz unten in der Skala und die höchste ganz oben. Deswegen ist die D/C 2 die gleiche Ebene wie D/C 1, nur eben eine Stufe höher in der Skala.

(2) C/D 6 bis 24/30 oder LM 1 bis 3 bilden die nächste Schwingungsebene. Die C/D 30 oder LM 3 sind Übergangspotenzen und gehören zu dieser und zur nächsten Ebene.

(3) Die Potenzen 30, 60 und 100 bzw. LM 3 bis 18 gehören zur nächsten Schwingungsebene. Ab der 30. Potenz benutze ich lieber keine D-Potenzen, da diese zu heftig sein können, sondern nur die LM- oder C-Potenzen.

(4) Die nächste Ebene ist 200, 400, 500 bzw. LM 24 bis 45. Bei den LM-Potenzen gibt es eine Zwischenebene von LM 60 bis 120.

(5) Die nächste Ebene reicht von 1000 (M) bis 5000 bzw. beginnt ab LM 120. Die LM-Potenzen gibt es im Handel in der Regel bis LM 360, einzelne Mittel sogar bis LM 500.

(6) Ab der 5000. Potenz oder LM 360 geht es weiter mit der XM, CM, MM, wobei die 50M und DM Zwischenebenen sind.

Beispiel: Ich habe die Erfahrung gemacht, daß nach dem Auswirken der 30. Potenz die nächsthöheren Potenzen C 60 oder 100 wenig oder gar nicht mehr weiterhelfen. Erst die C 200 wird wieder eine entsprechende Wirkung zeigen. Vielleicht wirkt aus diesem Grund nach der LM 30 die nächsthöhere Potenz LM 45 nicht so gut, sondern erst wieder die LM 60.

Lassen wir eine Potenz nicht auswirken und geben eine etwas höhere Potenz, wie von C 30 auf C 36, dann wirkt selbstverständlich nur diese neue Potenz weiter. Die Schwingungsebene ist aber nicht ausgeschöpft.

Erhältlich sind heutzutage die folgenden Standardpotenzen: 30, 200, M (1000), XM oder 10M, 50M (und nicht LM, um die Verwechslung mit den LM-Potenzen zu vermeiden), CM, DM, MM und höher. Einzelne Länder bieten eine sehr große Auswahl von Zwischenpotenzen an.

Die Anwendung der LM-Potenzen folgt also den grundlegenden Lehrsätzen der Homöopathie. Jeder Fall ist individuell; wir wählen die passende Potenz und entscheiden das weitere Vorgehen anhand der Entwicklung des Falls.

Potenzskala

					Potenz	Schwingungsebene
sehr hohe Potenzen					ab MM	
Hochpotenzen	LM-Potenzenentsprechung	ab LM 100	C-Potenzen	obere Ebene	MM	
					DM	Zwischenstufen, seltener angewendet
					CM	
				untere Ebene	50M	
					XM	
					1000	→ Zwischenpotenz zu mittleren und oberen Potenzen. Hier fängt es an, tiefere Ebenen zu durchdringen.
mittlere Potenzen		bis LM 100		obere Ebene	1000	
					800	
					500	
				untere Ebene	200	→ eigenständige Potenz
					100	
					60	
					30	→ Zwischenpotenz zu niedrigen und mittleren Potenze
niedrige Potenzen		bis LM 20	C- oder D-Potenzen	obere Ebene	30	
					24	
					18	
					15	
				untere Ebene	12	→ kraftvolle, fast materielle, jedoch rein energetische Potenz
					9	
					6	→ zwischen materieller und rein energetischer Potenz
niedrigste Potenzen				obere Ebene	6	
					5	
					4	
				untere Ebene	3	→ kraftvolle, materielle Potenz
					2	
					1	
Urtinktur					0	▸ eigenständig, keine Potenzierung

Die Entwicklung der C-Potenzen von Korsakoff, Jenichen, Swan, Kent und ihre Auswirkungen auf die Homöopathie

Hahnemann versuchte sein Bestes, alle davon abzuhalten, immer höher zu potenzieren und die höheren Potenzen wahllos anzuwenden, aber vergebens. General Fürst Iseman von Korsakoff aus Rußland ist laut seinem Biographen, dem Homöopathen Dr. Thomas Lindsay Bradford (*Pioneers of Homoeopathy*), der Initiator der Hochpotenzen. Er hat die Homöopathie in Rußland fest verankert, aber als Mystiker waren seine Ideen für viele zu ungewöhnlich. Er führte die Einglasmethode ein, die im Grunde alle mechanischen Potenzierverfahren (Potenziermaschinen) für Hochpotenzen ermöglichte. Hahnemann nahm für jede neue Potenz ein neues Glas – die Mehrglasmethode. Korsakoff wiederum argumentierte: Schütte man alles aus dem Glas gründlich aus, bliebe ein Tropfen drin. Ihn könne man mit 99 Tropfen wieder verdünnen und die nächsthöhere Potenz mit zehn Schüttelschlägen herstellen. Dies vereinfacht natürlich extrem die Herstellung von Potenzen ab C 100 oder sogar ab C 30. Man denke nur an die Potenzen wie C 41.000, C 53.000 und höher, die Jenichen ohne Potenziermaschine mit der Hand herstellte! Der Stallmeister Caspar Julius Jenichen war der erste, der laut und deutlich die Schüttelschläge als den Schritt zur eigentlichen Potenzierung verkündete. Bis dahin hatte sogar Hahnemann dies nicht klar herausgestellt. Diese ungewöhnlichen Zahlen als Potenzen kamen dadurch zustande, da Jenichen viele Mittel parallel potenzierte. Er nahm einfach die Potenzstufe, die er erreicht hatte. Er verteilte auch gerne seine Mittel und der Homöopath bekam die gerade fertige Potenz. Seine Potenzen erreichten sogar Homöopathen in den USA.

Die zwei Arten von Verschlimmerung

Bönninghausen lehnte sich offiziell nicht gegen Hahnemanns Verbot der hohen Potenzen auf. Das tat er nie, denn er verehrte ihn zu sehr. Aber er stellte seine eigenen Mittel in der C 200-Potenz her und betrachtete sie als viel wirksamer als die C 30 und niedrigere. Der ursprüngliche Grund zum Potenzieren entstand ja aus der Notwendigkeit, die Verschlimmerungen zu vermeiden. Hier müssen wir eindeutig den Unterschied klarstellen zwischen der Verschlimmerung *durch eine zu hohe Dosis (Materie) und eine zu hohe Potenz.*

- Die Verschlimmerung durch eine zu hohe Dosis einer Urtinktur (Materie) oder einer niedrigen Potenz erschöpft die körperlichen Kräfte des Kranken. Wenn die Dosis zu stark ist, findet eine Vergiftung des Organismus statt, die durch wiederholte Gaben und manchmal sogar schon durch eine Gabe eingeprägt und chronisch wird. Eine zu große materielle Dosis kann sich tödlich auswirken.
- Die Verschlimmerung durch eine zu hohe Potenz erschöpft die Lebenskraft des Menschen. Die Lebenskraft esteht aus der Gesamtkraft, die dem Menschen auf der geistig-seelisch-körperlichen Ebene zur Verfügung steht. Eine zu hohe Potenz bei gleichzeitiger Lebensschwäche des Menschen führt zu einer grundsätzlichen Schwächung oder Verschlechterung seines Zustandes (siehe Kapitel 10), manchmal sogar so weit, daß der Patient sich nicht mehr aufraffen kann – die Heilkräfte können nicht mobilisiert werden.

Es gibt noch eine Art Verschlimmerung: durch zu häufiges Wiederholen (siehe Kapitel 9, „Scheinverschlimmerung“). Manche waren der Meinung, daß durch immer mehr Potenzieren Verschlimmerungen minimiert und letztendlich beseitigt werden könnten. Hahnemann wurde aber in den Jahren nach 1830 immer klarer, *daß die Verschlimmerung durch Verdünnen zu beseitigen ist* und nicht durch Potenzieren. Jedoch haben die höheren Potenzen eine tiefere Wirkung, und es war absolut notwendig für die Entwicklung der Homöopathie, sie zu erforschen. Die C 200 hat in den meisten Fällen eine deutlich erkennbar schnellere und heilsamere Wirkung als die C 30. Jetzt sehen wir die Funktion des „Bösewichts“ Melanie. Wäre Hahnemanns spätere Entwicklung der LM-Potenzen schon damals allgemein bekannt geworden, wären die Homöopathen im Zwiespalt gewesen hinsichtlich der weiteren Entwicklung und Erforschung der C-Potenzen. Die Handhabung der hohen C-Potenzen hätten wir wohl nicht erforscht.

Die Potenziermaschinen

Benoit Mure soll 1838 die ersten Potenziermaschinen gebaut haben. Sie waren alle Succusionspotenzierer, d. h. sie brachten die Potenzierung durch Schlagen hervor. *Succusion* ist der Fachbegriff für das Verschütteln. Die Fluxionspotenzierer schaffen es durch Strömungen in der Flüssigkeit selbst, wie durch einen Strahl, daß nichtmedikamentöse Flüssigkeit kräftig in die vorhandene potenzierte Flüssigkeit hineingespült wird. Es gab viele Fluxionspotenzierer, wie von Fincke, Skinner usw.

Samuel Swans Maschine war einfacherer Art. Er ließ einen kontinuierlichen Strom durch das Gefäß laufen, und die Menge des Wassers, die hindurchfloß, bestimmte die Potenz. Das Verfahren wurde von Kent als ein Betrug der übelsten Sorte verurteilt. Wie dem auch sei, seine Potenzen funktionierten für Swan gut genug. Seine Verdienste um die Homöopathie, alleine mit den Prüfungen von *Medorrhinum* und *Syphilinum*, sind sehr groß. Kent selbst stellte einen Succusionspotenzierer her, mit dem er bis zu CM potenzierte. Henry C. Allen potenzierte die CM von Kent mit seiner Fluxionsmaschine höher bis zu DMM, „den unvorstellbaren Potenzen”. Kent selbst benutzte selten höhere Potenzen als die MM. Aber andere Homöopathen haben an der richtigen Stelle große Heilwirkungen mit noch höheren Potenzen erzielt. Die hohen und sehr hohen Potenzen *richtig benutzt*, gehen tief in das Wesen des Menschen hinein und bewirken unglaublich Heilsames.

Die Standardisierung der Hochpotenzen

James Tyler Kent war derjenige, der die Methode der Hochpotenz-Verabreichung mit Hilfe von allem, was er von den anderen Hochpotenz-Homöopathen in Erfahrung gebracht hatte, standardisierte. Seine Lieblingsanfangspotenz war die XM. Der Patient sollte seiner Meinung nach nicht zu sensibel sein und die Krankheit nicht zu weit fortgeschritten. Kent gehörte zu denjenigen, die Verschlimmerungen gar nicht schlimm fanden und sie sogar bejahten. Sogar heftigste Verschlimmerungen über Wochen hinweg fand er in Ordnung.

Nachdem die Wirkung einer Gabe XM ausgeschöpft ist, wird die zweite Gabe in derselben Potenz gegeben. Die Wirkungsdauer ist individuell, obwohl einige Homöopathen der Potenz selbst eine feste Wirkungsdauer zuschreiben wollen. Laut Erfahrung von Kent und anderen wirken nur zwei Gaben einer Potenz, dann ist die Heilwirkung dieser Potenzebene voll ausgeschöpft. Deswegen wird eine dritte Gabe derselben Potenz nicht gegeben, da kaum oder keine Wirkung zu erwarten ist. (Aber auch hier gibt es Ausnahmen!) Aus diesem Grund ging man zur nächsthöheren Potenz und zwar nach der XM auf die 50M. Nach zwei Gaben davon auf die CM, dann DM usw. Diese Methode hat ihre Einsatzbereiche besonders bei der Prophylaxe, dort jedoch in der Regel mit mittleren Potenzen, obwohl sie Hahnemanns Ideal von LM-Potenzen – sanft, sicher und unschädlich – nicht entspricht.

Die Methode Kents ist sicher einfach, aber mit größeren Gefahren verbunden, da bei allen Patienten gleich mit solch hohen Potenzen angefangen wird. Die Individualisierung geht hier verloren. Das ist einer der Gründe für die furchtbaren Verschlimmerungen, welche dem Patienten tiefe Angst einjagen und auf diese Weise der Homöopathie nicht dienen. Allen, die solche Verschlimmerungen bei sich und anderen erlebt haben, widerstrebt es, wieder einen Homöopathen aufzusuchen. Sollte das Mittel nicht genau passen, gibt es schwerere Verschlechterungen und Einprägungen als durch irgendeine andere Methode (siehe Kapitel 10 und oben unter „Die zwei Arten von Verschlimmerung"). Diese Verschlechterungen können sogar zum Tod des Patienten führen.

Auf einer zu hohen Ebene anfangen zu wollen, entspricht nicht dem Ideal der sanften und auch nicht dem der schnellen Heilung. Dies faßte Hahnemann im § 2 des *Organon* als erstrebenswertes Ziel zusammen und löste es mit den LM-Potenzen[2]. Die LM-Potenzen sind sanft und ihre Wirkung ist sehr mild. Die Heilung ist auch, da wir die Gabe ohne Probleme wiederholen können, sehr schnell. Kent sagte, daß die Heilung einer chronischen Krankheit zwei bis fünf Jahre braucht. Mit den LM-Potenzen und, wo notwendig, den Organmitteln, kann man in sechs Monaten bis zu einem oder zwei Jahren das Gleiche erreichen.

Verdünnung ist der Schlüssel zum Beseitigen der Verschlimmerungen.

Hering hatte Hahnemanns Gedanken über das Verdünnen teilweise schon mitbekommen, obwohl er die Veröffentlichung der 6. Auflage des *Organon* nicht erlebte. Er machte sei-

---

[2] *Es faszinieren uns schon Heilungen mit einer Gabe einer sehr hohen Potenz. Wie bei der Schlaflosigkeit von Skinner nach seiner Grippe-Erkrankung. Er konnte kaum zwei Stunden in der Woche schlafen und sein Geist war benebelt. Geistig und körperlich war er unfähig, seine Arztpraxis weiterzuführen. Er war ein großer Kritiker der Homöopathie. Aber er hatte von manchen unglaublichen Heilungen gehört. Also ließ er sich von Berridge behandeln, der ihm Sulfur MM gab. „Ich werde niemals die wunderschöne Veränderung vergessen, die die erste Gabe in wenigen Wochen schaffte, besonders das Wegwehen der dichten und schweren Wolken von meinem Geist", berichtete er. Er wurde gleichzeitig von einigen chronischen Beschwerden geheilt. Danach war er einer der überzeugtesten Verfechter der Homöopathie. In diesem Fall ist erstens der Mensch durch die Grippe zutiefst gereinigt und zweitens das Miasma zu tieferen Ebenen freigelegt, d. h. die Selbstheilungskräfte sind für eine große Heilung vorbereitet. Ist die Potenz geeignet, ist die Wirkung immens. Andernfalls haben wir die grössten Probleme!*

ne eigenen Experimente in Hinsicht auf das Verdünnen. Er verdünnte bei jedem Schritt der Potenzierung 1000mal oder 10.000mal und kam zu dem Schluß, daß die tausendste Verdünnung die Wirkung um einiges sanfter macht und die zehntausendste noch sanfter (*Herings Medizinische Schriften*). Aber er setzte das Verfahren nie durchgängig in die Praxis um und blieb bei den C-Potenzen.

Der Stellenwert der LM-Potenzen bei akuten und chronischen Krankheiten

Die LM-Potenzen hat Hahnemann besonders für die Behandlung von chronischen Fällen entwickelt. Die Idee, daß chronische Fälle sehr starke und hohe Potenzen brauchen, die tief zu den Wurzeln gehen, um eine Heilung herbeizuführen, entspricht nicht dem Individualitätsprinzip. Um wirklich in die Tiefe hineinzukommen und antimiasmatisch zu wirken, brauchen wir nicht immer sehr hohe Potenzen, sondern wir müssen die passende Potenz wiederholen und entsprechend erhöhen. Natürlich sind die LM-Potenzen auch hervorragend geeignet, akute Fälle sanft und schnell zu heilen. Es gibt jedoch hochakute Fälle, bei denen hohe C-Potenzen, ab XM, viel besser geeignet sind, wie z. B. bei schweren Kopfverletzungen. Faktisch sind die LM-Potenzen an sich weder hohe noch niedrige Potenzen, denn sie umfassen ein ziemlich großes Potenzspektrum.

Zwischen einer chronischen und antimiasmatischen Behandlung müssen wir präzise unterscheiden. Ein chronischer Zustand kann auch eine niedrige Potenz erfordern. Manchmal ist eine niedrige Potenz notwendig und eine höhere hätte keine Wirkung. Bei der antimiasmatischen Behandlung wird anders vorgegangen. Eine Person mag geheilt sein, aber ihr ganzes Spektrum an miasmatischen Verstrickungen braucht eine weitere Behandlung. Diese ist im allgemeinen mit niedrigen Potenzen nicht möglich, auch wenn Burnett mit der 30. Potenz manchmal viel erreichte. Jedoch ist eine LM 30 oft hoch genug, um damit bei der antimiasmatischen Behandlung fortzufahren. *Die LM-Potenzen eignen sich für alle Bereiche, von akuten, subakuten bis zu den schwersten chronischen Fällen.*

Wie sieht es mit den LM-Potenzen bei empfindlichen Personen aus?

Es gibt Bedenken in bezug auf die Gefährlichkeit der LM-Potenzen bei empfindlichen Personen, die keine wiederholten Gaben eines Mittels nehmen können, ohne stark darauf zu reagieren. Gefährlich wird es nur dann, wenn die Regeln nicht beachtet werden, v. a. die Regel der Verschlimmerung (siehe Kapitel 3, „Verschlimmerung").

Hahnemann erklärt in seiner Theorie der Dosis, daß robuste Menschen materielle Gaben auch in höheren Dosen gut vertragen bzw. sogar für die Heilung brauchen. Dagegen ist es bei empfindlichen Menschen notwendig, die Dosis stark, teilweise sehr stark zu reduzieren. Dieses Prinzip entstand schon, als er noch nicht die Arzneisubstanzen potenziert hatte. Als Hahnemann immer mehr verdünnen mußte, befürchtete er, daß die Dosis so klein werden könnte, daß sie keinen Heileffekt mehr hätte. Er staunte über die unglaubliche Heilwirkung der extrem hohen Verdünnungen, aber freute sich auch gleichzeitig darüber. Diese Erkenntnisse Hahnemanns und seine Anweisungen können uns bei empfindlichen Menschen zugutekommen.

Diese Personen reagieren immer empfindlich, egal was wir machen, deswegen müssen wir von vornherein vorsichtig und entsprechend handeln. Außer daß man das Mittel stärker verdünnt verabreicht, kann man es anfänglich, statt täglich zu wiederholen, nur alle zwei bis drei Tage geben. Es ist auch möglich, daß Hahnemanns Anweisungen, das Mittel vor jeder Einnahme zu verschütteln, nicht befolgt wurden und der empfindliche Mensch deshalb stark darauf reagiert. Robuste Menschen schaffen es gut, das Mittel zu vertragen, auch ohne es jedes Mal zu verschütteln.

Entstehen Probleme, können wir die Methode der Verdünnung aus Kapitel 9 anwenden.

Wo reihen sich die C- und D-Potenzen in das Gesamtspektrum ein?

Es stimmt, daß die LM-Potenzen zu unserem Hauptwerkzeug werden sollten, aber das Anwendungsgebiet der C- und D-Potenzen bleibt trotzdem klar definiert. Besonders die hohen C-Potenzen werden immer gebraucht. Haben wir in einem Fall die Skala der LM-Potenzen bis zur LM 120 und weiter ausgeschöpft, benötigen wir die hohen C-Potenzen. Die LM-Potenzen sind generell nur bis zur 240 oder manchmal 360 verfügbar, weil es irgendwann unpraktisch wird, noch höhere herzustellen. Hier sind wir schon in der Reichweite der XM (C 10.000), mit der wir weitermachen können. Eine LM 1000 oder 10.000 herzustellen, wäre nicht nur extrem aufwendig, da die LM-Potenzen stets per Hand hergestellt werden, sondern der Preis wäre auch astronomisch. Die hohen C-Potenzen einzusetzen, nachdem mit den LM-Potenzen aufgebaut wurde, hat sich über die Jahre als praktisch und effektiv bewährt, nicht nur bei mir, sondern auch bei meinen Schülern.

Es gibt eine Gruppe von Menschen, welche die LM-Potenzen nicht vertragen. Sie reagieren allergieähnlich, als ob eine Verschlimmerung stattfindet, aber danach tritt keine Besserung ein. Dagegen können sie jegliche C-Potenz ohne Probleme vertragen. Hier haben wir auch einen Anwendungsbereich der C-Potenzen.

Der Platz der D-Potenzen liegt im niedrigen Bereich. Eine D 1, 2 oder 3 ist wegen der geringeren Verdünnung oft besser geeignet als eine C 1, 2 oder 3, und es ist trotzdem dieselbe Potenzebene. Auch eine D 6 oder 12 ist in manchen Fällen besser als eine C-Potenz.

Wer prägte die Bezeichnung LM-Potenzen?

Als Flury bei Homöopathie-Veranstaltungen und -Kongressen die LM-Potenzen immer mehr bekannt machte, stieg das Interesse an diesem Verfahren. Irgendwann prägte sich der Name im deutschsprachigen Raum ein. Wer zuerst diese Bezeichnung benutzte, kann heute nicht mehr eindeutig festgestellt werden. Flury selbst hatte sie auf Französisch die 50. Millesimalpotenz genannt. Es wird vermutet, daß Dr. Voegeli diesen Begriff zuerst benutzte, denn er trug viel dazu bei, die LM-Potenzen zu verbreiten, obwohl er am Anfang skeptisch war. Er meinte, sie könnten zu schwach, bzw. zu stark verdünnt sein, um effektiv zu wirken. Aber er wurde einer der größten Vertreter der LM-Potenzen, da er sie beim Ausprobieren über seine Erwartungen hinaus zufriedenstellend fand. Von diesem Zeitpunkt an waren die LM-Potenzen ein Grundbestandteil seiner Vorträge und Seminare. Allerdings gab es sie nicht im Handel. Ganz am Anfang hatte Flury sie anderen Homöopathen aus seinem Vorrat an selbst hergestellten Mitteln zur Verfügung gestellt. Aber das war in der Schweiz, und es gab nur wenige Homöopathen, die sie ausprobieren wollten. Der Großteil der Homöopathen war von der Kentschen Methode und anderen Schulen zu überzeugt, um neue Wege auszuprobieren. Doch Voegeli hielt seine Seminare über Homöopathie und nicht alleine über die LM-Potenzen und zog damit viele Besucher an. Einer von ihnen war Dr. Willi Sewerin, ein Tierarzt aus Deutschland.

Da keine LM-Potenzen zur Verfügung standen, fing Sewerin an, seine eigenen herzustellen. Mit der Zeit waren immer mehr Homöopathen an ihnen interessiert, aber es gab immer noch das Problem der Nichtverfügbarkeit. Diese Nachfragen erreichten Sewerins Ohren. Da es nicht möglich war, von seinen Vorräten allen immer etwas zur Verfügung zu stellen, entschied er sich 1956, mit der geistigen Unterstützung von Voegeli, die LM-Potenzen im großen Rahmen herzustellen. 1957 gründete er die erste Firma der Welt für LM-Potenzen, die Firma ARCANA in Gütersloh.

Etwa zwanzig Jahre später fingen manche Homöopathen an, gegen die Bezeichnung LM-Potenzen Einwände zu erheben. Ihr Argument war, daß die richtige Bezeichnung „Q“ von quinquaginta milia, Lateinisch für 50.000, wäre.

Im Grunde berechtigt kein Argument dazu, einen feststehenden Begriff ohne gravierende Notwendigkeit zu verändern.

Die Homöopathie hat über 200 Jahre ihre eigene Terminologie geschaffen. Es ist gang und gäbe geworden, die höheren C-Potenzen mit XM, LM, CM, DM, MM usw. zu bezeichnen. Das wäre alles falsch, sollten wir uns nach dem obigen Argument richten und die Bezeichnungen der Potenzen von den lateinischen Zahlwörtern ableiten wollen. Doch die römischen Ziffern sind ein fester Bestandteil des Sprachgebrauchs in der Homöopathie und es ist gut so. Hahnemann benutzte die Bezeichnung „X“ für die 30. Potenz, weil sie einer dezillionenfachen Verdünnung entspricht. Es gibt andere Beispiele, wie das Zeichen > für Besserung und < für Verschlimmerung. Mathematisch wäre es umgekehrt!

Der Begriff LM-Potenzen hat sich heute überall auf der Welt verbreitet. Noch vor zehn Jahren war in Indien nur die Bezeichnung „50-millesimal“ bekannt. Aber jetzt ist dort der Begriff LM-Potenzen üblich. Wir können nach England, Amerika, Kanada usw. schauen und sehen, daß dieser Begriff überall benutzt wird. Warum also Verwirrung und Spaltung schaffen, um einen fest verankerten und allgemein verständlichen Begriff zu ändern?

Es ist Tradition, die betreffende Person mit ihrer Wortkreation zu ehren. Flury brachte den Homöopathen die LM-Potenzen und war mit der Bezeichnung zufrieden. Voegeli prägte höchstwahrscheinlich den Begriff. Würdigen und ehren wir Flury und Voegeli für ihre herausragenden Verdienste sowie Hahnemanns Vermächtnis der LM-Potenzen.

Die obigen Ausführungen sollen Missverständnisse, Dogmen, Mythen und Meinungen ausräumen. Ferner sollten wir den folgenden Äußerungen keine unnötige Aufmerksamkeit schenken:
„Im hohen Alter wurde Hahnemann senil – die LM-Potenzen sind das Resultat eines verwirrten Geistes."
„Hat Hahnemann die LM-Potenzen überhaupt ausreichend getestet, bevor er die genaue Methodik von Herstellung und Dosierung niederschrieb?"
„Die LM-Potenzen sind Hochpotenzen und können deswegen nicht, wie von Hahnemann vorgeschlagen, verwendet werden."
„Wie geht man überhaupt mit den LM-Potenzen um? – Es gibt keine einheitlich verständlichen Richtlinien."
„Die LM-Potenzen sind gefährlich für empfindliche Menschen."
„Kent schuf mit seiner Methodik der Verschreibung von hohen Potenzen die einfachste und unkomplizierteste Methode der Dosierung, welche die besten Resultate erzielt."
„Die LM-Potenzen sind nur in akuten Fällen sinnvoll."
„Der Platz der C- und D-Potenzen wird unklar, wenn hauptsächlich LM-Potenzen benutzt werden."
„Die LM-Potenzen sollten Q-Potenzen heißen", was tatsächlich unsinnig ist.

Kapitel 3

Die Verschlimmerung

Verschlimmerungen sind unerwünscht

Die Verschlimmerung ist eine Reaktion, mit der wir uns bestens auskennen sollten. Nach dem Diskurs über die Erstverschlimmerung und dem Ende dieses Mythos erwarten wir vielleicht, daß jegliche Verschlimmerung der Geschichte angehört. Leider ist das nicht der Fall. Es mag sein, daß in der Zukunft etwas gefunden wird, wie sich Verschlimmerungen in der Homöopathie grundsätzlich vermeiden lassen, so wie es Hahnemann damals mit den LM-Potenzen gelang, die homöopathische Verschlimmerung (bzw. Erstverschlimmerung), die einst unvermeidbar schien, aus der Homöopathie zu verbannen.

Auch kann es vorkommen, auch wenn wir alles richtig machen, – das Mittel sorgfältig auswählen, Potenz und Dosis sicher bestimmen usw. und es dem Patienten sogar zuerst besser ging –, daß die Symptome plötzlich schlimmer werden. Dabei ist es wichtig zu wissen, daß eine Verschlimmerung nicht unbedingt etwas Schlimmes ist – wenn wir verstehen, damit umzugehen! *Dann können wir dem Patienten den richtigen Beistand leisten, daß er mit der Verschlimmerung mit Gleichmut umgehen zu kann.* Eine Verschlimmerung kann trotz aller Vorsichtsmaßnahmen passieren, und wenn sie richtig gehandhabt wird, bringt sie die Heilung ein gutes Stück weiter.

Die Theorie der Verschlimmerung

In § 161 der 6. Auflage des *Organon* schreibt Hahnemann: „... dergleichen Erhöhungen der ursprünglichen Symptome der chronischen Krankheit können dann nur zu Ende solcher Curen zum Vorscheine kommen, wenn die Heilung fast oder gänzlich vollendet ist.“ Und in § 248, bei Verschlimmerungen am Ende der Kur, „ ... müssen die Gaben entweder noch mehr verkleinert und auch in längeren Zeiträumen wiederholt oder wohl mehrere Tage ganz ausgesetzt werden, um zu sehen, ob die Genesung keiner arzneilichen Hülfe mehr bedürfe, wo dann auch diese, bloß vom Überfluß der homöopathischen Arznei herrührende Schein-Symptome ebenfalls bald von selbst verschwinden und ungetrübte Gesundheit zurückbleibt.“

Laut Hahnemann ist die Verschlimmerung bei chronischen Krankheiten ein Phänomen, das am Ende der Behandlung auftritt. Eine echte Verschlimmerung jedoch keine Scheinverschlimmerung (siehe Kapitel 9) führt nach dem Absetzen des Heilmittels zur vollendeten Heilung.

Das ist eine eindeutige Abkehr seiner Überzeugung über den Zeitpunkt der homöopathischen Verschlimmerung bei chronischen Krankheiten. Bis 1829 sollte sie gleich nach der Einzelgabe stattfinden und war begrüßenswert. Ab ca. 1833 kann sie, wenn überhaupt, am Ende der Kur vorkommen. Sie war nicht mehr erwünscht!

Daraus ist eindeutig zu ersehen, wie auch in Kapitel 1 erörtert, daß Hahnemann, zumindest bei chronischen Krankheiten, eine sofortige Besserung des Zustandes durch das Mittel als die normale und natürliche Gesetzmäßigkeit bei einer Heilung ansah.

Eine große Erkenntnis: Da gleich eine Besserung eintritt, kann das Heilmittel ohne Probleme wiederholt werden und der Homöopath muß sich nicht mehr auf Einzelgaben beschränken. Der obige Trugschluß, daß es Patienten kurz nach der Gabe des Heilmittels schlechter gehen müsste, konnte anfangs existieren, da die notwendigen Gesetzmäßigkeiten für eine sanfte Heilung noch nicht entdeckt waren.

Dieser Trugschluß sitzt bei vielen Homöopathen und der Bevölkerung Deutschlands unglaublich fest. Es ist die Pflicht und die Aufgabe jedes einzelnen Homöopathen ihn zu beseitigen!

In den 200 Jahren nach Hahnemann haben die Homöopathen die unterschiedlichsten Erfahrungen gesammelt. Auch ich habe in den dreißig Jahren Arbeit mit LM-Potenzen gewisse Erfahrungen gemacht. Ich habe erlebt, daß Verschlimmerungen selbst am Ende der Heilung nicht vorkommen müssen, doch manche Menschen neigen stets zu Verschlimmerungen.

Auf die Verschlimmerungen am Ende der Heilung gehe ich später noch genauer ein.

Die echten Verschlimmerungen möchte ich gerne zuerst vom philosophisch-spirituellen Aspekt aus betrachten. Im Gebiet des spirituellen Heilens ist das Thema „Geheilt werden wollen" ein wichtiger Teil des Prozesses, denn es gibt in uns viele ungeahnte Widerstände. Manche wollen wir aufgeben, können es aber nicht, und manche wollen wir gar nicht aufgeben. Dieser Vorgang des Widerstandes kann völlig im Unterbewußtsein ablaufen oder uns sehr bewußt sein. Kommt es durch das Heilmittel zu einem Konflikt mit dem Widerstand, so entsteht eine Reibung, die sich durch eine Verschlimmerung oder auch nur eine Scheinverschlimmerung äußert (Kapitel 9).

Eine echte Verschlimmerung bedeutet, daß der Widerstand nicht nachgibt und die Reibung bestehen bleibt.

Es ist unsere Aufgabe darauf zu achten, daß es zu keiner Verschlimmerung kommt. Das bewerkstelligen wir durch die richtige Wahl:

- **des Mittels,**
- **der Potenz,**
- **der Wiederholung,**
- **der Dosis.**

Haben wir diese Punkte sorgfältig beachtet, werden bei willigen Menschen keine Verschlimmerungen auftreten. Das Problem entsteht bei Widerständen, die der Mensch auf gar keinen Fall aufgeben will. Wird der Punkt erreicht, wo es innerlich zu einer richtigen Konfrontation kommt, ist die Verschlimmerung unvermeidlich. Doch selbst in solchen Fällen ist es durch beachten der obigen vier Punkte möglich, oft weitestgehend verschlimmerungsfrei zu behandeln. Ob es möglich ist, einen Menschen vorher durch andere Mittel so weit zu bringen, seinen Widerstand aufzugeben, ist ein sehr komplexes Thema und wird deshalb im Folgeband behandelt.

Die erste Maßnahme bei jeder Verschlimmerung:
Das Mittel muß sofort abgesetzt werden.

⊙ Definition: **Verschlimmerung**
Eine *homöopathische Verschlimmerung* ist ein *Schlimmerwerden der Symptome,* die zu dem Zustand (der sich verbessert hat oder sogar unberührt bleibt) gehören, für den das Mittel gegeben wird, gefolgt von einer Besserung, sobald das Mittel abgesetzt wird.

Die Regel der Verschlimmerung

Tritt zu irgendeinem Zeitpunkt, während ein Mittel regelmäßig genommen wird, eine Verschlimmerung ein, so muß das Mittel sofort abgesetzt werden, unabhängig davon, ob man gerade erst angefangen hat, das Mittel zu nehmen, oder es schon lange nimmt (§ 280-281, 6. Auflage Organon).

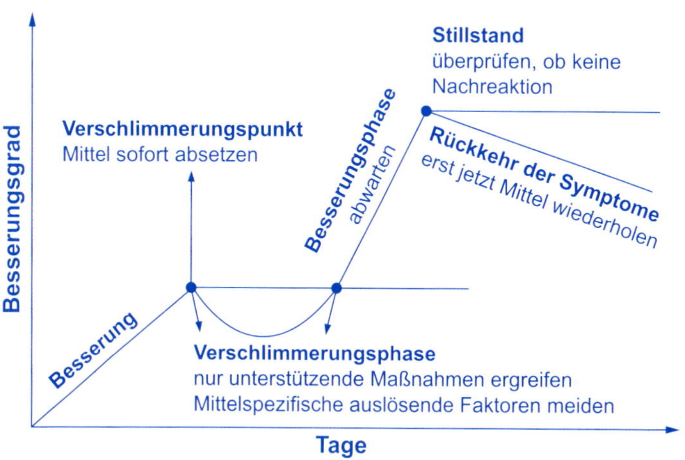

Dies ist eine goldene Regel, und es gibt nur eine einzige Ausnahme, die am Ende des Kapitels besprochen wird. Erfolgt nach dem Absetzen keine Besserung, dann war es keine homöopathische Verschlimmerung. Mehr dazu im Kapitel 10.

Verschlimmerung nach der ersten Gabe

Eine Verschlimmerung kann selbstverständlich gleich nach der ersten Gabe eintreten. Solch eine Reaktion bedeutet, daß wir höchstwahrscheinlich einen ungünstigen Zeitpunkt gewählt haben, vorausgesetzt unsere Wahl der Potenz usw. war stimmig. Besonders durch eine falsche Potenz können nicht nur bei sensiblen Patienten, sondern auch bei stabileren Menschen starke Verschlimmerungen nach der ersten Gabe ausgelöst werden.

Es gibt drei Möglichkeiten für einen ungünstigen Zeitpunkt der Mittelgabe:

1. Die Krankheit (der krankhafte Zustand) hat sich noch nicht richtig entwickelt.
2. Ein anderer vorübergehender Zustand hat sich dazwischengeschoben.
3. Das Absetzen der Allopathika fällt mit dem Beginn der homöopathischen Behandlung zusammen.

Zu Punkt 1: Die Krankheit (der krankhafte Zustand) hat sich noch nicht richtig entwickelt:

Dies kommt meiner Erfahrung nach nur bei folgenden Situationen vor:

- akuten Krankheiten,
- akuten Schüben von chronischen Krankheiten und
- nach Beendigung des vordergründigen Zustand des akuten Geschehens, bevor der Folgezustand sich eindeutig herauskristallisiert hat.

Wenn die akute Krankheit sich gerade entwickelt und noch nicht den Höhepunkt des ersten Stadiums erreicht hat, wird es zu einer Verschlimmerung nach der ersten Gabe kommen. Manchmal wird erst nach der zweiten oder dritten Gabe eine Verschlimmerung auftreten. In diesem Fall ist die Krankheit kurz vor dem Erreichen ihres Höhepunktes. Es ist zu betonen, daß sie noch nicht ganz den Höhepunkt erreicht hat. Dies könnte der Grund sein, warum Hahnemann bei akuten Fällen so viele Verschlimmerungen erlebt hatte. Hahnemann rät uns, bei Wechselfieber mit der Mittelverordnung abzuwarten bis das Fieber abgeklungen ist oder angefangen hat, abzuklingen. Durch diese Vorgehensweise erlebte er sogar mit einer einzelnen Gabe des Heilmittels das vollständige Ausheilen des Wechselfiebers ohne den geringsten Aufruhr im Körper, also völlig sanft. Ich selbst habe noch nie eine Verschlimmerung bei akuten Fällen beobachtet, *wenn das Mittel auf dem Höhepunkt der akuten Krankheit gegeben wird.*

> *Nach den obigen Ausführungen möchte ich Ihnen noch mal ans Herz legen, bei einem akuten Fall so lange mit der Mittelgabe zu warten, bis die Krankheit voll ausgereift ist. Mit dieser Vorgehensweise werden Verschlimmerungen vermieden und die Mittelwahl wird vereinfacht. Denn bei einer voll ausgereiften, akuten Krankheit ist das Simillimum kristallklar zu erkennen.*

Zu Punkt 2: Ein anderer vorübergehender Zustand hat sich dazwischengeschoben:

Hahnemann empfiehlt, die Mittel einzunehmen, wenn Körper, Geist und Seele in einem ruhigen Zustand sind, also am besten früh morgens, v. a. die Antipsorika. Geraten wir zu sehr aus der Ruhe, sind wir kurzzeitig in einem anderen Zustand. In einer unruhigen, gereizten Gemütsverfassung kann die Einnahme des Mittels zu heftigen Verschlimmerungen führen, sogar zu Verschlechterungen (siehe Kapitel 10). Ich habe ganz starke Reaktionen beobachtet, wenn der Mensch sich körperlich verausgabt hatte und er das Mittel in solch einem gereizten Zustand nahm. Die einzige Ausnahme ist, wenn das verordnete Mittel diesen dazwischengeschobenen Zustand abdeckt. Sollte jemand z. B. *Nux vomica* verordnet bekommen haben und sich aufregen, kommt es durch das Mittel in diesem Moment zu keiner Verschlimmerung, weil Nux vomica den gereizten Zustand abdeckt! Wenn Nux vomica eingenommen werden soll, und z.B. Kaffee getrunken wird und dadurch die Krankheit einen neuen Schub bekommt, ist es jetzt geboten, Nux vomica nicht zu nehmen. Der Schub muß nun erst den neuen Höhepunkt erreichen, bis Nux vomica gegeben werden kann. (Siehe auch die kausalitätsbezogene Reaktion, Kapitel 12.)

Zu Punkt 3: Das Absetzen der Allopathika fällt mit dem Beginn der homöopathischen Behandlung zusammen:
Wird zu dem Zeitpunkt, zu dem sich der wahre Krankheitszustand nach Unterdrückungen zeigen will, mit der Einnahme des homöopathischen Mittels begonnen, so können heftige Verschlimmerungen ausgelöst werden. Das Absetzen von Allopathika an sich bedeutet z.B., daß die unterdrückten Symptome in ihrer vollen Intensität zurückkehren werden. Geben wir aber das Grundmittel am Anfang nicht, sondern lassen den unterdrückten Zustand sich richtig zeigen, und geben dafür das Mittel (siehe Kapitel 14, „Alter Zustand"), womöglich auch tautopathisch (siehe Kapitel 6, „Blockaden 2"), dann gibt es heilsame, sanfte Reaktionen, d. h. keine Verschlimmerungen. In den Ausnahmefällen, in denen das homöopathische Mittel eine Ähnlichkeit zu dem Allopathikum besitzt, erlebt man jedoch gleich eine Besserung des Zustandes, z.B. wenn ein Patient Thyroxin für seine Schilddrüse nimmt. Sollte sein vordergründiger Zustand dem Mittel *Thyreoidinum* ähneln, kann Thyroxin sofort abgesetzt und mit Thyreoidinum angefangen werden. Es wird nichts anderes als eine sanfte und deutliche Heilwirkung eintreten.

In einem Fall wollte der Patient erst mit dem homöopathischen Mittel anfangen, nachdem er seine Antirheumatika abgesetzt hatte. Davon berichtete er mir aber nicht. Er bekam sofort eine Verschlimmerung des Zustandes, nahm aber brav das homöopathische Mittel eine Woche weiter, bis er mich anrief. Er konnte sich kaum mehr bewegen. Hier muß man mit dem Patienten sehr zuversichtlich sprechen. Nach dem Absetzen des Mittels dauerte es zehn Tage, bis eine deutliche Besserung des Zustandes eintrat. Natürlich fingen die Symptome gleich an, besser zu werden, aber es dauerte, bis sie besser waren als vor der Einnahme des Heilmittels.

Verschlimmerung nach anfänglicher Besserung

Auch für erfahrene Homöopathen ist es oft schwer zu glauben, daß ein Mittel, welches so lange gut geholfen hat, plötzlich eine Verschlimmerung hervorruft.

Der Patient selbst ist sich dieser Möglichkeit wahrscheinlich nicht bewußt, auch wenn Sie ihn vor der Behandlung ausdrücklich darauf hingewiesen haben. Er möchte das Mittel weiter nehmen, weil er es gewohnt ist und eine weitere Besserung erwartet. Außerdem sind viele Menschen die Regeln der Allopathie gewohnt, nach denen sie immer mehr von einem Medikament einnehmen müssen, wenn die Symptome schlimmer werden. Ein Homöopath muß den Patienten unter Umständen gegen dessen Überzeugung darüber aufklären, daß es richtig ist, das Mittel abzusetzen. Das kann manchmal eine ziemliche Herausforderung sein. Dem Patienten geht es, nach der anfänglichen Besserung, nicht gut. Er will weiter Linderung haben und versteht einfach nicht, warum er ein Mittel absetzen soll, das ihm doch bisher so gutgetan hat, zumal die Verschlimmerung manchmal sehr unangenehm sein kann.

In bezug auf die Verschlimmerung habe ich oft viel Verwirrung und Angst erlebt. Das liegt daran, daß die **zweiteilige Natur der Verschlimmerung** nicht klar definiert ist und sie zudem oft mit jeglicher Art des Schlechtergehens in eine Schublade gesteckt wird. Es gibt verschiedene Arten der Reaktionen, bei denen es dem Behandelten möglicherweise gar nicht gutgeht bzw. sogar sehr schlechtgehen kann (Kapitel 9, 10, 14, 15). Hier soll noch einmal betont werden, daß *eine Verschlimmerung ein Schlimmerwerden der Symptome bedeutet, für die das Mittel gegeben wurde.* In so einem Fall muß eine Besserung stattfinden, wenn das Mittel abgesetzt wird. Andere Symptome, für die das Mittel nicht gegeben wurde, mögen zwar schlimmer werden, aber das hat absolut nichts mit der homöopathischen Verschlimmerung zu tun. Erfassen wir diese Unterschiede für uns klar, dann müssen wir uns auch nicht vor irgendwelchen homöopathischen Horrorgeschichten fürchten, sondern können der Angst und Panik, die der Homöopathie nur schaden, durch fachliche Kompetenz entgegenwirken.

Wir müssen in der Lage sein, alle Reaktionen voneinander zu unterscheiden, so daß wir im besten Interesse des Patienten und im Einklang mit den Heilgesetzen handeln können. Darum muß jedes einzelne Symptom des Patienten gewissenhaft und exakt definiert und verstanden werden, so daß wir wissen, für welche Symptome und für welchen Zustand wir das Mittel verschrieben haben. Auf dieser Basis und mit den Kenntnissen aus anderen Kapiteln, in denen andere Zustände des Schlechtergehens, die aber keine Verschlimmerungen sind, verdeutlicht werden, können wir eine Verschlimmerung immer gut erkennen.

Im folgenden Rahmen habe ich die Maßnahmen und den Ablauf bei Verschlimmerungen zusammengefaßt, die Hahnemann und andere Homöopathen beobachtet und geprüft haben:

- Die **erste Regel bei einer Verschlimmerung** besteht darin, das Mittel **sofort abzusetzen.** Dann heißt es erst einmal **abwarten und beobachten. Eine Wiederholung ist absolut zu unterlassen.** Geduld ist jetzt angebracht und Vertrauen in die Heilkräfte des Lebens.
- **Nach der Verschlimmerung** wird *zwangsläufig* eine Besserung im Zustand des Patienten eintreten, sofern die Regeln der Verschlimmerung klar beachtet werden.
- **Bei LM-Potenzen hält die Verschlimmerung nur sehr** kurz an, selten länger als einen Tag, sollte das Mittel sofort abgesetzt worden sein. Bei C-Potenzen kann es länger dauern, besonders wenn hohe Potenzen eingesetzt wurden.

Wenn man das Mittel nicht sofort absetzt, dann hält die Verschlimmerung auch entsprechend länger an. In der Vergangenheit habe ich beobachtet, daß die Verschlimmerung genau so viele Tage zum Abklingen brauchte, wie das Mittel während der Verschlimmerung weiter genommen wurde. Wurde das Mittel also eine Woche lang, nachdem die Verschlimmerung eingesetzt hatte, weiter genommen, dauerte es auch eine Woche, bis dieser Zustand abklang und die Besserung wieder einsetzte.

In den letzten Jahren scheint es jedoch einen Trend zu geben, daß die Verschlimmerung oft viel schneller abklingt, auch wenn das Mittel zu lange genommen wird. Vielleicht liegt das daran, daß die Vitalkraft vieler Menschen, die bewußter und gesünder leben, stärker wird.

Nachdem die Verschlimmerung abgeklungen ist, setzt eine Zeit des Wohlbefindens ein, in der der Patient eine eindeutige Besserung seines Zustandes erfährt, sich vielleicht sogar geheilt fühlt. Seine Leiden sind erst einmal vorbei.
Bei einfachen Fällen (akuten wie chronischen) setzt sich diese Besserung in der Regel bis zur vollständigen Heilung fort. Kcine weiteren Arzneimittel werden benötigt.

Die ***wichtigste Regel*** nach dem Absetzen des Mittels ist folgende: **Nach einer Verschlimmerung darf der Prozeß der Besserung und Erholung von der Krankheit auf keinen Fall auf irgendeine Weise gestört werden** (§ 281, 6. Auflage *Organon).*

Ausschweifungen, emotionale Ausbrüche, zu viel Arbeitsstreß, Überanstrengungen sowohl körperlich als auch geistig, übermäßiger Alkoholkonsum u.a. sind zu vermeiden sowie Medikamente irgendwelcher Art, auch arzneiliche Kräutertees und Phytotherapeutika. *Aber besonders homöopathische Mittel dürfen keinesfalls in dieser Zeit eingenommen bzw. verabreicht werden.*

Ausnahme bei der Verschlimmerung und der nachfolgenden Besserung

Auch hierfür, wie bei allen Regeln, gibt es eine Ausnahme. Sollte in dieser Zeit eine schwerwiegende Situation entstehen, besonders durch äußere Umstände, dann ist es nicht nur angebracht, die homöopathische Versorgung durchzuführen, sondern bei gefährlichen, lebensbedrohlichen Zuständen sogar absolut notwendig. Eine schwere Verletzung ist Grund genug, um zu behandeln. Bei kleineren Verletzungen, besonders bei Kindern – sie brauchen eine liebevolle und heilsame Versorgung –, können *äußerliche Anwendungen* mit homöopathischen Salben gemacht machen.

Bei Unpäßlichkeiten, auch heftigerer Art, werden während dieser Zeit keine homöopathischen Mittel verabreicht, sondern nur diätetische und sonstige passenden Maßnahmen wie Ruhe, Bewegung, Kneippanwendungen, Sauna und ähnliches vorgenommen.

Eine Verschlimmerung zeichnet sich nach dem Absetzen durch folgende Dinge aus:

1. Sie ist schnell vorüber.
2. Sie ist oft begleitet von einer inneren Kraft oder sogar einem inneren Wohlbefinden, auch wenn die Verschlimmerung starke körperliche Symptome mit sich bringt. Hier ist zu unterscheiden zwischen dem „Es schmerzt, aber es tut nicht weh" und dem Zustand, in dem auch geringere Beschwerden einem zu schaffen machen. Bei einer echten Verschlimmerung ist es die Regel, daß die Beschwerden, auch wenn sie den Patienten an seine Grenze bringen, trotzdem zu ertragen sind, als ob man durch eine innere Kraft getragen wird. In manchen Fällen finden wir auch ein Wohlbefinden, wobei der Patient von dem Schmerz getrennt ist und zu einem Beobachter des Heilungsprozesses wird.
3. Dem Patienten geht es danach sehr gut.

Eine Verschlimmerung zu antidotieren oder zu stören ist der gravierendste Fehler, den man in der Homöopathie machen kann.

Am schlimmsten ist dieser Fehler zu dem Zeitpunkt, an dem der Patient ganz im Tal angekommen ist. Dies ist genau der Punkt, an dem die Selbstheilungskräfte im Begriff sind, sich zu sammeln, um die krankheitsverursachenden Faktoren vollständig zu besiegen. Dies kann nur nach dem Absetzen des Mittels stattfinden. Solange das Mittel weiter gegeben wird, sind die Selbstheilungskräfte noch gestört und das Tal ist noch nicht erreicht. In dem Moment, in denen das Mittel abgesetzt wird, können sich die Lebenskräfte wieder vereinen und anfangen, die nötige Energie und Struktur aufzubauen, um Stabilität in den Organismus zu bringen. Und zwar auf der Ebene, auf der das Mittel wirkt bzw. sich die Krankheit ausbreitete.

Es gibt wahrlich nichts Schlimmeres als jetzt in verblendetem Mitleid die *Verschlimmerung, falsch erfaßt als „Schlechtgehen“*, zu antidotieren. Nicht nur kann der Zustand des Patienten dadurch unheilbar werden, er konnte sogar sterben. Dieses falsche Mitgefühl kann nur aus einer Unwissenheit gegenüber dem Heilungsprozeß erwachsen und führt dazu, zum möglichen Verderben des Patienten und gegen die Heilgesetze der Homöopathie zu handeln.

Das Thema „Antidotieren“ wird in Kapitel 5, „ Blockaden, Teil 1“, und Kapitel 10 behandelt.

Ich möchte diesen Prozeß darum zum besseren Verständnis noch einmal beleuchten. Eine *Verschlimmerung* bedeutet, daß sich die Person (vielleicht unbewußt) dazu entschieden hat, tief in den Krankheitsprozeß einzutauchen, um ihn zu verstehen und loszulassen, *damit sie ihn auflösen kann.* Auf diesem Wege muß sie die Krankheit vollständig und auf einer tiefen Ebene erfahren, damit Heilung stattfinden kann. Jede Störung würde die Person jetzt aus diesem Prozeß herausreißen und ihre

Aufmerksamkeit ablenken, so daß sie nicht all ihre Energie auf diese Sache konzentrieren kann.

Wenn dieser Mensch den tiefsten Punkt der Verschlimmerung erreicht, dann öffnet er sich voll seinem Problem. In diesem Zustand ist er extrem verwundbar, weil er seine Schutzschilde beiseite gelegt hat. Der Therapeut muß jetzt seine größte Disziplin und Liebe einbringen und dem Patienten erlauben, ungestört durch seine Verschlimmerung (den Heilungsprozeß) hindurchzugehen. In unserer Verantwortung als Heiler verstehen wir die Reaktionen als Heilprozesse und handeln immer entsprechend, anstatt uns vom äußeren Anschein – dem Patienten geht es schlecht: Wir müssen was tun! – beirren zu lassen.

Während einer Verschlimmerung, ein homöopathisches Mittel zu geben, ist daher der größte Fehler in der homöopathischen Therapie.

Aber auch in einer anderen Weise den Menschen aus diesem „heilsamen“ Zustand herausholen zu wollen, hat katastrophale Auswirkungen. Der folgende Fall ist in meiner Erinnerung heute genauso präsent wie damals vor mehr als zwanzig Jahren, als ich einen Heil-Workshop leitete. Einer Frau schien es während des Prozesses nach der Meinung der Teilnehmer ganz schlecht zu gehen. Als wir den Punkt erreichten, wo sie sich voll öffnete, sagte ich ihr, sie solle dem Bedürfnis ihrer Seele nachgeben. Sie legte sich völlig erschöpft, aber ganz entspannt auf den Bauch und war von der Welt weg. Ich stand auf und sagte allen: „Wir dürfen sie jetzt keinesfalls stören, deswegen gehen wir alle aus dem Raum und schauen nach zwanzig Minuten wieder nach ihr.“ Zwei der Teilnehmer gehorchten nicht, da sie es für unmöglich hielten, jemandem, dem es so schlecht geht, ohne Trost zu lassen. Sie kamen ohne unser Wissen zurück und holten sie mit ihrem „falschen Trost“ aus ihrem tiefen Heilprozeß heraus. Als ich nach zwanzig Minuten zurückkam, saß die Frau völlig verstört da, und es ging ihr gar nicht gut. Ab diesem Zeitpunkt war es auch nach Jahren nicht mehr möglich, ihr grundlegend zu helfen.

Ich habe in meinen Workshops unzählige Male erlebt, wenn wir diesen Punkt erreichen, an dem der Mensch sich ganz öffnet, daß er dann nach etwa zwanzig Minuten wie neugeboren aus dem „Tal" erwacht. *Wir müssen ihm nur die Chance geben und ihn in absoluter Ruhe lassen!*

Was können wir dem Patienten während einer Verschlimmerung raten?

Auf die seelischen Bedürfnisse achten: Es ist in jedem Fall ratsam, die Überaktivität des Organismus so weit wie nötig und möglich zu reduzieren. Das heißt nicht notwendigerweise, den normalen Tagesablauf umzuwerfen, sondern Raum zu schaffen für Impulse, die von innen kommen. Kommt z. B. der Impuls, den halben Tag in der Natur zu verbringen oder in die Sauna zu gehen, ist es ratsam, diesem Impuls nachzugeben.

Auf die körperlichen Bedürfnisse achten: Beim Essen ist es sinnvoll, nicht automatisch der normalen Routine zu folgen. Der Körper braucht evtl. bestimmte Dinge, die ihm helfen, durch den Prozeß zu gehen, während andere Dinge stören würden. Spezielle Wünsche nach Essen oder Trinken sollten (mit Erlaubnis des Therapeuten) erfüllt werden, auch wenn sie gegen bestimmte Vorstellungen oder Glaubenssätze verstoßen. Jedoch sollte alles, was nicht hundertprozentig behagt, vermieden werden.

Weitere Hilfe oder Therapien: Man kann alles tun, was einem wirklich und auf tiefer seelischer Ebene guttut. Das ist nicht immer einfach, wenn wir nicht darin geübt sind, auf unsere wahren Bedürfnisse zu hören. Wir müssen dabei sehr achtsam und vorsichtig sein. Massagen, Shiatsu, Craniosacraltherapie o.ä. könnten störend wirken, wenn damit versucht wird, den Patienten aus diesem Zustand herauszuholen, stattdessen sollte der Therapeut dem Patienten Mut, Zuversicht bzw. stillen Trost spenden. Die Akupunktur ist in der Regel in diesem Zustand gar nicht ratsam, da sie die Energiebahnen ändert. Die Seele hat aus bestimmten Gründen die momentanen Energiebahnen geschaffen. Ändern wir sie jetzt, statt sie zu unterstützen, dann stören wir womöglich den Prozeß gewaltig. Es dürfen auch keine sonstigen Medikamente genommen werden!

Auch die Chakrablüten-Essenzen oder andere Essenzen sind jetzt nicht ratsam. Der Patient soll lernen, aus eigener Kraft heil aus dem Tal herauszukommen. Diese Lektion wird dann sitzen und voll integriert sein.

Es ist besonders wichtig, auf die Stimme des Herzens zu hören.

Wenn wir unsere Patienten auf diese Weise unterstützend mit unserem Rat begleiten, ohne im falschen Moment einzugreifen, dann werden wir Heilungen erleben, die dauerhaft eine stabilere Gesundheit der Patienten zur Folge haben.

Die geistige Verschlimmerung

Sie haben sicher gelesen oder gehört, daß es dem Patienten auf der geistigen Ebene durch das Heilmittel gut gehen soll, niemals schlecht. Das stimmt in dieser Verallgemeinerung sicher nicht, ist aber im richtigen Kontext ein sehr wichtiger Punkt. Der Kontext, in dem dieser Punkt seine Relevanz hat, ist die

Besserung. Eine körperliche Besserung der Symptome ohne eine merkliche Besserung des allgemeinen und geistigen Befindens ist mit Vorsicht zu betrachten. Das körperliche Befinden kann natürlich einen eigenständigen Zustand bilden, und sollten die geistigen Symptome zu einem anderen Zustand gehören, kann das Mittel keine Wirkung darauf haben. In solch einem Fall – zwei verschiedene Zustände, einer vom Geist und einer vom Körper – deutet das Schlechterwerden des Geistes lediglich auf die Notwendigkeit eines zusätzlichen Mittels für den geistigen Zustand hin. Aber eine Verschlechterung des Geistigen bei einer Besserung des körperlichen Zustandes, wenn beide von einem Mittel abgedeckt sind, ist ein klares Zeichen für *ein falsches Mittel.*

Mit anderen Worten: Ein Schlechterwerden des geistigen Zustandes bei gleichzeitiger Besserung des körperlichen Zustandes durch ein Mittel ist eine unheilsame und unterdrückende Wirkung.

Das ist nach unserer Definition keine Verschlimmerung.

Ein falsches Mittel, wenn es unheilsame bzw. unterdrückende Wirkungen erzeugt, muß immer und sofort antidotiert werden („Antidot“ siehe Kapitel 5, „Blockaden, Teil 1“ sowie Kapitel 10). Nun müssen wir gut unterscheiden, ob wir eine Verschlimmerung des gesamten Zustandes – Geist, Körper und Allgemeinbefinden – haben oder ob wir es mit einem rein geistigen Zustand zu tun haben.

Im ersten Fall wurden also die geistigen, körperlichen und allgemeinen Symptome verschlimmert. Kommt es zu einer Verschlimmerung durch das passende Mittel in allen drei Bereichen, ist es ordnungsgemäß. Nach Absetzen des Mittels werden nach der Regel der Verschlimmerung alle diese Symptome in absehbarer Zeit besser.

Im zweiten Fall sind nur die geistigen Symptome verschlimmert. Sie werden genau wie im ersten Fall nach Absetzen des

Mittels eine Besserung erfahren, und es wird ein Stück Heilung des Zustandes stattfinden.

Aus dem oben genannten Grund ist es äußerst wichtig, sich darüber klar zu sein, wofür ein Mittel verschrieben wurde, so daß wir die Reaktionen klar erkennen können.

Erziehung des Patienten

Auf dem Weg der Homöopathie merken wir sehr bald, daß wir unsere Patienten mehr oder weniger erziehen und aufklären müssen. Für die meisten sind Homöopathie und besonders die Reaktionen völliges Neuland. Auch wenn wir unseren Patienten ein Merkblatt mit den wichtigsten Regeln und Reaktionen geben und ihnen die Kernpunkte erklären, vergessen sie diese häufig und werden das Mittel bei einer Verschlimmerung nicht absetzen. Die meisten Menschen sind an die Allopathie gewöhnt. Wenn es schlechter geht, nimmt man mehr Medikamente. Für viele ist der Gedanke, nichts zu nehmen, wenn es einem schlecht geht, so neu und abwegig, daß sie sogar einen erfahrenen Homöopathen dazu überreden könnten, etwas zu tun, was nicht in ihrem besten Interesse wäre. Darum müssen wir stets wachsam sein und den Patienten mit eiserner Disziplin über die Regeln der Homöopathie aufklären, so daß er oder sie die Regeln der Verschlimmerung akzeptiert, wenn am Anfang auch widerwillig. Es gibt Menschen, denen man auch nach Jahren immer wieder dasselbe sagen muß: „Setzen Sie das Mittel ab, Sie haben eine Verschlimmerung!" Geduld und Toleranz sind die Tugenden, die wir durch unsere Bemühungen erlangen.

Aber wir müssen absolut sicher sein, daß es eine Verschlimmerung ist. Dazu ist es notwendig, von Anfang an jedes Symptom einzeln mit dem Patienten durchzugehen, um sicher zu sein, daß nur die Symptome, für die das Mittel gegeben wurde, schlimmer geworden sind. Der Patient wird nur daran interessiert sein zu erzählen, wie schlecht es ihm geht. Er wird versuchen, uns mit allen Mitteln davon zu überzeugen, daß er ein neues Mittel braucht, und alle möglichen Erklärungen für seinen gegenwärtigen Befindlichkeitszustand finden. Jedoch dürfen wir uns vom Patienten nicht in die Irre führen lassen.

Die folgenden Fälle zeigen den praktischen Umgang mit Verschlimmerungen, aber auch mit der Besserung:

Fall 1

Ein Kind bekam *Calcium sulfuricum LM 30* in der akuten Phase eines subakuten, beinahe chronischen Falls von Otitis media sowie für seinen Schnupfen.

Entscheidend für die Wahl von Calcium sulf. war der grüne Ausfluß aus dem Ohr am Morgen sowie das allgemeine Wohlbefinden an der frischen Luft. Sie werden Calcium sulf. für diesen Ausfluß nicht in Kents *Repertorium* finden, wohl aber in der Materia Medica. Darum müssen wir die Arzneimittel in ihrer Grundnatur kennen. Mit Calcium sulf. verschwand die schon einige Monate andauernde Otitis media sehr bald, und dem Kind ging es gut.

Die Mutter rief fünf Tage nach der ersten Verabreichung des Mittels an und berichtete, daß die Besserung des Schnupfens nicht weiter voranschritt. Ich fand heraus, daß sie das Mittel abgesetzt hatte, sobald der Ausfluß aus dem Ohr verschwunden war.

Nach der ***Regel der Besserung*** *hätte Calcium sulf. weitergegeben werden sollen.*

Das Kind bekam jedoch am Tag des Anrufs Fieber. Für das akute Fieber gab ich *Tuberculinum bovinum C 200.* Am nächsten Tag war das Fieber weg, aber das rechte Ohr hatte wieder den Ausfluß. Tub. wurde auf zweimal täglich reduziert, morgens und abends, und Calc sulf. LM 30 wurde wieder aufgenommen.

Die Frage stellt sich, warum Tub. weitergegeben wurde, nachdem das Fieber weg war? Auch das hat natürlich mit der Regel der Besserung zu tun. Laut Hahnemanns Miasmentheorie stecken die Miasmen hinter jeder Krankheit. Daran sollten wir uns stets erinnern, auch wenn wir eine akute Krankheit behandeln. Wenn in einem akuten Fall eine Nosode das ähnlichste Mittel ist, was nicht selten vorkommt, ist das chronische Miasma aus tieferen Ebenen aktiv geworden. Dadurch öffnet sich gleichzeitig der Weg für die antimiasmatische Behandlung auf dieser tieferen Ebene. Hahnemann rät, bei dem Mittel zu bleiben, um weiter gegen das Miasma vorzugehen. Solange es keinen Grund gibt, die Nosode abzusetzen, können wir sie theoretisch unbegrenzt lange weitergeben.

Zu der Zeit fragte die Mutter mich, ob sie jetzt mit dem Kind verreisen könne. Mit Tuberculinum und Calcium sulf. in der Tasche und ohne Fieber stand dem nichts im Wege. Doch nach elf Tagen rief sie vollkommen verzweifelt an. Während der Reise war das Kind gesund, aber seit der Rückkehr hatte der Ausfluß aus dem Ohr wieder begonnen, erst aus einem und dann sogar aus beiden Ohren.

Was war passiert? Es war eine Verschlimmerung, und sie hatte die Mittel trotzdem noch vier Tage lang weitergegeben. Darum fing der Ausfluß auch aus dem zweiten Ohr zu fließen an.

Es bedurfte einer gewissen Überredungskunst, um die Mutter davon zu überzeugen, beide Mittel abzusetzen und einfach abzuwarten. Zwei Tage später hörte das linke Ohr auf zu fließen und bald darauf auch das andere. Der Ausfluß kam nicht wieder.

Fall 2

Eine Frau rief an und jammerte, daß sie seit sechs Wochen ständig müde sei. In den letzten zwei Tagen hatte sie auch noch

Halsweh bekommen, zu dem sie des öfteren neigte. Drei Monate zuvor mußte sie deswegen fast zwei Wochen lang mehr oder weniger im Bett bleiben.

Sie verspürte den ganzen Tag über Müdigkeit, aber sie redete gern mit Menschen, und wenn sie das tat, kam ihre Energie zurück.

Ihr Appetit war unbeeinträchtigt. Sie hatte in den letzten Wochen sogar ein paar Kilo zugenommen.

Ich verschrieb ihr *Phosphor LM 30*, zweimal täglich zwei Tropfen in etwas Wasser.

Die Müdigkeit verschwand sofort, aber nach zwei Tagen bekam sie Kopfschmerzen. Sie nahm das Mittel trotzdem noch drei Tage weiter, bis die Kopfschmerzen so schlimm wurden, daß sie aufhören mußte. Sie rief an und fragte, was sie wegen der Kopfschmerzen tun könne. Auf meine Nachfrage fand ich heraus, daß das Kopfweh ein vorher bereits bestehender Zustand war und schlußfolgerte, daß dies eine Verschlimmerung war. Da sie das Mittel schon abgesetzt hatte, brauchte also nichts weiter getan zu werden. Das Kopfweh verschwand am nächsten Tag, und die Müdigkeit blieb weg.

Im Moment des Verschreibens von Phosphor hatte sie zwar kein Kopfweh, aber sonst hatte sie immer wieder welches. Also gehörte es zu dem momentanen Zustand.

Fall 3

Ein zwölfjähriges Mädchen hatte seit einem Tag Durchfall mit Krämpfen im Bauch sowie 39,6 °C Fieber. Sie hatte auch Kopfweh und weinte. Vom Aufstehen wurde ihr schwindelig. Einmal wurde sie beim Aufstehen von der Toilette sogar ohnmächtig. Die Mutter hatte ihr *Nux-v.* gegeben, was nicht half.

Das Kind hatte einen trockenen Mund und trank kleine Mengen. Zu diesem Zeitpunkt wollte sie Warmes trinken, obwohl es vorher Kaltes gewesen war. Sie fühlte sich auch sehr schwach.

Verschreibung um 15.30 Uhr: Arsen C 200, *alle zwei Stunden.*

19.30 Uhr am selben Tag: Das Mädchen fühlte sich schlechter. Das Fieber war auf über 40 Grad gestiegen. Nach der ersten Gabe um 15.30 Uhr ging es ihr kurz besser. Das Gesicht war nicht mehr so blaß und die Augen wurden klarer. Aber nach der zweiten Gabe fing es an, wieder schlimmer zu werden. Sie fühlte sich jetzt noch schwächer. *Arsen wurde abgesetzt und wir warteten ab.*

Am nächsten Tag waren das Kopfweh und das Fieber viel besser. Sie hatte immer noch Bauchkrämpfe. Der letzte Durchfall war am Vortag um 15:45 Uhr gewesen; sehr wässerig. Als ich mit der Mutter am Telefon sprach, bekam das Mädchen wieder Bauchkrämpfe und mußte auf die Toilette. Es kam nur Luft heraus. Davor hatte sie Stuhl mit viel Luft gehabt. Der Durst war nicht mehr so groß. Sie hatte etwas Zwieback und Salzstangen gegessen und Cola getrunken. Die Symptome hatten sich verändert, also gab ich *Natrium sulf. C 200* alle zwei bis vier Stunden (siehe Kapitel 15, „Neuer Zustand"). Danach brauchte sie ein paar Gaben *Sulfur* und zwei Tage später schloß *Podophyllum* die Heilung ab.

Dies ist ein komplizierterer Fall, der viele Mittel brauchte, und es gab einige Reaktionen zu beachten. Nach der ersten Gabe Arsen *gab es eine Besserung, aber bereits die zweite Gabe verursachte eine Verschlimmerung. Wir müssen darauf vertrauen, daß die Gesetzmäßigkeiten der Heilung stimmen, aber daß wir gleichzeitig mit Sicherheit eine Verschlimmerung feststellen können. Es gibt auch die Möglichkeit, daß ein Mittel den Zustand klarer herausholt, wie z. B. ein Reaktionsmittel oder ein Blockademittel (siehe die beiden Kapitel). In solch einem Fall werden die vorhandenen Symptome verstärkt, doch zusätzlich entstehen neue, meist hinweisende Symptome.*

Fall 4

Dies ist ein sehr lehrreicher Fall, da er uns zeigt, wie wichtig es ist, die Prinzipien zu kennen und danach zu handeln.

Es geht um einen Fall von multipler Sklerose, welche nach einer Impfung gegen Zeckenbißfieber (FSME) auftrat. Als Erstes wurde die Impfstoffnosode C 200 eingesetzt, da kein anderes Mittel klar angezeigt war. Sie wurde einmal wöchentlich verordnet. Erst ging es dem Patienten eine Weile besser, dann kam eine Verschlimmerung, die drei Wochen anhielt, da er das Mittel nicht absetzte und mich erst nach drei Wochen anrief. Nach dem Absetzen ging es ihm bald viel besser.

Der Patient machte nun einen schweren Fehler: Als die Symptome anfingen, besser zu werden, wiederholte er das Mittel auf eigene Faust. Daraufhin wurde es so schlimm, daß er nur noch mit Gehstützen laufen konnte. Nach dieser Katastrophe half kein Mittel mehr, und er brach bald die Behandlung ab.

Ist der Patient sehr eigenwillig und will alles auf eigene Faust machen, gehört er zu den schwererziehbaren.

Heute vermute ich, daß niedrige Potenzen einiger bestimmter Mittel ihm vielleicht hätten helfen können.

Dieser Fall zeigt sehr deutlich, wie wichtig es ist, nach einer Verschlimmerung zu warten. Zum Glück ist es in einfacheren Fällen nicht immer so ernst. Ich höre von anderen Homöopathen, die nach einer Verschlimmerung anfangen, das Mittel wieder zu geben, sobald es besser geht. Bei einfachen Fällen mag dies mitunter sogar funktionieren, doch ***in einem schweren Fall können die Konsequenzen gravierend sein.***

Zusammenfassung: die Verschlimmerung

- Geht es dem Patienten nicht mehr besser, muß das Mittel abgesetzt werden. So behalten wir die Kontrolle über das Geschehen, besonders auch für andere Reaktionen.
- Eine *Verschlimmerung* ist die Intensivierung von Symptomen, die zu dem Zustand gehören, für den das Mittel gegeben wurde.

- *Nach dieser Definition ist jegliche Verstärkung anderer Symptome keine homöopathische Verschlimmerung.*
- Bei einer **Verschlimmerung setzen wir das Mittel* immer ab** und warten. Nach der Verschlimmerung kommt es mit Sicherheit zu einer Besserung des Zustandes, *für den das Mittel gegeben wurde.*
- Eine Verschlimmerung hält bei LM-Potenzen nicht so lange an, wenn das Mittel sofort abgesetzt wird, meist nur einen Tag oder weniger. Bei C-Potenzen dauert die Verschlimmerung in der Regel länger.

** oder alle Mittel. Wenn die Verschlimmerung heftig ist, sollte man auf jeden Fall alle Mittel absetzen. Sonst muß dies von Fall zu Fall entschieden werden. In manchen Fällen braucht der Patient die anderen Mittel weiter. Aber wenn keine Dringlichkeit besteht, ist es besser, alle Mittel abzusetzen. Bei Mischreaktionen (siehe Kapitel 11, 14, 15) auf jeden Fall alle Mittel absetzen.*

Wenn die Heilwirkung zu Ende geht

In einfachen Fällen reicht die Heilwirkung (Besserung) oft aus, die nach der Verschlimmerung eintritt, um den Zustand auszuheilen. Das ist dann sehr erfreulich. Genauso kann es jedoch passieren, daß die Heilwirkung irgendwann zu Ende geht, bevor der Fall ausgeheilt ist. Wenn dies passiert, wird eines von zwei Dingen eintreten: Entweder stagniert der Zustand, oder es geht dem Patienten wieder schlechter. Jetzt, aber auch *erst jetzt, ist der Zeitpunkt gekommen, an dem wir eine Weiterbehandlung* mit homöopathischen Arzneimitteln aufnehmen dürfen.

Hier gibt es zwei Möglichkeiten. Die erste Erwägung ist, das gleiche Mittel zu wiederholen. Wenn der Zustand des Patienten unter Einbeziehung der miasmatischen Überlegungen grundsätzlich der gleiche ist, dann ist dasselbe Mittel die richtige Wahl.

Hat sich der Zustand jedoch inzwischen verändert, sind bestimmte Symptome verheilt, andere aber geblieben (Kapitel 8, „Restsymptome“) oder alte/neue Symptome (Kapitel 14/15) aufgetreten, so brauchen wir ein anderes Mittel. Im Folgenden werde ich auf die Möglichkeit eines neuen Mittels nur am Rande eingehen und mich darauf konzentrieren, was es zu beachten gilt, wenn wir wieder dasselbe Mittel geben wollen.

Wie oben schon erwähnt, gibt es hier zwei grundsätzliche Richtungen zu berücksichtigen: Der Zustand verschlimmert sich wieder oder er stagniert. Zusätzlich gibt es einige Faktoren, auf die wir achten müssen, um die weitere Vorgehensweise genauestens abzustimmen.

1. Rückkehr oder Verstärkung der Symptome nach der Besserung

Die Möglichkeit einer Heilung nach einer Verschlimmerung, besonders in einfachen Fallen, ist immer gegeben. Oft, besonders in chronischen oder schwereren akuten Fällen, sieht es jedoch nur so aus, als sei der Patient schon geheilt. Allem Anschein nach ist die Heilung abgeschlossen. Die Symptome und Beschwerden sind alle weg und dem Patienten geht es gut. Eine Zeit des Wohlbefindens setzt ein. Trotzdem können die Symptome auch nach längerer Zeit ganz oder teilweise wieder auftreten. Dies nennt man eine Rückkehr der Symptome.

Eine Verstärkung der Symptome nach der Besserung bedeutet, daß die Symptome nie ganz verschwunden waren und dann wieder schlimmer werden. Das heißt, die Besserung schreitet bis zu einem gewissen Punkt voran, und dann geht es wieder bergab. Es gibt drei Möglichkeiten:

- Symptome, die schon verschwunden waren, kehren zurück,
- Symptome, die noch da sind, werden wieder heftiger oder
- eine Kombination von beidem.

Die Vorgehensweise ist in allen Fällen die gleiche und hängt von der Intensität der wiederkehrenden oder schlimmer werdenden Symptome ab. Wenn die Symptome weniger stark sind als vorher, dann geben wir, sofern keine anderen Faktoren mitspielen – wie miasmatische Überlegungen, Ergänzungsmittel, Zwischenmittel – dasselbe Mittel in derselben Potenz, Dosis usw. Wenn die Intensität der Symptome die gleiche ist wie vorher, dann brauchen wir eine andere Potenz, meist in der nächsthöheren Ebene. Es kann gegebenenfalls auch eine niedrigere Potenz sein (siehe Kapitel 8, „Restsymptome").

Wenn die Symptome heftiger als vorher sind, dann können neue Faktoren ins Spiel gekommen sein oder schon vorhandene haben sich offenbart. In dem Fall kann das alte Mittel entweder nicht mehr oder nicht alleine gegeben werden. Vielleicht spielt die Lebensweise oder Lebenseinstellung eine Rolle. In solch einem Fall können eine Korrektur in Gesprächen und zusätzlich ein anderes Mittel notwendig sein. Es kann ein neuer Faktor aktiv geworden bzw. aufgetreten sein, z. B. es gibt Ärger im Büro. Dann kann ein neues Mittel in Frage kommen oder ein zusätzliches. Sollten keine neuen Faktoren eine Rolle spielen, dann deckt das Mittel entweder den Zustand nur soweit ab, daß ein neues Mittel notwendig ist, oder es ist für den Teil noch notwendig, braucht jedoch die Unterstützung eines anderen Mittels, um die Wirkung weiterzubringen.

2. Stillstand des Zustandes

Ein Stillstand bedeutet, daß eine gewisse Stabilität des Zustandes erreicht wurde. Die Symptome verbessern sich nicht weiter, aber sie werden auch nicht wieder schlechter. In diesem Fall sollten wir eine Erhöhung der Potenz in Erwägung ziehen. Wir müssen vorsichtig sein, einen Stillstand nicht zu schnell zu beurteilen. Es kann wie ein Stillstand aussehen, während sich die

Heilwirkung noch auf subtiler Ebene fortsetzt. Die Besserung nach einer Verschlimmerung ist anfangs immer sehr deutlich spürbar und wird mit der Zeit immer weniger sichtbar. Dies erkennt man im Gespräch mit dem Patienten. Der Patient bemerkt nebenbei, daß sich vielleicht im seelischen Bereich noch etwas bewegt. Für ihn ist die Notwendigkeit, das Mittel weiter zu nehmen, nicht so dringend, er könnte warten. *Hier müssen wir zwischen dem Märtyrertypen und dem normal Reagierenden unterscheiden,* aber das sollte eigentlich bereits bei der Anamnese geschehen sein.

Weitere Faktoren

Wenn wir also festgestellt haben, daß der Zustand, den wir nach Auslauf der Heilwirkung vorfinden, im wesentlichen derselbe ist wie der vor der ursprünglichen Verschlimmerung und darum immer noch dasselbe Mittel angezeigt ist, so gibt es noch einige Faktoren zu berücksichtigen, die darüber Aufschluß geben, mit welcher Potenz und Dosierung nun fortgefahren werden sollte.

1. Die Dauer der Besserung nach der Verschlimmerung

Wenn die Ausläufer der Besserung sich noch lange Zeit nach der Verschlimmerung weiterentwickeln, können wir sicher sein, daß auch tiefere Ebenen nicht unberührt geblieben sind. Jetzt können und sollten wir einen oder sogar mehrere Potenzsprünge machen, sofern es die anderen Faktoren erlauben.

Eine kurze Besserungszeit begünstigt keine Potenzerhöhung, ganz zu schweigen von einem Sprung. Eine sehr kurze Besserung zeigt uns, daß das Mittel nicht das Beste war. Wir brauchen ein neues. In einem meiner Fälle verursachte *Sulfur*

LM 30 eine sofortige starke Verschlimmerung. Die Besserung kam auch schnell, hielt aber nur ein paar Tage an, wonach es dem Patienten wieder so schlecht wie zuvor ging. Nachdem ich mir den Fall noch mal angeschaut hatte, entschied ich mich, *Syphilinum* zu geben, was zur Heilung führte.

Eine starke Verschlimmerung (siehe Punkt 4) sollte zu einer tieferen Heilung und längeren Besserung führen. Sollte das nicht der Fall sein, ist es oft der direkte zerstörerische Prozeß, der dabei eine Rolle spielt. Im Falle von Antipsorika, besonders *Sulfur*, kommt dann meines Erachtens *Syphilinum* in Frage.

2. Die Qualität der Besserung

Die Qualität der Besserung läßt sich daran ermessen, wie gut das Allgemeinbefinden des Patienten ist. Fühlt er sich geistig und allgemein viel besser, auch wenn die Symptome noch eine gewisse Intensität haben, so zeigt das von einer höheren Qualität der Besserung. Diese erlaubt uns, schneller zu höheren Potenzen voranzuschreiten, was dann auch eine Notwendigkeit ist, denn nur so wird die Heilwirkung zufriedenstellend weitergehen.

3. Die Dauer der Mittelnahme, bevor die Verschlimmerung einsetzt

Dies ist ein wichtiger Punkt. Je kürzer die Zeit ist, bevor eine Verschlimmerung eintritt, umso mehr Aufmerksamkeit sollten wir der Frage nach der richtigen Potenz, Dosis und Verdünnung schenken. Wenn die Verschlimmerung sehr schnell auftritt, ist die Potenz vielleicht zu hoch. Hier muß entsprechend die Dosis reduziert werden (siehe Kapitel 9). Schreitet durch diese Maßnahme die Besserung längere Zeit gut voran, bevor die nächste Verschlimmerung kommt, dann können wir sicher sein, daß wir auf dem richtigen Weg sind und reduzieren die Dosis einfach immer mehr. Sollte das Reduzieren der Dosis nicht das gewünschte Resultat bringen, müssen wir eine niedrigere Potenz geben.

Diese Problematik kann im Laufe der Behandlung erst auftreten, wenn wir mit der Potenz höher gehen. In dem Fall ist es meist notwendig zu der vorherigen Potenz zurückzugehen.

4. Die Intensität der Verschlimmerung

Hier müssen wir beachten, daß wir mit LM-Potenzen im allgemeinen mildere Verschlimmerungen erleben. Aber wenn eine starke Verschlimmerung eintritt, können wir davon ausgehen, daß die darauffolgende Heilwirkung tiefer gehen wird und die Besserung länger anhält. In diesem Fall können wir zu höheren Potenzen übergehen oder sogar, wenn es weitere diesbezüglich begünstigende Faktoren gibt, Potenzsprünge machen.

Die Besserung ist eingetreten, aber das Symptom bleibt

Es gibt die Möglichkeit, v. a. nach einer starken Verschlimmerung, daß, nachdem die Besserung eingetreten ist und es dem Patienten gut geht, das Hauptsymptom bleibt, sogar lange anhält. Besonders bei tiefersitzenden chronischen Zuständen kommt es nicht selten vor, daß es allgemein besser geht, aber das den Patienten am meisten belastende Hauptsymptom – Kopfschmerzen, Absonderungen usw. – nicht gleich weggeht. Das ist völlig in Ordnung, da der Organismus erst einiges im Körper umstellen muß, bevor das Symptom beseitigt werden kann. Das damit verbundene Leiden, ist nach der Verschlimmerung weg. Es belastet den Patienten nicht mehr.

Jetzt heißt es abwarten und nichts machen.

Dies kann auch bei akuten oder subakuten Fällen vorkommen,

z. B. wenn der Husten weggeht oder sich deutlich verringert, aber der Auswurf noch einige Wochen anhält.

Fall

Ein Mann hatte lange Jahre Durchfall, der ihn sehr belastete. Nach jeder Entleerung (meist hatte er zwei bis drei Entleerungen am Tag) fühlte er sich unwohl, besonders im Bauchraum, manchmal war er völlig geschafft, vor allem seelisch. Es waren sehr viele laute Blähungen dabei. Er befand sich schon länger in homöopathischer Behandlung, was teilweise auch Erfolg brachte, aber dann half auf einmal nichts mehr. Der altbekannte Zustand stellte sich wieder ein. Nach einigen erfolglosen Versuchen bekam er schließlich ein Mittel in einer LM-Potenz, das sofort stark verschlimmerte. Er setzte das Mittel nicht gleich ab, da er stets phasenweise schlechte und gute Tage hatte. Nach fünf Tagen war es aber eindeutig eine Verschlimmerung, und er setzte das Mittel ab. Bald trat eine Besserung ein, und man könnte sagen, daß er zufrieden war und sich wohl fühlte. Aber der Durchfall ging nicht weg. Immerhin konnte er jetzt alles problemlos essen und nach der Entleerung hatte er kein Unwohlsein mehr. Es vergingen etwa sechs Wochen, und dann verschwand auf einmal der Durchfall!

Dieser Fall deckt zwei Punkte ab:

1. *Die Verschlimmerung tritt gleich nach der ersten Gabe ein.*
2. *Nach der Verschlimmerung tritt zwar die Besserung ein, aber das Hauptsymptom bleibt bestehen.*

5. Die Totalität der Verschlimmerung

Diese bezieht sich darauf, wieviele Symptome des Zustandes von der Verschlimmerung betroffen waren. Es verhält sich mit ihr so ähnlich wie mit der Intensität der Verschlimmerung, und sie sollte in der gleichen Weise betrachtet und gehandhabt werden.

6. Die Dauer der Verschlimmerung

Eine Verschlimmerung mit LM-Potenzen hält meist nur kurz an. Wenn wir doch eine längere Verschlimmerung erleben, können wir eine entsprechend längere Besserung danach erwarten. Eine längere Verschlimmerung bedeutet aber nicht unbedingt eine tiefere Wirkung. Wenn die Besserung danach nicht sehr lange anhält, müssen wir uns Gedanken über eine Reduzierung der Dosis und die Häufigkeit der Wiederholungen machen.

Die Ausnahme zu der goldenen Regel:
Das Mittel bei Verschlimmerung nicht absetzen!

Auch eine goldene Regel hat ihre Ausnahmen. In seltenen Fällen kann ein Mittel trotz einer Verschlimmerung weiter gegeben werden; nach einer Zeit der intensiven Verstärkung der Symptome, lassen sie plötzlich nach, und die Heilung ist vollzogen. Jetzt sind keine weiteren Mittel mehr notwendig.

Wir müssen genau unterscheiden, wann es möglich ist, durch eine Verschlimmerung zu gehen und es mit dem Patienten absprechen.

Diese Ausnahme ist dann anzuwenden, wenn die Krankheit bzw. ein Krankheitszustand noch nicht ihren Stempel auf die Konstitution des Patienten aufgedrückt hat und sich noch keine individuellen Symptome zeigen. Doch jeder Mensch hat bestimmte miasmatische Belastungen und gewisse Veranlagungen (konstitutionelle Schwächen). Im Ausnahmefall ist kein Miasma aktiviert worden und es hat auch keine Verbindung mit den Veranlagungen stattgefunden. Selbstverständlich sind die Miasmen die Ursachen für jede Krankheit, aber die Miasmen arbeiten oft im Hintergrund und können bei der Entstehung eines Krankheitszustandes aktiv beteiligt oder latent sein. Jeder Krankheitszustand besteht aus verschiedenen Stadien mit ihren

Grundsymptomen (die *Pathognomonie*). Die Grundsymptome sind am ähnlichsten von einem bestimmten Mittel abgedeckt, das ich das Hauptmittel nenne. Aber die individuellen Symptome entwickeln sich erst dann, wenn die Konstitution mit ins Geschehen hineingezogen wird.

Natürlich kann die Konstitution gleich zu Beginn der Krankheit mitbeteiligt sein. Das ist auch in der Regel der Fall. Aber bei sehr gesunden Menschen oder wenn die auslösenden Faktoren sehr massiv sind, finden wir fast immer nur die Grundsymptome. Wenn ein Mensch z.B. extrem der Kälte ausgesetzt wird und sich sehr verkühlt, dann hat er anfänglich nur Grundsymptome. Deshalb ist *Camphora immer* homöopathisch zu diesem Zustand und wird den Menschen sehr rasch heilsam aus diesem Zustand herausholen. Das Hauptmittel für diesen Zustand ist das Simillimum. Normalerweise tritt in solchen Fällen keine Verschlimmerung auf; die Heilung schreitet kontinuierlich voran. Aber in Ausnahmefällen kann es vorkommen, daß eine Verschlimmerung sehr schnell eintritt, und wenn man jetzt das Mittel weiter gibt, wird der Fall in Rekordzeit geheilt sein. Manche Menschen vertragen mehr, sind dafür aber auch schneller am Ziel. Man sollte aber schon wissen, worauf man achten muß, damit man niemanden unnötig belastet.

So etwas ist nur in der Anfangsphase einer Krankheit möglich – im ersten Stadium. Es sind keine akuten Krankheiten, sondern es ist das akute erste Stadium. Bei akuten Krankheiten findet keine Verschlimmerung statt, wenn das Hauptmittel angezeigt ist. Zumindest habe ich so etwas bisher noch nicht beobachtet. Sollte es doch zu einer Verschlimmerung kommen, hat sich höchstwahrscheinlich das erste Stadium noch nicht voll entfaltet. Davon können wir ausgehen, weil ich dies immer wieder beobachte:

Nur wenn das Mittel zu früh gegeben wird, d. h. bevor das erste Stadium seinen Höhepunkt erreicht hat, findet eine Verschlimmerung statt.

Um diese Dinge zu beurteilen, helfen uns die Kenntnisse über die Krankheitsprozesse. Wie Hahnemann im dritten Paragraphen des *Organon* schreibt: Das Wissen über die Krankheit und ihre Merkmale ist die erste Anforderung an den Arzt. Hahnemann stellt dieses Wissen in der Hierarchie an die erste Stelle, als Nächstes die Arzneimittelkenntnisse, gefolgt von Dosierung, Reaktionen, Blockaden usw.

Ich wurde auf dieses Phänomen aufmerksam, als ich einen Fall von einem Gichtkranken las, der *Ledum* nahm und sich vier Tage durch eine fürchterliche Verschlimmerung quälte. Er wiederholte das Mittel alle vier Stunden und plötzlich, am vierten Tage, hörten alle seine Beschwerden abrupt auf. Seitdem habe ich dieses Phänomen auch bei meinen Patienten beobachten können, entweder weil sie das Mittel versehentlich weiternahmen oder weil sie sich bewußt dazu entschieden, durch den Prozeß hindurchzugehen.

Kapitel 4
Das Mittel wirkt nicht

Nachdem wir das sorgfältig ausgewählte Mittel verabreicht haben, freuen wir uns auf eine wunderbare Heilung. Sollte die- nicht eintreten, ist es gut möglich, daß wir das richtige Mittel noch nicht gefunden haben. Sind wir jedoch absolut überzeugt davon, das richtige Mittel ausgewählt zu haben, dann gibt es eine Reihe von Faktoren, die wir überprüfen müssen, um herauszufinden, warum das Mittel nicht oder scheinbar nicht wirkt:

A. Die Aussage des Patienten
B. Die Qualität des verabreichten Mittels
C. Die Wiederholung des Mittels
D. Die Wahl der Potenz
1. Die Potenz ist zu niedrig
    a. Die Dosis oder Dosierung ist zu niedrig
    b. Das Mittel ist zu stark verdünnt
2. Die Potenz ist zu hoch

E. Der Zeitpunkt der Verabreichung

Andere Möglichkeiten bzw. Faktoren werden unter „Blockaden, Teil 1 und 2" und „Reaktionslosigkeit" besprochen.

Hat ein Mittel keine Wirkung, dann müssen wir aufpassen, daß wir *uns nicht von den Gefühlen unerfüllter Hoffnungen beeinflussen lassen, denn diese negativen Gefühle können uns daran hindern, den wahren Grund für die fehlende Wirkung zu erkennen.* Wie wir an der obigen Liste sehen können, gibt es viele Gründe für eine ausbleibende Wirkung. Vielleicht ist es nur eine Kleinigkeit, aber wenn wir auch nur dieses kleine Problem lösen, stärkt es unser Selbstbewußtsein und bereichert unsere Erfahrung.

Als ich anfing, die Homöopathie auszuüben, kannte ich nur wenige der möglichen Gründe für das Nichtwirken des

„richtigen Mittels". Die homöopathische Literatur ist nicht sehr aufschlußreich, was dieses Thema angeht. Es gibt hier und da einen Hinweis, aber insgesamt eher wenig, was in speziellen Fällen weiterhelfen könnte, und erst recht nichts Systematisches. Da dieses Problem aber durchaus nicht selten vorkommt, war es mir wichtig, auf die verschiedenen möglichen Gründe einzugehen, die einer ausbleibenden Wirkung zugrunde liegen können. Denn jeder Grund verlangt eine andere Vorgehensweise, um das Problem zu beheben.

Bekommen wir also von einem Patienten das Feedback, daß ein Mittel nicht wirkt, sollten wir wie folgt vorgehen:

Als Erstes müssen wir die Aussage des Patienten genauestens überprüfen.

Dann sollten wir in Erwägung ziehen, ob wir das falsche Mittel gegeben haben.

Sind wir davon überzeugt, das richtige Mittel gegeben zu haben, es jedoch keine Wirkung zeigt, dann müssen wir uns über die möglichen Gründe einer fehlenden Wirkung Gedanken machen und unsere Vorgehensweise entsprechend anpassen (siehe Abschnitte **B bis E**).

Erst wenn wir diese Punkte überprüft haben, folgt die Suche nach Blockaden und einer möglichen Reaktionslosigkeit.

Wenn das Mittel falsch gewählt ist

Manchmal ist das ausgewählte Mittel nicht das Richtige. Kent weist uns an, immer ein zweites Mittel als Alternative parat zu haben. Nachdem wir die Aussage des Patienten überprüft und uns davon überzeugt haben, daß das Mittel tatsächlich nicht wirkt, sollten wir uns jedoch zuerst den Fall noch einmal genau anschauen und die Symptome neu abwägen. Möglicherweise sieht der Zustand des Patienten danach ganz anders aus, und wir können ihn aus einem neuen Blickwinkel wahrnehmen, auch wenn wir bereits ein anderes Mittel als „Back-up“ im Sinn hatten. Wir sollten das zweite Mittel nicht einfach geben, ohne uns den Fall noch einmal anzusehen.

Liegen wir mit der Wahl unseres Mittels immer wieder daneben, sollten wir uns noch einmal persönlich mit dem Patienten beschäftigen, um weitere Klarheit zu erlangen. Jetzt gehen wir den Fall von einer anderen Seite an. Gleichmut ist eine Tugend, die uns hier weit bringen wird. Sie hilft uns, ruhig und klar weiter zu suchen und nicht in Panik zu geraten, wenn ein Fehler gemacht wurde.

Sollten wir nach einer ausführlichen Neuuntersuchung des Falles immer noch überzeugt sein, das richtige Mittel verordnet zu haben, kommen die Punkte **B bis E** in Betracht.

A. Die Aussage des Patienten

Manchmal wirkt ein Mittel nur scheinbar nicht. Mein Vater erzählte uns unzählige homöopathische Geschichten. Von manchen verstand ich die Lehre erst viele Jahre später. Eine der Aussagen, die er ernsthaft gemacht hatte, war: „Der Patient lügt immer!” Der Patient macht dies jedoch nicht absichtlich oder bewußt.

Wir dürfen nicht alles, was der Patient uns erzählt, für bare Münze nehmen, denn oft fließen unbewußte Beweggründe mit ein, die uns in die Irre führen können. Die Emotionen spielen hierbei eine wichtige Rolle.

Das Wichtigste, woran wir uns stets erinnern sollten, ist, daß der Patient seine Sorgen sofort vergißt, sobald sie besser geworden sind. Sie sind weg, und er will sich nicht damit belasten, also werden sie automatisch aus dem Gedächtnis gestrichen. Es ist gut, sich an diesen Punkt zu erinnern, wenn der Patient sagt, es gehe ihm nicht besser.

Andere emotionale Faktoren spielen auch eine Rolle. Es ist

z. B. möglich, daß der Patient Sie als Therapeut nicht verlieren möchte; geht es ihm aber viel besser, braucht er Sie vielleicht nicht mehr.

Wenn der Patient nicht die Wahrheit sagt, müssen seine Behauptungen durch konkretes Nachfragen überprüft werden. Geht man dann die wichtigen Symptome des Patienten gewissenhaft durch, stellt sich oft heraus, daß viele davon besser oder gar weg sind. Wie gesagt, der Patient vergißt oft einfach, welche Beschwerden er ursprünglich hatte, sobald sie weg sind.

Das mag zwar unglaublich klingen, ist aber nicht selten der Fall. Manchmal ist nur ein Teil besser, doch der Patient denkt nicht daran, weil nicht alle Beschwerden weg sind. Aber für den Behandler ist die Besserung gerade dieses vergessenen Symptoms von grundlegender Bedeutung und bestätigt die richtige Mittelwahl, z.B., daß der Patient besser schläft.

Darum dürfen wir dem Patienten nicht einfach blind glauben, wenn er behauptet, es gehe ihm nicht besser, sondern wir müssen konkret prüfen, welche Symptome sich verändert haben und welche nicht, um dann abzuwägen, ob das Mittel wirkt oder nicht

B. Die Qualität des verabreichten Mittels

Die Qualität des Mittels spielt bei der Behandlung eine sehr wichtige Rolle. Die minderwertige Qualität eines Mittels kann dessen wunderbare Heilkraft nicht nur drastisch reduzieren, sondern sogar ganz aufheben. Dabei haben wir uns darauf verlassen, waren uns sicher, daß es das richtige Mittel war. In unserer Enttäuschung geben wir nun vielleicht ein anderes Mittel und starten somit einen folgenschweren Kreislauf.

Mein Vater hatte auch zu diesem Thema eine Geschichte. Am Anfang seiner homöopathischen Praxis verschrieb er einmal einem Patienten *Arsenicum album C 200* für eine akute

Erkrankung. Er verabreichte ihm eine Gabe in der Praxis und gab ihm weitere Globuli für die Wiederholung zu Hause mit. Danach hörte er nichts mehr von ihm, traf ihn aber zufällig einige Wochen später. Auf die Frage, wie es ihm mit dem Mittel gegangen sei, erfuhr er, daß es überhaupt nicht geholfen habe. Der Patient war nach zwei Tagen weiteren Leidens zu einem anderen Homöopathen gegangen, welcher ihm, zum Entsetzen meines Vaters, dasselbe Mittel, aber von einem anderen Hersteller gab, woraufhin es dem Mann rasch besser ging.

Mein Vater war außer sich. Er nahm alle Mittel, die er von dieser homöopathischen Arzneimittelfirma hatte und warf sie in den Müll. Natürlich hatte er sich bei dem Mann versichert, daß nicht erst eine Besserung eintrat und die Symptome dann zurückkehrten. Das war nicht der Fall und somit war für meinen Vater klar, daß die Qualität des Mittels mangelhaft war.

In der Homöopathie gibt es dazu eine interessante Geschichte. In den frühen Jahren, nur wenige Jahrzehnte nach der Gründung der Homöopathie, trauten einige Homöopathen der Qualität der Mittel in den Apotheken nicht. Es gab Zweifel, ob überhaupt die richtigen Mittel geliefert wurden, ganz zu schweigen von den Potenzen. Die Homöopathen taten sich zusammen und gaben eine differenzierte Bestellung bei einer Vielzahl von Apotheken auf. Unter die Namen von echten Mitteln mischten sie auch einige falsche, erfundene Namen. Und tatsächlich bekamen sie von vielen Apotheken alle bestellten Mittel geliefert, also auch die, die es eigentlich gar nicht gab. Das mag uns erst einmal zum Lachen bringen, aber wenn es um die Gesundheit eines Patienten geht, wenn sogar sein Leben davon abhängen kann, dann ist die Geschichte gar nicht mehr lustig.

Das Problem ist also nicht neu und beschäftigt uns noch heute. In unserer heutigen Zeit ist der Beruf des Apothekers nicht mehr wie damals. Eine Apotheke liefert hauptsächlich fertige Produkte von Arzneimittelfirmen aus. Es gibt kaum Heilkundige, die ein individuelles Rezept aus Heilkräutern ausschreiben, das von einer Apotheke zusammengemischt werden muß. Apotheken können außer dem Verkauf von Fertigpräparaten auch Arzneien selbst herstellen, was manche auch machen. Das Problem entsteht durch die Standardisierung und Regulierungen, eine Folge allopathischen Denkens, die die natürliche Qualität der Mittel beeinflussen und ihre Wirksamkeit stark beeinträchtigen können. Wenn die den Arzneien innewohnende Lebensenergie ein unwichtiger Aspekt in der Verarbeitung eines Mittels ist, so leidet mit Sicherheit die Qualität. Wie man die Qualität eines Mittels testet, muß jeder selbst abwägen.

Wir können das Problem vermeiden, indem wir nur zuverlässige Quellen verwenden, aber oft hat der Patient zu Hause Mittel, die minderwertig sind. Man kann nicht immer alle Faktoren kontrollieren. Manchmal hat der Patient keine andere Wahl, als sich mit dem abzufinden, was er bekommen kann. Wir arbeiten mit dem, was wir haben, in dem Bewußtsein, uns nicht verunsichern zu lassen, wenn ein Mittel nicht wirkt, und im Notfall kreativ zu sein. So habe ich das eine oder andere Mal schon ein Mittel selbst hergestellt bzw. den Patienten herstellen lassen.

Das Problem ist nicht einfach zu lösen, da selbst bei einer zuverlässigen Quelle ein bestimmtes Mittel nicht in Ordnung sein kann. Hier hilft rein rationales Vorgehen vielleicht kaum noch, und wir müssen darauf vertrauen, daß unser Bauchgefühl uns das Richtige sagt. Vor kurzem habe ich einen Fall erlebt, wo das Mittel nicht nur nicht half, sondern der Patient fühlte sich sogar unwohl dadurch. Glücklicherweise wußten wir, daß das Mittel stimmte, da es ihm in der Vergangenheit gut geholfen hatte. Der Patient entschied sich, das Mittel von einer anderen Firma zu bestellen, und siehe da, es ging ihm gleich sehr viel besser.

C. Die Wiederholung des Mittels

Die Wichtigkeit dieses Punktes wird oft unterschätzt, besonders wenn LM-Potenzen verwendet werden, bei denen Wiederholungen normal sind. Es gibt hier zwei Dinge zu beachten:

- Das Erste ist der Unterschied zwischen akuten und chronischen Krankheiten. Bei akuten Fällen erwarten wir eine Besserung in verhältnismäßig kurzer Zeit. In manchen akuten Fällen, besonders bei schweren Infektionskrankheiten, die schnell gebessert werden müssen, ist eine sehr häufige Wiederholung notwendig. Wird das Mittel gar nicht oder nicht oft genug wiederholt, kann sich die Heilwirkung nicht bis zum Zeitpunkt des Überprüfens der Wirkung bzw. der zweiten Anamnese entfalten. Wir könnten in dem Fall verleitet werden, unsere Mittelwahl als falsch zu bezeichnen.
- Das Zweite betrifft die Art der Fälle (meist chronisch), in denen ein gewisser Zeitraum verstreichen muß, bevor Veränderungen sichtbar werden. Sie werden später im Kapitel mit Beispielen erläutert.

Bevor wir fortschreiten, möchte ich gerne einen kurzen Blick darauf werfen, was Hahnemann zu Wiederholungen geschrieben hat. Auch als er noch Einzelgaben verordnete, riet er dazu, bestimmte Mittel zu wiederholen, weil sie sonst nicht wirken. Er sagte, bei diesen Mitteln braucht man in der Regel mindestens eine zweite Gabe, sonst wird sich die heilende Wirkung des Mittels nicht entfalten (*Organon,* § 251, und *Reine Arzneimittellehre*, *Ignatia*). An erster Stelle nennt er *Ignatia,* aber auch *Bryonia* und *Rhus tox.* Diese Mittel weisen nämlich eine ausgeprägte Wechselwirkung auf, d. h. gegensätzliche Symptome wechseln sich ab (z.B. heiße Füße werden auffallend kalt und dann wieder heiß oder einen Tag appetitlos und dann wieder Heißhunger). Also kann man diese Regel auf alle Mittel mit dieser Eigenschaft übertragen. Hahnemann selbst bestätigte

Ausnahmen von dieser Regel dadurch, indem er mit Einzelgaben von Bryonia, auch in der Urtinktur, Heilungen erzielte. Ich kann bestätigen, wie eine Einzelgabe von Bryonia den Weg zur Heilung in Gang setzte. *Gewöhnlich müssen diese Mittel jedoch wiederholt werden.* Mit diesen Mitteln habe ich experimentiert und auch einmalige Gaben von Bryonia gegeben, gewartet, und es passierte nichts. Sobald jedoch eine erneute Gabe verabreicht wurde, trat die Besserung sofort ein. Es können aber mehr als zwei Gaben notwendig sein, um die Mittelwirkung zu entfalten.

Bestimmte Mittel funktionieren also oft gar nicht, wenn sie nicht wiederholt werden.

Aber auch andere Mittel können gegebenenfalls ihre Heilwirkung ohne Wiederholung nicht entfalten. Überdies tritt die Wirkung stets schneller ein, wenn das Mittel wiederholt wird. Es gibt also eigentlich keinen Grund, ein Mittel nicht zu wiederholen, jedoch viele Gründe, die dafür sprechen. Wiederholungen sind auch deswegen erwünscht, da dadurch die Heilungszeit wesentlich reduziert wird (*Organon*, § 246). Ferner scheinen die Patienten auch weniger unerwünschte Reaktionen zu haben.

Die Wiederholung von Nosoden

Die Wiederholung von Nosoden ist ein umstrittenes Thema. Es wird gesagt, Nosoden haben eine sehr tiefgehende Wirkung, was auch stimmt, und sie daher noch weniger als andere tiefgehende Mittel wiederholt werden sollten. Solch eine Aussage sollte man genauestens unter die Lupe nehmen. Hahnemann selbst war am Anfang auch dagegen, tiefgehende Mittel zu wiederholen. Weiteres Experimentieren und Forschen führten ihn jedoch dazu, diese Ansicht komplett zu revidieren! Es ist gut dokumentiert, daß letztendlich auch Hahnemann tiefgehende Mittel täglich verordnete (siehe Kapitel 1). In seinen Pariser *Krankenjournalen* finden wir außer der Wiederholung von Mitteln auch viele andere wertvolle Erkenntnisse Hahnemanns. Ohne sorgfältiges Experimentieren kann eine mutmaßliche Regel wie das seltene Wiederholen von Nosoden leicht zum Dogma werden.

Der folgende Fall ist nicht nur sehr lehrreich, sondern zeigt auch, daß wir nicht starr an unseren Regeln festhalten sollten. Manche Regeln mögen sich aufgrund von neuem Wissen und einem tieferen Verständnis verändern oder anpassen.

Fallbeispiel

Ein Patient hatte schreckliche Zahnschmerzen. Das Mittel, *Syphilinum LM 120,* sollte jede Stunde wiederholt werden. Zu dieser Zeit war das für mich noch eine gewagte Verschreibung. Die Warnungen, Nosoden seien gefährlich und sollten selten wiederholt werden, tummelten sich noch in meinem Kopf. Nur hat niemand gesagt, *wann* genau Nosoden gefährlich seien. Wenn sie immer gefährlich sind, kann man sie eigentlich nicht anwenden. Ich habe eine Zeitlang über Fälle in der Literatur und über meine eigenen Erfahrungen, in denen Nosoden Probleme bereiteten, nachgedacht. Es wurde mir langsam klar, daß Nosoden nur dann gefährlich sind, und zwar gefährlicher als andere Mittel, wenn sie nicht ganz zu dem Fall passen und besonders bei pathologischen Veränderungen. Die Potenz spielt dabei auch eine wichtige Rolle. Bis dahin hatte ich mich nicht getraut, eine Nosode häufiger als alle vier bis sechs Stunden zu geben. Aber die Akutheit und Intensität des Schmerzes verlangten noch häufigere Wiederholungen. Nach drei Gaben, also nach etwa drei Stunden, hatte sich noch nichts verändert. Ich war erstaunt, denn normalerweise genügen drei Gaben des Simillimum bei akuten Fällen, um eine Besserung einzuleiten, wenn sie dem Zustand entsprechend schnell genug wiederholt werden. Ich machte mir Gedanken über den Fall und erwog auch die Wahl eines anderen Mittels, als der Patient noch einmal anrief und berichtete, es ginge ihm jetzt gut. Er war einer meiner Schüler und hatte beschlossen, *Syphilinum* ein viertes Mal zu wiederholen, und tatsächlich hörte der Schmerz sofort auf.

Das lehrte mich, wenn ich mir mit dem Mittel ganz sicher bin, sooft wie notwendig zu wiederholen und gegebenenfalls länger auf die Heilungsreaktion zu warten.

Schon von Beginn der Homöopathie an finden wir bei hochakuten und gefährlichen Krankheiten Ausnahmen zu der Faustregel, daß das passende Mittel nach drei Gaben eine deutliche Heilwirkung gezeigt haben sollte. Bei der Cholera empfiehlt Hahnemann das Mittel, wenn notwendig, sogar alle fünf Minuten zu wiederholen. Bei manchen Fällen fängt der Patient nur sehr langsam an, erst nach einer halben Stunde oder sogar noch später zu reagieren, quasi nach sechs, acht oder zehn Gaben. Wir sollten wirklich alle Faktoren berücksichtigen, um sicher behandeln zu können.

Auch Nosoden können öfter wiederholt werden, wenn die Situation es verlangt.

Chronische Fälle

In chronischen Fällen kann die Wartezeit auf eine positive Reaktion des Mittels bei tiefsitzenden Krankheiten sehr, sehr lange sein. In einem Fall zeigte sich eine klare Wirkung auf der mentalen Ebene erst nach vier Monaten regelmäßigen Einnehmens der Nosode.

Die *richtige Wiederholung* ist vielleicht der wichtigste Punkt, den wir in der homöopathischen Verschreibung zu beachten haben. Wir mögen die richtige Potenz haben und die angemessene Dosierung ermitteln, aber wir müssen genügend Vertrauen in uns haben, um das Mittel oft genug zu wiederholen. Geben wir nur ein paar Gaben und hören dann damit auf, kann es eine der frustrierendsten Erfahrungen werden, wenn wir sehen, wie uns ein chronischer Fall entgleitet. Auch ein hochakuter Fall wird sich oft unbefriedigend entwickeln, wenn wir das Mittel nur ein- oder zweimal geben. Eine Einmalgabe in einem chronischen Fall hat nicht selten gar keine Wirkung. *Haben wir ein Mittel also bereits gegeben, und es tritt keine Wirkung ein, dann müssen wir das Mittel einfach wiederholen, um eine Wirkung zu erzielen.* Kennen und beachten wir die Regeln der Besserung und Verschlimmerung, wird es bei der Wiederholung keine Probleme geben. Es wäre sonst, als ob man sagte: „Autofahren ist gefährlich, also werde ich nur fahren, wenn keine anderen Autos auf der Straße sind, oder ich lasse es ganz bleiben."

Um diesen Punkt bei chronischen Fällen zu verdeutlichen, nehme ich das Miasma *Sykose.* Im allgemeinen können wir sagen, der Sykotiker ist schwer zu bewegen. Da er so fest verwurzelt ist, merken wir gar nicht die extrem langsamen Bewegungen bzw. Erweiterungen. Sie können sicher sein, daß wir manchmal die Veränderungen erst nach vier bis sechs Monaten deutlich merken. Davor scheint es, als ob die Mittel gar nicht wirkten. Das verhält sich besonders bei *Thuja* und *Medorrhinum* so. Selbstverständlich wirken die Mittel auch ganz schnell bei den entsprechenden Fällen. Aber Zwangshandlungen oder traditionsbedingt enge seelische Einstellungen verändern sich nun mal sehr langsam. Geben Sie in solchen Fällen das Mittel nur vier bis sechs Wochen und hören dann auf, wird der Erfolg ausbleiben.

Hat ein Mittel jedoch nur oberflächlich oder teilweise gewirkt, können wir es wiederholen, sooft wir wollen, es wird nicht tiefer wirken. Dann brauchen wir tieferwirkende Mittel, die bis zu den Wurzeln gehen, wie die Miasmentheorie von Hahnemann uns lehrt.

Zusammenfassung: Die Wiederholung des Mittels

In chronischen Fällen:
1. Eine Einzelgabe in einem chronischen Fall zeigt oft gar keine Wirkung.
2. Das Mittel muß regelmäßig und über einen längeren Zeitraum wiederholt werden. Oft zeigt sich die Wirkung erst nach mehreren Wochen.

In akuten Fällen:
Je akuter der Fall, desto häufiger muß das Mittel wiederholt werden.

Im allgemeinen:
Die Regeln der Besserung und Verschlimmerung sind die Richtlinien für die individuelle Wiederholung.

Fazit:
Sowohl in chronischen als auch in akuten Fällen sind entsprechend häufige Wiederholungen sinnvoll.

D. Die Wahl der Potenz

Homöopathie wird auf vielerlei Weisen praktiziert. Viele Homöopathen bevorzugen eine bestimmte Spannweite von Potenzen, entweder die hohen, mittleren oder niedrigen. Dabei ist die Wahl der richtigen Potenz fast so wichtig wie die Wahl des richtigen Mittels. Natürlich gibt es etwas Spielraum, und manchmal sind wir dadurch gebunden, daß nicht jede Potenz gleich verfügbar ist. Grundsätzlich gilt jedoch: Sowohl eine (dem Fall entsprechend) zu hohe als auch eine zu niedrige Potenz haben oftmals keine Wirkung.

1. Die Potenz ist zu niedrig

Der Leser könnte meinen, dieser Absatz gilt nur für Homöopathen, die vorwiegend mit niedrigen Potenzen arbeiten. Aber das stimmt nicht. Wer nur niedrige Potenzen anwendet, erlebt vielleicht häufiger als einer, der höhere Potenzen verwendet, daß ein Mittel keine Wirkung zeigt, selbst wenn es den Fall perfekt abdeckt.

Dazu ein einfaches Fallbeispiel:

Ein Mann bekam auf einer Reise Halsweh. Das angezeigte Mittel, *Lycopodium*, war in aller Eile nur in der D 6 zu bekommen. Da er keine Wahl hatte, kaufte er es und begann, es regelmäßig einzunehmen. Keine Wirkung, keine Besserung der Schmerzen war zu spüren, obwohl das Mittel vor jedem Einnehmen sogar kräftig geschüttelt wurde.

Als er am Abend wieder nach Hause kam, nahm er die C 200 und die Besserung setzte sofort ein.

Denjenigen, die eher die höheren Potenzen einsetzen, mag dieses Problem fern erscheinen. Aber wir sollten uns daran erinnern, daß für einen bestimmten Fall eine Reihe von Potenzen effektiv sein wird. Bewegen wir uns außerhalb dieser Spannweite, wird sich keine Heilwirkung zeigen. Zum Beispiel kann in der Reihe der mittleren Potenzen von C 30 bis 1000 bzw. LM 3 bis 120 eine C 30 oder LM 6 zu niedrig sein, während eine C 200 oder LM 30 durchaus effektiv sein kann. Auch eine C 200, 1000 oder noch höhere Potenz kann in einem entsprechenden Fall zu niedrig sein.

In der homöopathischen Literatur gibt es viele Ansichten hierzu. In seinen Ausführungen über das Simillimum in den *Kleineren Schriften* erwähnt Kent die Wichtigkeit der Potenz. Er war der Meinung, daß das richtige Mittel erst dann das Simillimum ist, wenn die Potenz auch passend ist. Kent bezieht sich jedoch hier nur auf höhere Potenzen und zwar ab der XM. Für ihn geht das Simillimum Hand in Hand mit den hohen und höchsten Potenzen. Nach meiner Erfahrung jedoch und der von anderen Homöopathen kann auch die niedrigste Potenz die einzig richtige, effektive sein. Hier stehen wir vor dem philosophischen Gedanken, ob es die Ähnlichkeit des Zustandes zum Mittelbild ist, die das Simillimum ausmacht. Oder muß die Potenz hinzukommen oder auch alles andere: die Dosis, Dosierung, Wiederholung usw.? Wir sollten hier mit diesem Thema pragmatisch umgehen und sehen, wie unser Mittel die optimale Wirkung entfalten kann.

Es gibt eine Schule der Homöopathie, die die LM-Potenzen exakt nach Hahnemanns Ansatz in der 6. Ausgabe des *Organon* einsetzt, beginnend mit der LM 1, nach sieben bis 15 Gaben weiter zur LM 2 usw. LM 1 ist eine niedrige Potenz, wird jedoch in nur einigen Fällen wirken. Es gibt aber auch Fälle, in denen sogar eine höhere LM-Potenz nicht wirkt. Die Tatsache, daß es eine LM-Potenz ist, macht sie nicht automatisch zu einem mächtigen Mittel, welches immer wirkt, sondern heißt lediglich, daß die Wirkung milder ist und es in den meisten Fällen leichter wiederholt werden kann als eine C-Potenz. Tatsächlich sind die Potenzen LM 1 bis LM 3 als niedrige Potenzen anzusehen.

Das erste Mal, als ich mit dem Problem einer zu niedrigen LM-Potenz konfrontiert war, ist etwa dreißig Jahre her, als ich *Sepia LM* 6 verschrieb, und dies keine Wirkung erzeugte. Ich überprüfte den Fall und kam zu dem Schluß, daß Sepia wirklich das richtige Mittel war, aber die Potenz schien zu niedrig zu sein, und so erhöhte ich auf LM 30. Jetzt setzte die Wirkung sofort ein.

Ich habe diese Beobachtungen auf allen Ebenen machen können, von den höchsten bis zu den niedrigsten Potenzen. Es ist sogar vorgekommen, daß die Urtinktur nichts brachte, weil die D 1 angebracht war.

Wir können wie folgt zusammenfassen:

Die Potenz wird im Einklang mit dem Ähnlichkeitsgesetz ausgewählt, und dafür muß die Energieebene der Krankheit mit in Betracht gezogen werden.

a. Die Dosis oder Dosierung ist zu niedrig

Es gibt noch weitere Aspekte, die wir in Betracht ziehen sollten, nachdem wir die Potenz gewählt haben. Dies sind die Dosis, die Dosierung und die Verdünnung. Die Dosis und Dosierung werden heutzutage als sinnverwandt betrachtet, das war vor fünfzig und mehr Jahren noch nicht der Fall. Damals war die *Dosis* die Gesamtmenge des Mittels für eine Zeitspanne von meist einem Tag (heute fällt diese Zeitspanne in der Regel weg), die für den Fall als nötig erachtet wurde. Die *Dosierung* war dann die Art und Weise, wie die Dosis aufgeteilt wurde. Das war ein wichtiger Aspekt der Homöopathie, besonders wenn man Urtinkturen oder niedrige Potenzen verschrieb. Z.B. wer-

Gabe, Dosis und Dosierung

3 Gaben pro Tag von je 15 Tropfen		3 Gaben pro Tag von 15 Tropfen und eine Dosierung von je 5 Tropfen im Abstand von 5 Minuten		
morgens 15 Tropfen	= 1 Gabe	8:00 Uhr 8:05 Uhr 8:10 Uhr	5 Tropfen 5 Tropfen 5 Tropfen	= 1 Gabe
mittags 15 Tropfen	= 1 Gabe	13:00 Uhr 13:05 Uhr 13:10 Uhr	5 Tropfen 5 Tropfen 5 Tropfen	= 1 Gabe
abends 15 Tropfen	= 1 Gabe	20:00 Uhr 20:05 Uhr 20:10 Uhr	5 Tropfen 5 Tropfen 5 Tropfen	= 1 Gabe

den dreimal täglich 15 Tropfen verordnet. Das macht 3 Gaben von je 15 Tropfen. Jetzt kann die Dosis von 15 Tropfen von einer Gabe auf fünf Tropfen alle 15 Minuten dosiert werden. Das wird in bestimmten Fällen so gehandhabt, wenn 15 Tropfen auf einmal zu stark sind. Dies kann man auch mit höheren Potenzen machen. Man gibt z.B. fünf Tropfen der C 200 in ein halbes Glas Wasser und läßt es den Patienten in drei, vier oder fünf Teilen in einem bestimmten Abstand einnehmen.

Ich erwähne dies alles, weil diese Dinge eine wichtige Rolle bei der optimalen Behandlung des Patienten spielen können, z. B. bei schweren akuten Erkrankungen, in der Genesung u. a. Im Kapitel 9, „Scheinverschlimmerung“, werden wir das Thema der Dosis und Dosierung und Verdünnung auch noch besprechen.

Ich habe beobachtet, daß sogar bei der richtigen Potenz die Dosis zu klein sein kann und das Mittel deswegen nicht wirkt. In einem Fall spürte ein Mädchen überhaupt nichts, wenn sie nur einen Tropfen der LM 120 einnahm, während zwei Tropfen gut wirkten. Wurde die Dosis wieder auf einen Tropfen reduziert, so geschah wieder nichts.

Dies sind seltene Fälle. Doch es ist gut zu wissen, daß auch das möglich ist, so können wir gezielt darauf achten.

Normalerweise helfen die richtige Dosis und Dosierung, den Fall schneller und effektiver zu heilen. Die Wirkung ist sanfter, nachhaltiger und sehr zufriedenstellend. Um die Wirkung zu ermessen, können wir sie stets mit den besten Reaktionen auf ein Simillimum vergleichen. Natürlich ist nicht jede Heilung eine 5-Minuten-Wunderheilung, aber derartige Erfahrungen zeigen uns die Richtung, in die wir schauen sollten. Das Leben und auch die Heilungsreaktionen können nicht in Statistiken gemessen werden, sondern nur in der Qualität. Diese kann nicht mit Instrumenten gemessen, sondern nur erlebt werden. Wenn also ein oder zwei Tropfen eines Mittels nicht so schnell und gut wirken, wie es unserer Erfahrung nach sein sollte, erhöhen wir langsam die Dosis oder gehen sogar zur „Dosierungsverschreibung“ über.

Bei der Dosierungsverschreibung könnte man mit Recht einwenden, daß hier eigentlich mehrere Gaben gegeben werden. Mit anderen Worten: Was ist der Unterschied zwischen fünf Gaben von je einem Tropfen pro Tag und fünf Tropfen auf fünfmal je einen Tropfen verteilt? Der Unterschied liegt in dem kumulativen Anstoß (Dosierungsverschreibung) von kleineren Anstößen und dem vollen Anstoß von jeder einzelnen Gabe. Bei der Dosierungsverschreibung wird nicht mehr verschüttelt, jedoch kann jedes Mal sachte umgerührt werden.

Kumulativer Anstoß und Gesamtanstoß

Gesamtanstoß	**Kumulativer Anstoß**	
Eine Gabe von 5 Tropfen auf einmal gegeben	Eine Gabe von 5 Tropfen aufgeteilt auf 5x je 1 Tropfen alle 15 Minuten ist jeweils ein Teilanstoß	
Gesamtanstoß auf einmal um 8.00 Uhr	8.00 Uhr 1Tropfen 8.15 Uhr 1Tropfen 8.30 Uhr 1Tropfen 8.45 Uhr 1Tropfen 9.00 Uhr 1Tropfen	Gesamtanstoß kumulativ gesteuert über eine Stunde

Bei der Dosierungsverschreibung haben wir eine gewisse Dosis für den Tag festgelegt, die notwendig ist, um die gewünschte Wirkung zu erzielen. Sollte eine Dosis zu stark sein, auch wenn sie stärker verdünnt wird, muß sie aufgeteilt werden. Sie muß nicht über den gesamten Tag verteilt werden, sondern kann in kürzeren Abständen zur gewünschten Tageszeit genommen werden. Bei den Gaben dagegen legen wir die Anzahl der Gaben pro Tag fest und verteilen sie auf den Tag.

Es ist im Grunde die Dosis, welche dem Organismus den richtigen Anstoß gibt, um den Heilungsprozeß in Gang zu setzen. Wird die Dosis aufgeteilt, bewirkt jede Einnahme eine Ansammlung von Heilungskräften, bis die gesamte Dosis die Heilung in Gang setzt.

Die eine Gabe mit der vollen Dosis bringt sofort die Heilungskräfte ins Rollen, und die nächste Gabe gibt den nächsten Anstoß, so daß die Heilung in Bewegung bleibt bzw. sich mit der gleichen oder womöglich sogar vermehrten Kraft fortsetzt.

b. Das Mittel ist zu stark verdünnt

Die Verdünnung ist die Menge an Wasser, in der die Dosis gegeben wird. Es ist üblich, eine Gabe der LM-Potenz mit etwas Wasser (ein Tee- bis Eßlöffel) zu verordnen. Sie kann aber auch pur genommen oder noch mehr verdünnt werden. Manche Menschen sind so empfindlich, daß sie die normale (etwas verdünnte) Dosis von ein paar Tropfen oder bei C-Potenzen möglicherweise Kügelchen nicht ohne heftige Reaktionen vertragen. Oder es steht keine LM-Potenz zur Verfügung, sondern nur eine C-Potenz. In solchen Fällen müssen wir stärker verdünnen, wie Hahnemann uns angewiesen hat. Ich werde darauf genauer im Abschnitt „Überreaktionen" in Kapitel 10 eingehen. Kennen wir die Empfindlichkeit des Patienten oder bemerken sie in der Fallaufnahme, können wir die Dosis so weit mit Wasser verdünnen, bis die Wirkung des Mittels entsprechend mild wird. Dies ist eigentlich die Basis für die LM-Potenzen, durch die die Mittel durch höhere Verdünnungen bei den Potenzierungsschritten in ihrer Wirkung sanfter gemacht werden. Verdünnen wir jedoch zu weit, kann es sein, daß die Wirkung ungenügend wird oder sogar ganz ausbleibt. Ist der Patient mit dem Verdünnungsprozeß vertraut, kann es möglich sein, daß er selbst zu weit verdünnt. Mit der richtigen Verdünnung entwickelt sich die Heilung zur Zufriedenheit des Patienten und des Homöopathen.

Wenn ein passendes Mittel keine Wirkung zeigt oder nicht richtig greift, sollten die obigen Punkte beachtet werden.

2. Die Potenz ist zu hoch

Genauso wie eine Potenz zu niedrig sein kann, kann sie auch zu hoch sein, um eine Wirkung zu erzielen. Denjenigen, die ausschließlich mit den höheren Potenzen arbeiten, mag dieser Gedanke etwas neu und merkwürdig erscheinen. Aber aus dem Blickwinkel der Energieebene des Krankheitszustandes kann eine Potenz dann zu hoch sein, wenn eine größere Verdichtung des Krankheitszustandes auf einer Ebene vorliegt. Wird die Struktur einer Energie, gleich ob krankhaft oder physiologisch, ständig ohne genügend Erholungspausen belastet, verdichtet sich diese Energiestruktur, wird unbeweglicher, d. h. es ist nicht leicht, Bewegung hineinzubringen. Eine Eigendynamik entwickelt sich und wird in Kraft gesetzt, sobald die verdichtete Energie oder Physiologie den gleichen Umständen ausgesetzt wird. Schwielen können z. B. zu einer physiologischen Eigendynamik auf der körperlichen Ebene führen. Mit anderen Worten, die Krankheit hat eine Eigendynamik auf dieser Ebene geschaffen. Eine Behandlung der Ursachen auf den tiefersitzenden Ebenen wird deswegen keine Wirkung haben oder gegebenenfalls eine unerwünschte. Ist diese Eigendynamik auf der körperlichen Ebene vorhanden, können in vielen Fällen nur niedrige Potenzen eine Heilwirkung für diesen körperlichen Zustand erzeugen. Bekannte Beispiele dafür sind der früher arbeitsbedingte Druck auf den Bauch des Schusters, der unter Umständen Krebs der Bauchdecke verursachte, oder der Lippenkrebs beim Pfeifenraucher.

Kent sagte, wir sollten mit den Potenzen wie ein Virtuose von den höchsten Potenzen bis zu den niedrigsten spielen können, wobei er selbst die Mittel nicht unter der 30. Potenz verabreichte. Hahnemann verwendete anfänglich nur die Urtinkturen. Erst nach vielen Jahren kam er zum Verdünnen und Potenzieren. Aber er heilte seine Fälle auch mit den Urtinkturen. Über die 200 Jahre der Homöopathie gab es viele Homöopathen, die mit niedrigen Potenzen behandelten und einiges heilten. Um vollkommen effektiv zu sein, müssen wir mit der ganzen Spannweite der Potenzen von der Urtinktur bis zu den höchsten vertraut sein.

Hat eine sehr hohe Potenz keine Wirkung, heißt das nicht, daß wir stattdessen eine möglichst niedrige geben sollten. Oft ist eine mittlere Potenz die richtige. Es kann auch sein, daß die nächstniedrigere Potenz auf der entsprechenden Ebene ausreicht.

Ich kenne Fälle, in denen Potenzen von über einer Million keinen Effekt hatten, jedoch trat bei den Patienten oft als auffälliges Merkmal eine schwer zu definierende Angst auf. Aber das war auch alles und meist stellte sich dann eine LM 30 bis 120 als die richtige Potenz heraus.

Selbstverständlich ist es umgekehrt auch möglich, daß sogar eine sehr hohe Potenz zu niedrig ist, der Patient sich jedoch nicht durch die starken Energien, wie bei einer zu hohen Potenz, bedroht fühlt.

Selbst wenn wir sehr niedrige Potenzen geben müssen, bedeutet das nicht unbedingt die Urtinktur oder D 1. Es könnte die D 6, 9, 12 oder 18 sein.

Es ist hier zu bemerken, daß eine D 3 zu hoch sein kann und erst die Urtinktur die richtige Wirkung zeigt.

Regeln der Potenzwahl

Die Potenz wird ebenfalls nach dem Ähnlichkeitsgesetz ausgewählt. Wenn die ausgewählte Potenz nicht hilft:
- Hat eine mittlere oder hohe Potenz nicht gewirkt, kann eine sehr niedrige die richtige sein.
- Wirkt eine sehr hohe Potenz nicht, braucht es evtl. eine noch höhere.
- Zeigen hohe und sehr hohe Potenzen keine Wirkung oder kommt der Patient mit einer hohen Potenz nicht klar, ist eine mittlere Potenz meist die richtige.
- Ist die Potenz zu niedrig, um zu wirken, dann reicht es meist, etwas höher oder zur nächsthöheren Ebene zu gehen.

Aus der englischen Literatur kann die allgemein geltende Übereinkunft der Homöopathen über die Potenzen folgendermaßen kurz zusammengestellt werden:
- Hochpotenzen sind über C 1000 oder über LM 100.
- Niedrige Potenzen sind unter C 30 oder LM 3.
- Mittlere Potenzen befinden sich dazwischen.

Das Verständnis davon ist natürlich von Land zu Land unterschiedlich. In Deutschland besteht die allgemeine Auffassung, daß eine C 200 eine ziemlich hohe Potenz ist. Ich richte mich hauptsächlich nach der englischen Literatur.

E. Der Zeitpunkt der Verabreichung

Das richtige Timing spielt eine höchst wichtige Rolle bei der Verabreichung eines Mittels.

Wird ein Mittel zu früh oder zu spät gegeben, wird es nicht helfen. Für manche mag es erst einmal etwas merkwürdig klingen, daß ein Mittel zu spät gegeben werden kann, besonders für diejenigen, die den Gedanken hegen, daß der Patient gewisse grundsätzliche Symptome hat, welche seine Konstitution und sein Mittel bestimmen. Diese Auffassung ist in der homöopathischen Welt tief verwurzelt. Die Symptome existieren also in dem Sinne immer. In welcher Weise soll es für diesen Zustand zu spät sein, da dieser den Menschen ständig begleitet?

Das einfache akute Beispiel von *Aconit* bei einer Lungenentzündung verdeutlicht diesen Punkt. Beginnt der Fall schon ins zweite Stadium fortzuschreiten, kann es zu spät für Aconit sein. Befindet sich die Lungenentzündung bereits im zweiten Stadium, ist es definitiv zu spät. Das individuelle Symptombild des zweiten Stadiums mag noch nicht klar erkennbar sein, doch wir können das Vorhandene vom ersten Stadium nicht mehr als Grundlage für die Wahl des richtigen Mittels nehmen. Während der Fallaufnahme mögen Symptome wie Angst, die Aconit andeuten, erwähnt werden, aber es ist im zweiten Stadium keine *Aconit-Angst* mehr, der Zustand ist nun anders. Wir müssen nur abwarten, bis die individuellen Symptome sich eindeutig herausstellen, was nach Erfahrung und Mittelkenntnis unterschiedlich lange dauert.

Ein erfahrener Homöopath wird oft relativ schnell die Eindeutigkeit des passenden Mittels erkennen. Auch er muß warten können, solange es notwendig ist, bis sich das Mittel klar herausgestellt hat. Kent erwähnt den Diphtherie-Fall von einem Kind, bei dem er so extrem lange warten mußte, daß es auch ihm mulmig wurde. Nur das Vertrauen der Mutter in Kent ließ sie nicht außer sich geraten. Bei Typhus wird das Bestimmen des Simillimum ohne 3-Tage-Wartezeit immer falsch sein. Höchstens ein Simile kann festgestellt werden, wodurch sich der Fall ewig in die Länge ziehen wird. Drei Tage Wartezeit ist das Mindeste. Es kann auch vier, fünf sogar sechs Tage dauern, bevor sich das Simillimum zeigt. Ein Simillimum heilt deutlich und schnell. Wer die Wirkung eines Simillimum kennt, wird sich mit einem Simile nicht zufriedengeben wollen, da es nur frustrierend ist.

Dieses Phänomen ist nicht nur in akuten, sondern besonders auch in chronischen Fällen zu finden. Bei einer chronischen Erkrankung darf zwischen der Verschreibung und der Einnahme des Mittels nichts Wichtiges passieren oder hinzukommen. Schon eine einfache Erkältung kann das ganze Bild derart verändern, daß das vorher gewählte chronische Mittel nach der Erkältung nicht mehr wirken kann. Selbstverständlich wird das chronische Mittel während der Erkältung keine heilende Wirkung haben; im Gegenteil, es könnte den Fall völlig verschleiern. Überhaupt dürfen Mittel für den chronischen Zustand während akuten Ausbrüchen nicht gegeben bzw. weiter gegeben werden.

Ein emotionaler Rückfall könnte das verschriebene Mittel ebenfalls an der Wirkung hindern, wenn dieser nicht erst durch ein entsprechendes Mittel behoben wird. Natürlich könnte das Mittel auch den emotionalen Rückfall oder sogar die Erkältung abdecken. In dem Fall haben wir Glück gehabt. Glück ist schön, aber eine Wissenschaft baut nicht auf Glück auf, sondern auf Gesetzmäßigkeiten.

Auch ist es möglich, daß sich der Zustand ohne besondere oder ersichtliche Faktoren verändert. Es gibt chronische Fälle, die so kontinuierlich im Wandel sind, daß sie sich bereits wieder verändert haben, bevor das bestellte Mittel da ist. Natürlich wird ein Mittel ausgewählt, das Wechselhaftigkeit mit einbezieht. Der Punkt ist, daß ein Mensch plötzlich eine Erkältung bekommen kann oder sich schwer verletzt, operiert wird, emotionalen Streß hat o. ä.

Es ist wichtig, das gewählte Mittel nicht für immer zu verwerfen. Gerade in chronischen Fällen wird es fast immer zu einem späteren Zeitpunkt wieder gebraucht. Wenn nichts passiert, sollten wir nicht denken, ein Mittel sei grundsätzlich falsch gewählt, und es darum nicht als spätere Möglichkeit im Hinterkopf behalten. Das wäre ein Fehler! Der Patient könnte in akuten Fällen wenige Stunden später doch dieses Mittel brauchen, obwohl es am Anfang gar nicht passend war.

Ich kann mich noch lebhaft an den Fall einer Schülerin von mir erinnern. Sie rief mich wegen eines akuten Falles an, der sich in den letzten Tagen nicht verbessert hatte. Ich riet ihr, dem Patienten *Calcium carbonicum* zu geben. „Das habe ich schon vor drei Tagen versucht", erwiderte sie fast wütend – ob ich nichts Besseres zu bieten hätte. Ich versicherte ihr: „Diesmal wird es wirken." Zu ihrer Überraschung tat es das.

Bisweilen kann man gut beobachten, wie die Symptome eines Mittels anfangen sich zu entwickeln. Aber das Mittel wird nicht wirken, solange der Zustand noch nicht voll ausgereift ist. In diesem Fall sollte man aus drei Gründen warten.

- Erstens, wie schon erwähnt, kann ein Mittel zu diesem Zeitpunkt ein Durcheinander verursachen oder unnötige Verschlimmerungen oder Verschlechterungen hervorrufen, die außerdem sehr unheilsam sind.
- Zweitens, nur der ausgereifte Zustand zeigt mit Sicherheit das passende Mittel.
- Drittens kann der Fall eine ganz andere Richtung nehmen, wofür ein komplett anderes Mittel in Frage kommt, als man dachte.
- Möglicherweise steht ein anderer Zustand im Vordergrund und die Symptome, die wir wahrnehmen, gehören dem Folgemittel und haben sich schon weit entwickelt.

Seit dem Fall sind viele Jahre vergangen, und noch immer beobachte ich, wie eilig es manche Homöopathen haben, ein Mittel zu geben. Es gibt Fälle, die sich innerhalb von Stunden oder einem halben Tag schnell entwickeln, andere wiederum ganz langsam. *Das Mittel wirkt erst richtig gut, rasch und ohne Verschlimmerungen, wenn der Zustand vollständig entwickelt bzw. vollends in den Vordergrund gerückt ist.* Im Prodromalstadium darf grundsätzlich kein Mittel geben werden. *Ferrum-phos.* nach den Schüsslerschen Überlegungen zu geben, entspricht halt Schüssler und nicht Hahnemann. *Aconit* alleine wegen Fieber zu geben, ist allopathisch. *Ferr-p.* in einem Ferr-p-, *Aconit* in einem Aconit-Zustand ist homöopathisch – schnell, sicher und heilend.

Ungeduld

Geduld ist die Mutter der Tugend, wie man sagt, und darin steckt viel Wahrheit. Mein Vater wartete in akuten Fällen immer lange, bis er den Fall aufnahm. Oft standen uns drei Tage Fasten und Warten bevor, bis wir das Mittel bekamen. Aber dann waren wir am nächsten Tag gesund. Es gibt auf jeden Fall Erkrankungen, in denen das Mittel sofort klar ist. Rasches und sicheres Handeln, jedoch ohne Ungeduld, ist unser bester Begleiter.

Es ist also weise zu warten, bis die Symptome sich klar entwickelt haben. Natürlich ist eine gute Kenntnis der akuten Symptome der Mittel Voraussetzung, sonst können wir ewig warten.

Zusammenfassung: der richtige Zeitpunkt

Das richtige Timing spielt eine kritische Rolle bei der Wahl des Mittels. Wenn das richtige Mittel ausgewählt, aber zum falschen Zeitpunkt gegeben wird, kann es nicht helfen.

Es ist zu spät für ein Mittel, wenn der Krankheitsprozess in seiner Dynamik bereits zum nächsten Stadium fortgeschritten ist. Dies gilt sowohl für akute als auch für chronische Fälle.

Es ist zu früh für ein Mittel, wenn der Zustand noch unzureichend ausgereift ist.
Lieber abwarten, als ein Mittel zu früh zu geben und die Ungeduld siegen zu lassen.

Zusammenfassung: Kapitel 4

Mögliche Gründe, warum ein Mittel nicht die erwartete Wirkung hat:

- Das Mittel hat gewirkt, aber der Patient hat es nicht gemerkt.
- Es war das falsche Mittel.
- Die Qualität des Mittels war minderwertig.
- Die Potenz war zu niedrig. Auch eine hohe Potenz kann zu niedrig sein.
- Die Potenz war zu hoch.
- Das Mittel war richtig, aber das Back-up-Mittel wurde zu schnell gegeben, bevor das erste Mittel Zeit hatte, seine Wirkung zu entfalten.

- Das Mittel hat (besonders in chronischen Fällen) noch nicht genug Zeit gehabt, seine Wirkung zu entfalten, d.h. es wurde nicht lange genug gegeben.
- Das Mittel wurde zu spät gegeben, weil sich die Krankheit schon im nächsten Stadium befand.
- Das Mittel wurde zu früh gegeben, weil sich der Zustand noch nicht voll entfaltet hatte.
- Die Dosis und/oder Dosierung war zu niedrig.
- Das Mittel wurde zu stark verdünnt.
- Das Mittel wurde nicht oder nicht genug oft wiederholt.
- Aus Furcht vor möglichen unliebsamen Reaktionen wurde eine Nosode nicht genug oft wiederholt.

Kapitel 5
Blockaden Teil 1

Allgemeines

Mit den Punkten Verordnung, Zeitpunkt usw., welche das Mittel nicht wirken lassen, haben wir uns bereits im Kapitel 4 beschäftigt. In diesem und im nächsten Kapitel geht es um Faktoren in der Krankengeschichte bzw. im Leben des Patienten, die das richtige Mittel am Wirken hindern und somit als Blockaden agieren.

Blockaden sind ein allgemein akzeptiertes und gut dokumentiertes Phänomen in der Homöopathie. Es scheint allerdings in der homöopathischen Szene teilweise in den Hintergrund getreten zu sein. Die Möglichkeit einer Blockade wurde durch die Suche nach dem einen „Konstitutionsmittel" verdrängt, welches sämtlichen Leiden den Garaus machen sollte.

Hahnemann benennt Blockaden als einen wichtigen Teil des Heilens in § 3 des Organon und erwähnt die anhaltenden Ursachen in § 7. Er sah das Thema der Blockaden oder ursächlichen Faktoren, die eine Heilung behindern können, als einen grundsätzlichen Teil der Heilkunst an. Alle Hindernisse beim Heilprozeß werden unter der Bezeichnung Blockaden zusammengefaßt. Die in den Paragraphen 5 und 7 aufgeführten Hindernisse können auch ursächliche Faktoren genannt werden.

In § 3 des Organon schreibt er: „ ... kennt er (der Heiler) endlich die Hindernisse der Genesung in jedem Falle und weiß sie hinwegzuräumen, damit die Herstellung von Dauer sei ...".

In § 5 spricht Hahnemann über den Beruf des Patienten, seinen Lebensstil, seine Gewohnheiten usw., welche auch als Hindernisse für die Heilung fungieren können.

In § 7 präsentiert er das Thema der anhaltenden Ursachen einer Krankheit, die erst beseitigt werden müssen, bevor die Heilung fortschreiten kann.

In den Chronischen Krankheiten finden wir Beispiele der praktischen Vorgehensweise bei der Auflösung von Blockaden, z. B. das Begleitmittel. Es ist zwar kein Blockademittel im klassischen Sinn, aber das Prinzip ist meines Erachtens ähnlich. Ein zweites Mittel hilft dem Hauptmittel, seine Wirkung zu optimieren, indem es die spezifische Teilblockade beseitigt. Unsere Aufgabe besteht darin, die Ursache der Blockade zu erkennen und das dynamische Mittel zu finden, um letztendlich die Blockade mit Hilfe eines potenzierten Mittels auf der dynamischen Ebene zu beheben. Lesen wir den § 3 oberflächlich, könnten wir zu dem Schluß kommen, daß Blockaden nur auf der körperlich-materiellen Ebene vorhanden sind und daher rein mechanischer oder materieller Abhilfe bedürfen. Es kann durchaus erforderlich sein, jemandem für eine Weile einen Klimawechsel nahezulegen, so daß Körper und Seele sich erholen können. Das Klima ist in diesem Fall die anhaltende Ursache. Danach müssen wir auch auf der ursächlichen Ebene arbeiten, warum der Patient auf das Klima empfindlich reagiert, um den Organismus von seiner Anfälligkeit zu befreien. Dieser Grundsatz war vielen Homöopathen bewußt. Sie experimentierten damit eingehend und entwickelten alle möglichen heilenden Lösungen auf der energetischen Ebene, d. h. mit potenzierten Mitteln.

Im Laufe der 200 Jahre hat sich dadurch sehr viel Wissen in diesem Bereich angesammelt. Um dieses Wissen deutlich darzustellen, wird es unter den folgenden Gesichtspunkten behandelt:

- Antidotierung im Gegensatz zu Blockaden
- Blockade oder Antidot?

A. Antidotieren nach dem Ähnlichkeitsgesetz
B. Vollständige Blockade bzw. Totalblockade
C. Partielle Blockaden
D. Blockaden durch anhaltende Ursachen oder Umstände
1. Festsitzende Fremdkörper
2. Hindernisse durch Lebensraum und Umwelt
3. Die Wirkung von Chemikalien und Toxinen in Lebensmitteln

E. Akute und chronische Blockaden
F. Anzeichen von Blockaden beim Patienten
G. Die homöopathische Vorgehensweise, um Blockaden aufzulösen

Die nachfolgenden Definitionen dienen dazu, eine Basis für ein klares und grundsätzliches Verständnis des Kapitels zu schaffen:

⊙ Definition: **Antidot**
Ein *Antidot* (Gegengift) hebt auf der physischen Ebene die schädliche Wirkung einer giftigen Substanz, eines Lebensmittels, Getränks oder Medikaments auf.
Auf der dynamischen Ebene befreit ein Antidot von der schädlichen Wirkung durch ein unähnliches potenziertes Mittel. Jedoch kann es unter Umständen auch die positive Wirkung eines ähnlichen Mittels aufheben.

⊙ Definition: **Blockade**
Sollte das passende Mittel nach den Regeln der Potenzen, Dosis und Wiederholung keine Wirkung zeigen und irgendeine Substanz oder ein Faktor aktiv auf den Organismus so einwirken, daß die Heilkräfte nicht zum Fließen kommen, sprechen wir von einer *Blockade*.

⊙ Definition: Überreaktion
Reagiert der Körper verstärkt auf eine Substanz so sprechen wir von Empfindlichkeit oder Überreaktion. Im Normalfall reagiert der gesunde Organismus auf jede Substanz entsprechend ihren Eigenschaften.

Verschiedene Einwirkungsmöglichkeiten derselben Substanz
Substanzen können je nach den Gegebenheiten als Antidot oder Blockade wirken, aber auch Überreaktionen, anaphylaktische Reaktionen oder Reaktionslosigkeit (siehe Kapitel 7) auslösen.

A. Antidotierung im Gegensatz zu Blockaden

Bevor wir über die Behinderung des Heilmittels durch Blokkaden sprechen, müssen wir uns mit dem Thema Antidot beschäftigen, da es Klarheit bei den ungenauen Darstellungen bedarf, um überhaupt Blockaden ins richtige Licht zu stellen. Über dieses Thema kursieren nicht nur einige Mythen, sondern auch viele Verwechslungen aufgrund falscher Zuordnung. Aus dem Grund ist das Klären des Unterschieds zwischen Blockade und Antidot der erste Ansatzpunkt.

Seit Anfang der Homöopathie hat es Warnungen gegeben, daß bestimmte Substanzen die Wirkung eines homöopathischen Mittels antidotieren können. Dies kann jedoch erst dann geschehen, wenn die Voraussetzungen des Antidotierens erfüllt werden. Da sich Mythen leicht einschleichen, finden wir sie auch hier zur Genüge. Ein solcher Mythos betrifft Kaffee: Es wird gesagt, daß Kaffee grundsätzlich eine antidotierende Wirkung auf das Heilmittel habe und man daher während einer homöopathischen Behandlung keinen Kaffee trinken sollte.

Bevor wir zu dieser Behauptung über *Kaffee* und andere Substanzen kommen können, muß der Vorgang der Antidotierung betrachtet werden. Damit *eine antidotierende Wirkung stattfinden kann*, muß die Arznei, die antidotiert werden soll, eine Wirkung gehabt haben. Andernfalls gibt es nichts zu antidotieren. Oft wird jedoch gefragt: „Ich habe ein Mittel gegeben und es ist nichts passiert. Jetzt will ich es antidotieren. Wie mache ich das?" Die Antwort wäre: gar nichts machen. Was gäbe es denn zu antidotieren, wenn der Organismus noch genauso wie vor dem Mittel funktioniert? Es scheint einen Glauben zu geben, daß jede potenzierte Substanz unauslöschliche Spuren in der Person hinterläßt. Wäre das der Fall, hätten keine Prüfungen gemacht werden können, ohne die Prüfer lebenslänglich zu schädigen. Zeigt ein unpassendes Mittel keine Wirkung, war der Organismus kräftig genug, die Wirkung auszugleichen. Dies gilt für jegliche Potenz und unabhängig von der Anzahl der Gaben.

Um den Vorgang des Antidotierens zu klären, gehen wir zu den Anfängen der Homöopathie zurück. Hahnemann entdeckte die Homöopathie und experimentierte zuerst mit medizinischen Arzneien. D. h. er arbeitete anfänglich auf der rein materiellen Ebene und zwar über ein ganzes Jahrzehnt. Wollte Hahnemann antidotieren, geschah dies mit grobstofflichen Substanzen. Die Antidote funktionierten demnach auf rein chemischer Basis. Die Erfahrung der Jahrhunderte und teilweise durch das Wissen über die homöopathische Wirkung eines Mittels bestimmten das Antidot.

Auch nachdem Hahnemann die Dynamisierung entdeckt hatte und höhere Potenzen ins Spiel brachte, behandelten er und die Homöopathen weiterhin ihre Patienten mit sehr niedrigen Potenzen, sogar der Urtinktur, und das Antidotieren blieb auf chemischer Basis.

Der Kaffee-Mythos

Zurück zum Mythos „Kaffee als allgemein antidotierende Substanz“. Kaffee auf der materiellen Ebene regt die Ausscheidung von sowohl nahrhaften als auch toxischen Substanzen aus dem Körper an. Heilsubstanzen, die in der Urtinktur bzw. in niedrigen Potenzen gegeben werden, werden durch Kaffee ausgeschieden und haben daher wenig oder keine arzneiliche Wirkung mehr. Aus diesem Grund *fing man an, Kaffee als universelles Antidot gegen Gifte, Toxine und Medikamente zu betrachten und zu verwenden.* In seinen frühen Tagen schrieb Hahnemann einen sehr heftigen Artikel über die „schlimme menschliche Angewohnheit, Kaffee und Tee zu trinken“, in dem er Kaffee und schwarzen Tee verdammte. Tatsächlich wurde Kaffee damals „Teufelsgebräu“ genannt, bis Papst Clemens VIII. eine Tasse davon probierte und sofort mit Weihwasser segnete, weil er den Geschmack einfach göttlich fand. Damit wurde der Kaffee zu einem allgemein akzeptierten Wohlstandsgetränk. Doch die Homöopathen, beeinflußt durch Hahnemanns Artikel und wegen der allgemeinen, ausscheidenden (was als entgiftend betrachtet wird, da das Gift schnell ausgeschieden wird) Wirkung des Kaffees, schafften diesen Mythos und legten das Dogma fest: entweder Kaffee oder homöopathische Behandlung. Beides ginge angeblich nicht, da Kaffee die Wirkung des Mittels antidotieren würde. Diese ausscheidende Wirkung von Kaffee wurde damals und wird auch heute noch als antidotierend betrachtet, obwohl der Kaffee keine neutralisierende Wirkung hat, sondern nur eine ausscheidende.

Wie verhält sich die Wirkung von Kaffee auf der dynamischen Ebene? Auf dieser Ebene geht es nicht um chemische Reaktionen. Hier müssen wir das homöopathische Prinzip beachten. Die antidotierende Wirkung auf der dynamischen Ebene funktioniert auf der Basis der ähnlichen Wirkung des verordneten homöopathischen Mittels. *Nux vomica* ist deswegen fast immer das Antidot zu *Phosphor*, weil es eine große Ähnlichkeit zu Phosphor hat. Nux vomica kann auch andere Mittel antidotieren, da es eine gewisse Ähnlichkeit zu vielen Mitteln hat. *Coffea* dagegen kommt selten als dynamisches Antidot für andere homöopathische Mittel in Frage, weil wir selten Ähnlichkeiten finden.

Also auf diesen verschiedenen Ebenen (dynamisch und chemisch) entwickelten sich die zwei verschiedenen Arten von Antidoten in der Homöopathie. Anstatt diese in zwei Kategorien aufzuteilen, blieben sie jedoch, ungeachtet der unterschiedlichen Wirkungsweise, *in einer Liste*. Nach einer Weile wurde das Ganze ein ziemliches Durcheinander. Die Grundregel, daß Äpfel und Birnen nicht miteinander verglichen werden können, fand hier bis heute noch keine Anwendung.

Ein potenziertes Mittel kann nur nach dem Ähnlichkeitsgesetz antidotiert werden, niemals auf chemischer Basis. Das dynamische Antidot muß eine starke Ähnlichkeit zum momentanen schädlichen oder positiven (wenn es ein passendes Mittel war) Effekt des gegebenen dynamischen Mittels aufweisen. Wenn die zu antidotierenden Symptome z. B. Magensymptome sind, brauchen wir als Antidot ein Mittel, welches ähnliche Magensymptome produziert. Je größer die Ähnlichkeit, umso schneller und tiefergehend wird die antidotierende Wirkung sein. Das unpassende Mittel kann in manchen Fällen, z. B. mit *Coffea*, auch in materieller Dosis (als Getränk) antidotiert werden. Ein Beispiel: Sollten Magensymptome entwickelt werden, die eine Entsprechung zu Coffea haben, kann Kaffee (als Getränk) manchmal antidotierend wirken. Es ist hier nur die Frage der richtigen Potenz, welche die Urtinktur oder eine höhere Potenz sein kann. In der Regel benötigen wir jedoch das Gegenmittel potenziert, um auf der dynamischen Ebene zu antidotieren.

Der Kampfer-Mythos

Wie *Kampfer* als allgemeines Antidot klassifiziert wurde, ist eine ganz andere Geschichte als bei Kaffee.

Kampfer ist eine stark aromatische Substanz. Diese Substanzen galten in ihrer Wirkung als besonders potent und darum auch antidotierend, entgiftend, heilsam gegen Schadstoffe wirkend. Kampfer wurde viel als homöopathisches Präparat verwendet. Es lähmt aber in der Urtinktur die Wirkung von homöopathischen Mitteln. Es ist schwer zu sagen, ob auch mit anderen aromatischen Substanzen wie Pfefferminze, Anis, Kamille u. a experimentiert wurde, um ihre Wirkung auf homöopathische Mittel herauszufinden. Die Vermutung, daß sie auch lähmend wirken bzw. die Nerven entsprechend stark beeinflussen würden, wurde in der Homöopathie ohne weiteres akzeptiert. Hahnemann selbst empfahl, jegliche arzneilich wirkende Substanz während der homöopathischen Behandlung zu vermeiden. Dazu gehörten auch Kräutertees, besonders die stark aromatischen wie Pfefferminze. Seine Diät basierte sogar darauf, alle arzneilichen Nahrungsmittel zu meiden. Können wir das wirklich als Basis für eine Diät verwenden? Praktisch würde dann nichts übrigbleiben, was man essen könnte, da im Grunde jedes Nahrungsmittel auch als Heilmittel fungieren kann.

Zurück zu Kampfer. Ist die Wirkung von Kampfer nun antidotierend oder nicht? Er ist eigentlich nicht als Gegengift auf der materiellen Ebene bekannt. Aber es wurde beobachtet, daß potenzierte Mittel nicht wirkten, solange Kampfer in irgendeiner Weise vom Patienten angewandt wurde. Solch eine Wirkung ist jedoch keine antidotierende, sondern eine blockierende. Sobald Kampfer, z. B. als Balsam, vom Organismus oder aus dessen Nähe entfernt wird, entfaltet sich die Wirkung des homöopathischen Mittels bzw. wird wieder sichtbar. In vielen Fällen muß das Mittel dazu nach dem Entfernen von Kampfer nicht einmal wiederholt werden. Wenn Kampfer die Wirkung unterdrückt hat, aber die Kraft im Organismus latent vorhanden geblieben ist, kommt sie bald wieder zum Vorschein. Manchmal, auch wenn die sogenannte unterdrückende bzw. blockierende Substanz erst nach Wochen erkannt und eliminiert wurde, konnte die Wirkung des Mittels nach einer Weile wieder sichtbar wahrgenommen werden.

In den zwei Jahrhunderten der Homöopathie haben Homöopathen viele verschiedene Phänomene beobachtet und darüber berichtet. Manche hielten die These, daß aromatische Substanzen die Wirkung des homöopathischen Mittels beeinträchtigen sollten, für Unsinn. Es gibt die Geschichte einer Frau, die regelmäßig zwischen Paris und London pendelte. In London besuchte sie immer ihren Homöopathen. Dies ging viele Jahre lang. Als sie sich eines Tages unterhielten, meinte sie, wie froh sie sei, die Homöopathie kennengelernt zu haben, denn seitdem war sie trotz ihres häufigen Hin- und Herreisens nicht mehr krank. Und für alle Fälle habe sie immer all ihre homöopathischen Mittel dabei. Die Frau öffnete ihre Handtasche und zeigte sie ihrem Homöopathen. Dieser war entsetzt, auch alle möglichen Parfums darin zu sehen. Aber einen Moment spater kam der erhellende Gedanke: Wenn die Mittel, die er ihr verordnet hatte, all die Jahre gewirkt hatten, dann konnten die Parfums die Kraft der Mittel nicht zerstört haben. Wie wir wissen, gibt es diesen Mythos über homöopathische Mittel, daß sie angeblich ihre Wirkung verlieren, wenn sie Parfums oder starken Gerüchen ausgesetzt werden. Natürlich kann ein Parfum oder eine aromatische Substanz gerade zufällig nach der Regel der Antidotierung eine Ähnlichkeit zum verordneten Mittel haben; in dem Fall haben wir dann aber eine klassische Antidotierung.

Kampfer wird die Wirkung eines Mittels sicher nicht bei allen Patienten blockieren. Aber es ist definitiv eine stark blockierende Substanz. Es ist immer eine individuelle Angelegenheit. Und da Individualität das höchste Gesetz ist, können wir nur sagen, daß Kampfer und ähnliche Substanzen sehr wahrscheinlich die Wirkung eines homöopathischen Mittels blockieren, aber nicht in jedem Fall.

> Kampfer und andere aromatische Substanzen sind nicht, wie behauptet, allgemeine, bzw. universelle Antidote, sondern sie haben eine starke blockierende Wirkung. Ein universelles Antidot kann es nach den homöopathischen Gesetzmäßigkeiten gar nicht geben.

Im Falle einer *Blockade* haben wir entweder gar keine oder nicht genügend Wirkung. Durch regelmäßigen Kaffeegenuß kann die Wirkung des homöopathischen Mittels blockiert werden. Es kommt aber auch auf das verordnete Mittel an. Gibt es keine spezifische Ähnlichkeit zwischen den beiden, wird es auch keine blockierende Wirkung geben.

Bei Kaffee gibt es zwei verschiedene gängige Mythen: Erstens Kaffee könnte die Wirkung aller homöopathischen Mittel antidotieren. Zweitens Kaffee stört die Wirkung des Mittels. Kaffee hat definitiv eine starke Wirkung auf den Organismus, aber das haben Chili, Ingwer, Zimt und Hunderte anderer Substanzen auch. Es geht hier nicht um die Frage eines gesunden Lebens. Ob man Kaffee trinken, Chili essen sollte usw. oder nicht, ist eine individuelle Angelegenheit. Hier geht es um den Unterschied zwischen antidotierender und blockierender Wirkung.

Zusammenfassung

- Es ist zu unterscheiden zwischen chemischen Antidoten, dynamischen Antidoten und Blockaden.
- Ein chemisches Antidot hebt die Wirkung eines Mittels (positiv oder negativ) auf der materiellen Ebene auf.
- Ein dynamisches Antidot hebt die Wirkung eines potezierten Mittels auf.
- Eine Blockade verhindert (wie bei Antibiotika) oder unterdrückt (wie bei Kampfer) die Wirkung eines Mittels ganz oder teilweise.

Insofern ist Kaffee manchmal ein Antidot auf materieller Ebene. Auf der dynamischen Ebene fungiert er jedoch eher als Blockade denn als Antidot, und das auch nur in den Fällen, wo die entsprechenden Faktoren vorhanden sind, die im weiteren Verlauf besprochen werden.

1. Blockade oder Antidot?

Für die homöopathische Behandlung ist es notwendig zu differenzieren, ob bei einem Fall eine *blockierende oder antidotierende* Wirkung vorliegt. Wir müssen also wissen, welche Beziehung der Patient zu einer bestimmten Substanz hat. Heutzutage ist uns mehr denn je bewußt, daß das Leben eher eine Freude als eine Last sein sollte. Wenn man jedoch zu viel Freude und Spaß haben will, kann leicht eine Sucht daraus werden. Meditieren über diese Gegebenheit führt zu dem Schluß, daß echter Genuß von Kaffee die Wirkung des homöopathischen Mittels nicht blockieren wird. Genuß kann allerdings schnell zur Gewohnheit werden, also sollte man hier mit zuviel Genuß vorsichtig sein.

Ein weiterer Aspekt, der eine Rolle bei der Entstehung von Blockaden spielen kann, ist das Segnen von Speisen und Getränken, bevor man sie zu sich nimmt, also das Weihen im religiösen Sinne. Hier gibt es zwei Punkte zu bedenken. Erstens kann uns das Segnen eine falsche Qualität von dem, was wir zu uns nehmen, vortäuschen. Zweitens kann auch das schnell ein Gewohnheitsritual werden und unsere Abhängigkeit von bestimmten Substanzen steigern, ohne daß wir es merken.

Fazit:

Bei dem Vorgang des Blockierens handelt es sich eher um einen aktiven Prozeß. Benutzen wir irgendeine Substanz, um den Körper in eine bestimmte Richtung zu steuern, was eigentlich Manipulation ist, führt das zum Entstehen einer Blockade.

Es gibt zwei verschiedene Arten von Blockaden: die *vollständige* und die *partielle*. Beide sind das Resultat der Einwirkung einer Substanz oder eines äußeren Einflusses. Bei einer vollständigen Blockade (Totalblockade) hat das Mittel überhaupt keine Wirkung. Die Auswirkung einer partiellen bzw. Teilblockade hängt von der Wechselwirkung zwischen der blockierenden Substanz und dem Mittel ab.

Ferner gibt es die spezifische und die allgemeine blockierende Wirkung einer Substanz:

Die spezifisch blockierende Wirkung einer Substanz bezieht sich nur auf einen Teil des Menschen, wie z. B. den Magen. Wogegen die allgemein blockierende Substanz Einfluß auf den gesamten Menschen hat. Auch hier kann es eine Totalblockade oder eine partielle Blockade sein.

Hier ist also zu prüfen, ob die Blockade vollständig oder partiell ist und nicht alles blockiert, zumindest nicht für immer. Eine Substanz kann ein bestimmtes Mittel vollständig, teilweise oder gar nicht blockieren. Die Stärke der Blockade ist davon abhängig, wie intensiv die Wirkung der blockierenden Substanz ist und ob eine spezifische oder allgemein blockierende Wirkung besteht. Eine allgemein blockierende Wirkung hat die Eigenschaft, viele Mittel für längere Zeit oder alle Mittel für eine bestimmte Zeit zu blockieren. Eine spezifisch blockierende Wirkung bedeutet, daß nur ein Mittel in einem Körperteil blockiert wird.

Antidotierende Wirkung: Nimmt jemand ein passendes Mittel für einen bestimmten Zustand ein, der eine Ähnlichkeit z. B. zu *Coffea* hat, kann Kaffee unter Umständen antidotierend wirken. Die Beziehung der Person zu Kaffee im allgemeinen sowie zum Zeitpunkt des Trinkens macht den Unterschied aus. Will sich die Person mit dem Kaffee stimulieren, kann er eine antidotierende Wirkung haben. Diese antidotierende Wirkung findet meistens statt, während der Organismus versucht, die heilende Wirkung des gegebenen Mittels einzuleiten. Hat der Körper die heilende Wirkung voll integriert, kann der Prozeß nicht mehr rückgängig gemacht (antidotiert) werden.

Die tatsächliche Wirkung von Kaffee ist ausscheidend und nur in sehr seltenen Fällen antidotierend. Die wahre Wirkung von Kampfer ist blockierend und so gut wie nie antidotierend.

2. Antidotieren nach dem Ähnlichkeitsgesetz

Sobald wir uns von der Richtigkeit eines Prinzips überzeugt haben, indem wir es verstehen, verspüren wir das Bedürfnis, es in unser Leben zu integrieren. Wir wollen es zur Basis unserer Überlegungen und Entscheidungen machen. Es kann uns jedoch auch in einen Konflikt mit unserem bisherigen Konzept unserer Welt bringen. Da es in der Natur des Menschen liegt, an alten Dingen festzuhalten, ist das Integrieren neuer Prinzipien ein lebenslanger Prozeß. Der erste Fehler, den wir in diesem

Prozeß machen können, ist die Hoffnung, daß die Dinge schon von alleine in Ordnung kommen werden, wenn wir sie einfach so lassen. Behalten wir also die Verallgemeinerungen bei und stellen sie nicht in Frage, werden sie uns weiter behindern.

Die Behauptung, daß *Kaffee* die Wirkung des homöopathischen Mittels blockiert oder antidotiert, ist eine Verallgemeinerung, denn die antidotierende Wirkung funktioniert auf der Basis des Ähnlichkeitsgesetzes. Die Liste der Antidote für ein Mittel ist nur eine Hilfe, ein Wegweiser. Wir müssen daraus das Mittel wählen, welches dem Zustand, den wir antidotieren wollen, am ähnlichsten ist. So kam die Liste der Antidote überhaupt erst zustande. Aus diesem Grund ist es auch sehr gut möglich, daß wir ein Mittel als Antidot benötigen, welches nicht auf der Liste steht.

> Ein dynamisches Antidot hebt die momentane Wirkung einer potenzierten Substanz auf der Basis des Ähnlichkeitsgesetzes auf.

B. Vollständige Blockade bzw. Totalblockade

Der Zustand des „Totalblockiertseins" ist durch einen gewissen Prozeß im Organismus bedingt. Fühlt sich der Körper so bedroht, daß er sich in höchster Alarmbereitschaft befindet, ist er nicht in der Lage, auf einen Heilstimulus zu reagieren.

Betrachten wir den Kaffee auf dieser Basis, dann stellen wir fest: Je mehr man sich mit Kaffee antreibt, desto mehr kann sich der Organismus bedroht fühlen, und entsprechend gründlicher ist dann auch die Blockade. Je mehr man sich durch irgendetwas antreiben läßt, umso weniger Kontrolle hat der Körper über seine Funktionen. Erreicht der Mensch eine bestimmte Schwelle, reicht ein kleiner weiterer Reiz – in diesem

Fall u.U. eine geringe Menge Kaffee –, der wie der sprichwörtliche Tropfen das Faß zum Überlaufen bringt: Es wird zu einer Überreaktion auf Kaffee kommen. Überreaktionen haben die Eigenschaft, starke Blockaden und höchstwahrscheinlich eine Totalblockade als Folge zu erzeugen. Der Begriff Überreaktion läßt uns die Prozesse auf tieferen Ebenen besser verstehen als heutzutage der Begriff der „allergischen Reaktion". Das Wort Allergie ist ein Fehlbegriff. Es kommt von *allos*, das „anders" bedeutet. Allergie bedeutet: anders reagieren als normal. Aber wir können auf verschiedene Weise anders reagieren, wie z. B. kaum reagieren. Unter dem Wort Allergie versteht man im allgemeinen Sprachgebrauch immer eine heftige Reaktion, wobei bestimmte Funktionen durcheinandergeraten.

Überprüfen wir die Bedeutungen von Überreaktion und allergischer Reaktion genau, sehen wir, daß sie nicht synonym sind. Nehmen wir an, jemand reagiert empfindlich auf einen Schluck Wein – er steigt dem Menschen zu Kopf. Das ist keine allergische Reaktion, jedoch eine Überreaktion. Eine Allergie gilt als schwer behandelbar im Gegensatz zur Überreaktion. Diese Art der Konditionierung ist jedoch nicht förderlich für eine gute homöopathische Arbeit. Ist eine Allergie schwer behandelbar,oder dauert die Behandlung nur länger? Das ist die Frage.

In den älteren homöopathischen Lehrbüchern sprach man von Idiosynkrasie – der individuell-spezifischen Überreaktion oder Empfindlichkeit auf eine Substanz. Idiosynkrasien brauchen eine lange Behandlungszeit. Die Empfindlichkeit auf eine bestimmte Substanz kann plötzlich einsetzen. Der Kaffeetrinker reagiert plötzlich überempfindlich auf Kaffee. Meist liegt das an einem übermäßigen Konsum. Diese Übersensibilität auf etwas tritt oft bei Menschen auf, die sich in einem Prozeß der Bewußtseinserweiterung befinden. Sie versuchen, ein gesünderes Leben zu leben und sich über Zusammenhänge bewußter zu werden. Im ersten Schritt beschäftigen wir uns mit dem bewußten Umgang mit Kaffee oder Rauchen, um uns dann damit auseinandersetzen zu können. Achtet man nicht auf sein Gespür, kommt die überempfindliche Reaktion. Jedoch eine radikale Entziehungskur von einem Tag auf den anderen ist nicht der homöopathische Weg, auch wenn in manchen Fällen extreme Maßnahmen notwendig sein können. Homöopathie hilft, bewußt schädliche Gewohnheiten loszulassen.

Der extremste Fall einer überempfindlichen Reaktion ist der *anaphylaktische Schock*, welcher immer zu einer vollständigen Blockade führt.

Kommen wir zurück zu unserem Beispiel mit dem Wein. Wein steigt immer in den Kopf. Steigen einem sehr kleine Mengen stark in den Kopf, ist das eine Überreaktion. Aber wenn jemand einen Asthmaanfall von Wein bekommt, ist das eine Allergie, denn Wein produziert kein Asthma. Alle möglichen Substanzen können eine asthmatische Reaktion hervorrufen, wenn der Betreffende dazu neigt, allergisch zu reagieren. Dieser Unterschied ist in der Homöopathie von größter Wichtigkeit. Beim Studium der Arzneimittelprüfungen und -bilder müssen wir stets unterscheiden zwischen Überreaktion und allergischen Reaktionen. Überreaktionen haben die Eigenschaft,, starke Blockaden und höchstwahrscheinlich eine Totalblockade als Folge zu erzeugen.

C. Partielle Blockaden

Partielle Blockaden erkennt man entweder an der verkürzten Wirkung des angezeigten Mittels, oder daran, daß die Wirkung nicht tief genug ist. Im ersten Fall wirkt das Mittel, aber nicht lange genug, auch wenn es wiederholt wird. Höhere sowie niedrigere Potenzen zeigen keine bessere Wirkung. Im zweiten Fall wirkt das Mittel, aber die Veränderungen sind gering oder verwaschen. Nachdem die partielle Blockade behoben ist, kann das ursprüngliche Mittel richtig wirken.

D. Blockaden durch anhaltende Ursachen oder Umstände

Dieser Abschnitt ist gegliedert in:
1. Festsitzende Fremdkörper
2. Hindernisse durch Lebensraum und Umwelt
3. Die Wirkung von Chemikalien und Toxinen in Lebensmitteln

Wie kommt es zu einer Blockade durch anhaltende Ursachen? Wenn bestimmte Ursachen oder Umstände zu einem Dauerreiz werden, entsteht eine Blockade und führt dazu, daß gut gewählte Mittel keine oder wenig Wirkung haben. Diese Ursachen oder Umstände können auf allen Ebenen vorkommen. Wenn jedoch kein Reiz entsteht und der Mensch auf allen Ebenen – Körper, Geist und Seele – unbeeindruckt bleibt, d. h. ausgleichen kann, entsteht keine Blockade.

Was ist bei den anhaltenden Ursachen oder Umständen zu berücksichtigen?

Die anhaltenden Ursachen oder Umstände selbst

Die anhaltenden Ursachen oder Umstände sind nichts anderes als der Stachel in der Wunde, die Umweltbelastung oder das Toxin im Gewebe.

Die individuellen Auswirkungen

Die Auswirkungen der anhaltenden Ursache oder Umstände durch Fremdkörper, Umwelt oder Toxine sind bei jeder Person individuell, z. B. Unruhe, extreme Schmerzhaftigkeit, starke Entzündungen oder Eiterungen, die Unfähigkeit, zu denken und zu handeln, Depressionen, Aggressionen usw.

Die tiefsitzenden Ursachen der individuellen Auswirkungen im Menschen
Die Auswirkungen kommen von den tiefsitzenden Ursachen des Menschen, die wir als Miasmen kennen und die seine *Diathese* bestimmen. Sie müssen gesucht, gefunden und geheilt werden.
Die Festlegung des Zustandes
Wo befindet sich der Fremdkörper, wie wirkt sich die Umwelt aus, wie wirken die Toxine, ist der Mensch dadurch stark seelisch beeinträchtigt, gibt es entzündliche Zustände? Ist ein Miasma aktiviert worden? Usw.
Die Art und Weise der Beseitigung der anhaltenden Ursachen oder Umstände Die Notwendigkeit der Beseitigung der anhaltenden Ursachen oder Umstände besteht für jeden. Jedoch ist die Art und Weise der Beseitigung individuell und beinhaltet die Unterstützung der Selbstheilungskräfte des Organismus.

1. Festsitzende Fremdkörper

Ein Fremdkörper kann rein mechanisch blockieren. Er kann auch blockieren, indem er einen Reiz verursacht. Der Reiz kann sich bis zu den tiefsten miasmatischen Problemen auswirken.

Im ersten Fall, wenn der Fremdkörper sich nicht leicht mechanisch entfernen läßt, leiten wir zuerst folgende homöopathische Maßnahmen zur Entfernung ein, und helfen, wenn notwendig, später mechanisch nach:

Sollte das Fremdobjekt tief sitzen, können *Hepar* und *Silicea* dem Organismus helfen, den Fremdkörper auszuscheiden. Bei dieser Behandlung werden gleichzeitig die tieferen Ursachen mit geheilt. Deswegen ist es meistens besser, den Körper homöopathisch zu unterstützen, anstatt in der Wunde herumzustochern und die Dinge dadurch schlimmer zu machen. Die homöopathischen Mittel reduzieren den Entzündungsprozeß und fördern die Heilung, indem bei einem gesunden Organismus das Fremdobjekt isoliert und mit geringfügigem Aufwand beseitigt wird. Es hat viele Vorteile, den Organismus auch bei kleinen Beschwerden zu unterstützen. Der Körper lernt erstens schneller und mit weniger Komplikationen, Dinge besser zu verarbeiten. Dadurch wird der Organismus gestärkt, was besonders vorteilhaft für einen geschwächten Körper ist. Zweitens stärkt es das Vertrauen des Patienten sowie des Homöopathen in die Homöopathie. Beide rücken der Natur näher.

2. Hindernisse durch Lebensraum und Umwelt

Unser *Wohnraum* kann auf viele Weisen Einflüsse auf uns haben, welche die Wirkung eines Mittels blockieren. *Feuchte Räume* sind auch heute noch oftmals ein Problem. Ein Mensch, der durch eine feuchte Umgebung geschwächt ist, muß nicht nur diese Umgebung verlassen oder die feuchten Örtlichkeiten in Ordnung bringen, sondern auch konstitutionell behandelt werden. Die Feuchtigkeit wirkt in vielen Fällen als Hindernis. Manchmal reichen homöopathische Mittel aus, welche in ihrem Symptombild eine Empfindlichkeit auf Feuchtigkeit haben. Der Patient wird sich danach aufrappeln, und andere Mittel können jetzt besser wirken. Ist das Ausmaß der Feuchtigkeit zu groß, kann sich ein geschwächter Körper auch mit den besten homöopathischen Mitteln nicht erholen. Bei einer gesunden Person verhält es sich anders. Sie kann sich ohne große Schwierigkeiten an fast alle Umstände anpassen. Natürlich können wir die Krankheit in Schach halten und den Patienten stärken, wenn es nicht sofort möglich ist, die feuchten Umstände zu eliminieren oder die Örtlichkeiten zu verlassen. Je weiter jedoch die Krankheit fortgeschritten ist, umso weniger können wir erreichen, ohne das Umfeld zu verändern. Es ist aber immer besser, die Konstitution zu stärken, um dann entsprechend mit der Umwelt umgehen zu können, als den Ort zu wechseln. Würden z.B. alle Rheumatiker ein feuchtes Klima verlassen, hätten wir eine Migration!

Schimmel macht manchen Menschen große Probleme, andere bleiben davon unbeeindruckt. Bei Empfindlichkeit auf Schimmel gibt es meist keine andere Möglichkeit, als ihn komplett zu entfernen, andernfalls kann die Behandlung vollständig blokkiert werden. Wurde der Patient sehr sensibilisiert, können wir oft ohne Einsatz des potenzierten Schimmelpilzes keine weitere Besserung erreichen. In leichteren Fällen ist es möglich, immun gegen den Schimmel zu werden. Was aber nicht bedeutet, daß wir Schimmelwuchs kultivieren sollten, sondern im Gegenteil, wir dürfen dem Schimmel einfach keine Ausbreitungsmöglichkeit geben. Unsere Bemühungen sollten stets die bestmöglichen Umstände schaffen, um die Heilung zu unterstützen und weitestgehend Krankheiten zu vermeiden. Wir müssen zuerst einmal realitätsnah handeln und den Schimmel entsprechend den örtlichen Gegebenheiten behandeln, dabei aber gleichzeitig den Patienten mit homöopathischen Mitteln unterstützen und stärken. Manche Gegebenheiten können schnell verändert werden, andere brauchen wiederum viel Zeit. Unser Geist, unsere Seele und unser Körper müssen nicht nur lernen, mit den gegebenen Umständen zu leben, sondern auch sich weder beeinträchtigen zu lassen noch krank zu werden.
Heutzutage ist „das toxische Haus“ die Regel und „das nichttoxische“ die Ausnahme. Viele Leute arbeiten unter Umständen, die das zugelassene Maß an Toxizität weit überschreiten. Diese Grenzwerte sind jedoch viel zu hoch angesetzt. Wir müssen all dies einbeziehen, wenn wir unsere Patienten behandeln. Es gab eine Zeit, in der die verwendete Holzfarbe in Häusern ein großes Problem darstellte. Viele Menschen mußten mit der potenzierten Farbe homöopathisch behandelt werden. Die offensichtlich giftigen Substanzen werden immer mehr ver-

boten, aber zugleich kommen viele neue, subtilere hinzu, die angeblich ungefährlich sind. Der Mensch ist zwar sehr anpassungsfähig, aber viele Patienten kommen ohne homöopathische Unterstützung mit diesen Umständen gar nicht zurecht. Die Anpassung des Menschen kann in einer gesunden Weise geschehen oder auf Kosten eines spezifischen Teils des Organismus, also als Krankheit. Dies bedeutet mit anderen Worten, daß eine krankhafte Schutzmaßnahme aufgebaut wird. Schutzmaßnahmen solcher Art sind immer krankhaft und bilden eine Blockade. Im Falle von Schimmel, auch wenn der Schimmel bzw. die Toxine entfernt werden, bleibt die Blockade durch die krankhafte Schutzmaßnahme bestehen. Wir müssen sehr auf der Hut sein, da viele Zusatzstoffe in Produkten gar nicht angegeben werden müssen. Trotzdem sollten wir nicht alles zu paranoid sehen, sonst sind wir nur noch dabei, uns mit dem negativen Aspekt zu beschäftigen, und verlieren den Überblick und die Freude am Leben.

Tiefwirkende Mittel können kleinere Belastungen ohne weiteres in Ordnung bringen, d. h. entgiften, und sogar krankmachende Strukturen heilen. Die Wirkung vieler dieser Substanzen ist jedoch heimtückisch und schleichend. Es ist ratsam, dies immer im Auge zu behalten, wenn der Heilungsprozeß nicht vorwärts schreitet oder Mittel nur unbefriedigend wirken. Die blockierende Wirkung einer Substanz kann sich oft erst nach einer Weile herauskristallisieren. Hat eine gewisse Besserung schon stattgefunden und hat die nächsthöhere Potenz wenig oder gar nichts bewirkt, ist an eine Blockade zu denken.

Für manche Menschen sind *Sendestationen*, *Satellitenschüsseln* und *Handymasten* zu einem großen Problem geworden. Empfindliche Menschen, die in der Nähe leben, können sehr krank werden. Das ist auch ein Aspekt, den wir als mögliche Blockade mit in Betracht ziehen sollten. *Elektrizität,* homöopathisch als Elektricitas verabreicht, hilft in manchen Fällen. Andernfalls müssen wir die entsprechenden Strahlen potenzieren.

Lebensstil und -umstände, Beruf, Essens- und andere Gewohnheiten geben uns die nötigen Hinweise, um die Auswirkungen dieser Belastungen auf Geist und Körper auf ein Minimum zu reduzieren.

3. Die Wirkung von Chemikalien und Toxinen in Lebensmitteln

Wenn wir uns damit beschäftigen, welche Chemikalien und Toxine sich in Lebensmitteln befinden, kann es uns manchmal schlecht werden. Hat man eine bestimmte Lieblingsmarke, ist es eine gute Idee, herauszufinden, welche Zutaten sie enthält. Dank der „Jodlüge" entdecken wir Jod in vielen Nahrungsmitteln, besonders in Form von Jodsalz. Und was macht Salz streufähig? Es ist der Zusatz von Aluminium. Wir müssen überprüfen, ob die vorliegenden Vergiftungssymptome durch Jod oder Aluminium verursacht werden, um entsprechend behandeln zu können. Es ist unter Umständen notwendig, gewöhnliches Tafelsalz komplett von der Nahrungsmittelliste zu streichen. Das bedeutet, daß man nicht mehr ohne weiteres in Restaurants essen gehen kann. Die Schwierigkeit besteht oft darin, zu erkennen, welche Toxine bzw. Chemikalien im Essen krank machen. Das „China-Restaurant-Syndrom" durch Glutamat werden wir nicht nur in chinesischen Restaurants vorfinden, sondern ebenfalls in vielen guten Hotels. Heutzutage dürfen alle möglichen Frischmacher und Geschmacksverstärker verwendet werden. Fluor, Chlor, Färbemittel, Konservierungsstoffe, Urate, Pestizide etc. sind bekannte Zusatzstoffe oder durch die Umweltbelastung schon vorhanden, und wir sollten sie im Auge behalten, wenn wir mit der homöopathischen Behandlung nicht voran kommen.

E. Akute und chronische Blockaden

Jede Substanz, die eine traumatisch-toxische Wirkung auf uns hat, hat eine akute Phase, in der alle anderen Heilprozesse stillstehen. Während dieser akuten Einwirkungszeit ist keine andere, auch nicht die laufende, homöopathische Behandlung möglich. D. h., die toxische Wirkung wird in dieser Phase die Wirkung jedes Mittels, welches konstitutionell gegeben wird, vollständig blockieren. Bei solchen traumatischen Erlebnissen baut sich der Mensch immer kurzzeitig oder langfristig eine Schutzmaßnahme auf (siehe Kapitel 6, „Blockaden Teil 2").

Eine akute Blockade löst sich durch die eigene Kraft des Körpers im Laufe von Tagen bis Wochen auf.

Die akute Totalblockade kann in eine chronische Blockade übergehen, wenn der Organismus sich von dem Trauma nicht erholt. Aus einer chronischen Blockade kann sich der Körper nicht mehr aus eigener Kraft befreien.

Diese Blockaden können auf der körperlichen, seelischen und geistigen Ebene einzeln oder gemeinsam vorhanden sein.

F. Anzeichen von Blockaden beim Patienten

Die Vielfalt von möglichen Ursachen für eine Blockade ist enorm. Mein Vater abonnierte eine große Anzahl von Zeitschriften und Magazinen, die viele Informationen über die Substanzen enthielten, welche ich unter Punkt 4 (Blockaden durch anhaltende Ursachen oder Umstände) besprochen habe. Unser heutiges Wissen jedoch übersteigt bei Weitem das, was zur Zeit meines Vaters bekannt war. Die Vielzahl an Produkten, die eine Blockade im Menschen verursachen können, ist so lange überwältigend, bis man realisiert, daß eine Blockade immer individuell mit dem Menschen zu tun hat, der uns Hinweise geben kann, wenn wir ihm aufmerksam zuhören. Natürlich sollten wir über die schädlichen und blockierenden Wirkungen der heute allgemein gebräuchlichen Substanzen informiert sein.

Stößt der Patient beim Erzählen auf eine innere Blockade, gibt er uns möglicherweise folgende Hinweise:

Seine Stimme verändert sich.
Sein Gesichts- und/oder Körperausdruck verändert sich.
Er betont Einzelheiten besonders.
Er kommt immer wieder auf einen Punkt zurück.
Es macht ihm große Schwierigkeiten, über das Thema zu sprechen.
Er kann an solchen Stellen sehr enthusiastisch sein.
Er ist nicht sehr glücklich über etwas, spricht aber dennoch mit einer bestimmten Intensität.
Beispielsätze: Das hat mir gar nicht gut getan." oder „Das war eine schreckliche Erfahrung für mich."

Dies ist die allgemeine Richtung, und diese subtilen Kennzeichen helfen uns zwischen den Zeilen zu lesen.

Fallbeispiel: Eine Frau hatte seit Jahren Probleme mit der Haut. Bei der Anamnese kamen wir zum Thema „einschneidende Erlebnisse im Leben". Ihr fiel spontan die anaphylaktische Reaktion auf Penicillin vor mehr als dreißig Jahren ein. Sogleich wurde ihre Stimmung betrübt, als sie darüber erzählte. *Es war eine schreckliche Erfahrung für sie.* In diesem Fall war es gar nicht notwendig, erst andere Mittel zu geben, da Penicillin selbst diese Art von Hautreaktionen produziert. *Penicillin* in steigenden Potenzen bis zu CM heilte die Frau. Hier geht es um ein Beispiel, wie wir gleich eine Blockade erkennen. Wir haben ja vorher kein anderes Mittel gegeben. Wir können hier schon von einer Blockade sprechen, da andere angezeigte, passende Mittel keine Wirkung gehabt hätten, wie eine Vielzahl von anderen

Krankheitsfällen lehrt (siehe Kapitel 6, „Blockaden, Teil 2“). In Fällen, wo kein Penicillin (wenn eindeutig angezeigt) gegeben wird, sondern andere, passende Mittel, erleben wir die blockierende Wirkung bis zum Einsatz von Penicillin oder der Blokkade entsprechenden Medikamente bzw. Substanzen. Solche Erfahrungen helfen uns, Umwege und Zeit zu sparen, wenn wir die Regeln genau beachten. In diesem Fall war es gleichzeitig das Heilmittel für die Hautsymptomatik.

Ein Patient erleidet einen Schock durch eine Angstsituation. Bei der Anamnese kommt er immer wieder auf dieses Erlebnis zurück. Ein anderer Patient lacht mit großer Intensität darüber. In beiden Fällen ist *Opium* das Mittel der Wahl. Der nächste spricht sehr enthusiastisch über seine Schlemmereien. Zwischen den Zeilen kann man aber hören, daß die Auswirkungen der Schlemmereien schon bei ihm eingesetzt haben.

In den folgenden Abschnitten werden einige konkrete Möglichkeiten der Blockaden dargestellt. Im Kapitel 6, „Blockaden, Teil 2“ kommen wir zu anderen Beispielen, Blockaden und Ansätzen.

G. Die homöopathische Vorgehensweise, um Blockaden aufzulösen

In der Regel ist eine Substanz, auf die eine Person stark reagiert, für ihre Behandlung wichtig. Diese Substanz kann nicht nur ein Mittel für die Blockade sein, sondern auch ein tiefwirkendes Mittel für ihre grundsätzlichen Probleme. Es ist eines ihrer „konstitutionellen“ Mittel. Das Mittel wird also nicht nur dazu verwendet, eine Blockade zu beheben, sondern es wird auch für einen längeren, manchmal sogar einen sehr langen Zeitraum der Behandlung benötigt.

Warum sollte ein Mittel, das solch eine starke Reaktion auslöst, nicht sofort gegeben werden? Diese Frage ist komplex, denn nichts sollte routinemäßig getan werden.

- Erstens ist es wichtig, immer auf das richtige Timing (siehe Kapitel 4) zu achten.
- Zweitens wurde eine blockierende Substanz oft noch nicht geprüft bzw. es existiert keine klinische Studie darüber. Dann ist es nicht so einfach einzuschätzen, wie gut die Substanz gerade im Moment homöopathisch paßt.
- Drittens sollten wir uns immer vergewissern, daß der Zustand, auf den wir einzuwirken gedenken, tatsächlich ganz im Vordergrund steht.
- Viertens müssen wir uns überlegen, um welche Art von Blockade es sich handelt. Ist es eine allgemeine oder ein spezielle Blockade? Das können wir am Anfang nicht unbedingt festlegen. Es kann immer Zustände im Vordergrund geben, die nichts mit der Blockade zu tun haben.

Aus all diesen Gründen muß das Mittel sorgfältig und nicht routinemäßig ausgewählt werden. Die folgende grobe Richtlinie kann hilfreich sein: Bevor ein unbekanntes oder weniger bekanntes Mittel gegeben wird, sollten erst die passenden Mittel benutzt werden, die sich in der Praxis bewährt haben, zumal Totalblockaden nicht die Regel sind. Ist der Fall total durcheinander und verwirrt, kann in manchen Fällen die potenzierte blockierende Substanz helfen. Es gibt noch einen weiteren Punkt, den wir beachten sollten: Während der Fallaufnahme werden uns oft Dinge auffallen, die Blockaden sein könnten. Diese Auffälligkeiten müssen einzeln abgewogen werden.

Haben wir einmal eine ungeprüfte Substanz erfolgreich als homöopathisches Mittel eingesetzt, besteht eine gewisse Erfahrung, um auf dieser Basis, die Substanz das nächste Mal erneut potenziert einzusetzen.

Blockaden durch allergische Reaktionen oder anaphylaktischen Schock

Da starke Reaktionen, anaphylaktische Schocks und Allergien, deren Allergenen man längere Zeit ausgesetzt ist, immer zu einer Blockade führen, fasse ich die wichtigsten Punkte und den homöopathischen Ansatz wie folgt zusammen:

• Zu den Substanzen, die häufig allergische Reaktionen oder einen anaphylaktischen Schock auslösen, gehören die Antibiotika. Einige der älteren Antibiotika, wie Penicillin, sind geprüft und wir haben elementare Informationen darüber. Aber seit mehr und mehr stärkere Antibiotika entwickelt und eingesetzt werden, ist es immer schwieriger geworden, damit Schritt zu halten und die homöopathischen Prüfungen möglichst gleichzeitig mit der Einführung eines neuen Präparats durchzuführen. Also bleibt uns manchmal nichts anderes übrig, als das potenzierte Antibiotikum zu geben, ohne viel darüber zu wissen. Die Angaben über die Nebenwirkungen sind auch viel zu allgemein, um nützlich zu sein. Ist in einem Fall kein Mittel richtig angezeigt, können wir versuchsweise gleich das potenzierte Antibiotikum geben. Oder, wenn die Entsprechung bzw. Ähnlichkeit klar zu sehen ist, wird das potenzierte Antibiotikum sofort gegeben, außer wenn ein anderes Mittel im Moment eindeutig besser angezeigt ist. Es wird in steigenden Potenzen gegeben, bis das Mittel keine Wirkung mehr zeigt oder der Patient von seinem Problem befreit ist, wie im erwähnten Penicillin-Fall.
Das gleiche Verfahren wird auch bei anderen Medikamenten angewandt, die allergische Reaktionen auslösen. Nicht nur allopathische Medikamente, auch viele sogenannte natürliche Substanzen oder Kräuterheilmittel sind drastisch in ihrer Auswirkung. Dies sollten wir ebenfalls im Auge behalten.

• Bei einem anaphylaktischen Schock müssen wir darauf achten, wieviel Zeit bereits verstrichen ist. Wenn es noch nicht lange her ist, befindet sich der Patient aller Wahrscheinlichkeit nach noch in einem Schockzustand. Stimmen die Symptome nicht eindeutig mit einem bekannten homöopathischen Mittel überein, bleibt uns nichts anderes übrig, als die Auslösersubstanz potenziert zu geben. Andernfalls gilt die gleiche Regel, wie bei den allergischen Reaktionen.

• Allergische Reaktionen auf Nahrungsmittel haben in den letzten Jahrzehnten stark zugenommen. Sind es allgemein bekannte Reaktionen aufgrund von verschiedenen Speisen, können die bekannten homöopathischen Mittel eingesetzt werden. Schon vor 140 Jahren spezialisierte sich der amerikanische Homöopath Swan darauf, verschiedene Nahrungsmittel zu potenzieren, um starke Allergien zu behandeln, wenn diese sich auf ein bestimmtes Nahrungsmittel beschränkten wie z.B. Erdbeeren oder Melonen. Swan verwendete sehr hohe Potenzen der Früchte und behandelte damit erfolgreich diese allergischen Reaktionen. Diese Arbeit wurde von manchen als unhomöopathisch bezeichnet. Doch seine Erfahrungen und die von anderen Homöopathen zeigten, daß die Argumente der Kritiker nicht stichhaltig waren. Oftmals entsteht eine Blokkade durch eine allergieauslösende Substanz, die sich einfach nicht auflösen läßt. Geben wir jedoch das potenzierte Nahrungsmittel, haben wir entweder eine Heilung hervorgerufen oder einen ungehinderten Weg für die Wirkung des passenden Mittels gefunden.
Dies ist jedoch deutlich zu unterscheiden von Allergien, die getestet werden. Dabei liegt eine allgemeine allergische Bereitschaft vor, die auch dementsprechend allgemein zu behandeln ist. Nur wenn eine Person immer auf ein bestimmtes Nahrungsmittel allergisch reagiert, ziehen wir die Möglichkeit einer Blockade in Betracht.

• Ferner gibt es die Möglichkeiten, Schock durch Elektrizität, starke Reaktionen durch Magnetfelder u. ä. zu beheben. Die

Mittel *Elektrizität* und *Magnet* haben gut geprüfte Mittelbilder. Sie sind hilfreich in solchen Fällen, werden aber nach meiner Erfahrung selten lange gebraucht.

• Zusammenfassend können wir sagen: Bei Überempfindlichkeit und Anaphylaxie wird oft dieselbe Substanz, die sie ausgelöst hat, potenziert benötigt, um diese zu heilen. Sonst brauchen wir bei Allergien stets tiefwirkende Mittel.

Abschluß

Abhängig von der Intensität und Dauer der toxischen Wirkung kann die Blockade chronisch und tiefsitzend werden. Aus diesem Grund ist es wichtig, auf solche Blockaden zu achten, die ihren Ursprung in der Vergangenheit des Patienten haben.

Man muß an alle Eventualitäten denken und darauf achten, was im Umfeld des Patienten vorhanden ist und geschieht. Wenn z. B. in einem Büro die Wände neu gestrichen werden, wird man an diesem Platz mit Sicherheit einer gewissen Vergiftung ausgesetzt sein. Dies kann die Wirkung eines Mittels für eine Zeit vollständig blockieren. In solchen Fällen müssen wir die Farbe der frisch gestrichenen Wände potenzieren, um die Auswirkungen aufzuheben. Eventuell müssen erst die akuten Vergiftungssymptome behandelt werden, bevor wir uns um die Blockade mit dem potenzierten Giftstoff kümmern können. Es kann natürlich auch möglich sein, daß durch die Behandlung der akuten Vergiftungssymptome die Blockade bereits mit aufgelöst wird. Das Praktische an der Homöopathie ist, daß wir die notwendigen Substanzen direkt vor Ort entnehmen und potenzieren können.

Zusammenfassung möglicher Blockaden

Anaphylaktischer Schock, Allergene, schädliche oder drastische Heileingriffe, Toxine, Impfungen, Waschmittel, Chemikalien, allopathische Medikamente, Angst, Traumata, Schimmel, Amalgam und andere Zahnfüllungen, Eß- und Lebensgewohnheiten, Konservierungsmittel und andere Zusatzstoffe in Lebensmitteln und Impfstoffen, schädliche Strahlung, Radioaktivität und sogar die Sonne etc.

Kapitel 6
Blockaden, Teil 2

Das Kapitel ist unter den folgenden Gesichtspunkten gegliedert:

A. Impfungen
1. Aufhebung der akuten Impfblockade
2. Aufhebung der chronischen Impfblockade

B. Medikamente, Hormone und toxische Substanzen
1. Tautopathie und Isopathie
2. Die Verabreichung des potenzierten Medikaments
   a. Akute Fälle
   b. Chronische Fälle
3. Das Verfahren zum Ausschleichen allopathischer Medikamente
4. Speisen, Genußmittel und Umwelteinflüsse

C. Das Medikament als Simillimum

D. Das potenzierte allopathische Medikament als Anfangsmittel

E. Hilfs- und Begleitmittel

F. Keine Wirkung oder nur eine oberflächliche Wirkung auf den zu behandelnden Zustand

A. Impfungen

Impfungen waren immer schon ein großes Problem, aber in den letzten fünfzig Jahren sind sie zu einem immer größeren Albtraum für alle Beteiligten geworden. Erst nach Jahren der Beschäftigung mit Impfschäden und ihrer Behandlung beginnt man das volle Ausmaß der negativen Auswirkungen zu verstehen. Impfungen und die Auswirkungen ihrer schädlichen Substanzen werden fast immer heruntergespielt. Es liegt in der Natur des Menschen, Dinge herunterzuspielen und zu beschönigen. Würde er die Realität und die Dinge, an welchen er aktiv beteiligt ist, erkennen und verstehen, würde er schwer mit sich zu kämpfen haben.

Obwohl Impfungen besonders schädlich für die Seele und den Körper sind, tendieren wir dazu, vom gesamten Geschehen wegzuschauen. Die Auswirkungen von Impfungen sind schlimmer als die Tatsache, daß jährlich Millionen von Menschen als direktes Resultat korrekt verordneter allopathischer Medikamente sterben – was an sich schon schwer zu ertragen ist. Die tatsächlichen Zahlen sind nicht bekannt; einigermaßen gute Statistiken werden in sehr wenigen Ländern geführt.

Daß die wahren Schäden von Impfungen nicht erkannt werden, hat triftige Gründe:

- Die Kriterien der Impfkommissionen für die Anerkennung von Impfschäden sind extrem eng gefaßt.
- Nur anaphylaktische und stark akute allergische Reaktionen haben Gültigkeit.
- Verzögerte Reaktionen (nach ein paar Tagen) und Spätfolgen, die in größerem Ausmaß zu irreparablen Schäden führen können, werden außer Acht gelassen.
- Die Gesamtwirkung wird gar nicht erst in Betracht gezogen.
- Das Wissen über das, was wirklich passiert, ist öffentlich nicht zugänglich. Selbst Medizinstudenten erfahren nichts darüber an der Universität.
- Schäden auf der seelischen Ebene sind der Allgemeinheit und sogar manchen homöopathischen Kreisen nicht bekannt.
- Sogar Homöopathen spielen Impfungen als Krankheitsursachen herunter, und manche gehen sogar so weit, Impfungen zu unterstützen.

Wenn man die Geschichte der Impfungen von der Pockenimpfung bis heute betrachtet und an sich heranläßt, wird man das Ausmaß an Schmerz erkennen, das Tieren bei Versuchen zum „Schutze" des Menschen angetan wurde und wird. Der Gedanke, daß Heilung auf Kosten von Schmerz und Mißbrauch vollbracht werden kann, ist äußerst merkwürdig. Blutrituale anderer Kulturen zur Erlangung von Kraft und Gesundheit werden verabscheut, aber ein ähnliches Vorgehen im Namen der Wissenschaft wird hoch gelobt (Grundlegendes über diesen Aberglauben im Buch *Kinder mit Homöopathie behandeln* von Ravi & Carola Roy, Droemer Knaur Verlag). Ein Vegetarier sollte allein aus diesem Grund gegen Impfungen sein, auch wenn Impfstoffe keine tierischen Produkte enthielten. Es geht gegen die Grundsätze des Vegetarismus: Liebe und Respekt den Tieren gegenüber. Der Vegetarier wird darüber aber nicht aufgeklärt. Auch religiöse Gemeinschaften neigen dazu, über diesen Frevel an unseren Mitgeschöpfen hinwegzusehen.

Jede Impfung blockiert die Wirkung des homöopathischen Mittels, erst akut und insgesamt, dann chronisch und individuell unterschiedlich[1]. Wie lange die akute, totale Blockade anhält, ist von Mensch zu Mensch unterschiedlich. Da darüber sehr wenig erforscht ist, kann ich nur schätzen. Meines Erachtens dauert die akute Blockade in jedem Fall mindestens mehrere Wochen lang. Ich erstelle keine Statistik darüber, denn ich versuche die akute Blockade immer so schnell wie möglich zu beheben. Müssen wir aus Neugierde wissen (während der Patient leidet), ob es im Schnitt vier oder zwölf Wochen sind?

[1] *Dies weiß ich hauptsächlich durch meine eigenen jahrelangen Beobachtungen bei den Patienten. Besonders eindeutig ist es festzustellen bei Patienten, die sich während der homöopathischen Behandlung impfen lassen. Eine sehr lange Zeit kann vergehen, bis sich der Organismus von der Impfung erholt und die Mittel wieder richtig wirken können. In der homöopathischen Literatur gibt es auch darüber Informationen, jedoch eher allgemeiner Art.*

Wenn der Patient nach einer „statistisch ermittelten" Durchschnittszeit zu uns kommt und das Mittel nicht wirkt, müssen wir die Blockade ja trotzdem beheben. Deshalb gehen wir in den ersten Wochen nach einer Impfung die Blockade sofort an in der Annahme, daß sie total ist. Wenn Sie als Homöopath nicht davon überzeugt sind, dann versuchen Sie mal zu behandeln, ohne die Blockade vorher aufzuheben. Eine Woche Versuchszeit müßte genügen. Dann gehen Sie die Blockade an, und Sie können den Unterschied selbst erkennen.

Es ist zu unterscheiden zwischen der blockierenden und schädigenden Wirkung der Impfungen. Eine Impfung kann sehr große Schäden anrichten, aber die mitverursachte Blockade kann trotzdem verhältnismäßig klein sein. Andererseits ist es auch möglich, daß eine sehr geringe Schädigung mit einer starken Blockade einhergeht.

In der Homöopathie gibt es gewisse Anhaltspunkte für die Dauer von Impfblockaden:

- Die allgemeine Gesundheit des Patienten: Ein Patient in robustem Gesundheitszustand wird nicht so lange blockiert sein.
- Bei Frauen hält die Blockade normalerweise länger an, da sie in der Regel empfänglicher und sensibler sind.
- Je jünger ein Kind ist, desto länger ist es blockiert.
- Sind noch sichtbare Reaktionen auf die Impfung vorhanden, gibt es eine akute Blockade.

Im Stadium der totalen akuten Blockade wird kein Mittel wirken, egal was wir tun, besonders bei chronischen Krankheitszuständen. Hier ist zu unterscheiden zwischen den akuten Folgen einer Impfung und dem vorher bestehenden chronischen Zustand des Patienten, weil Symptome vermischt werden können. Sollten in den Wochen nach der Impfung akute Erkrankungen oder Traumen vorkommen, die aber keine Folge der Impfung sind, müssen sie gesondert betrachtet werden. Diese akuten Erkrankungen oder Traumen reagieren entweder gar nicht auf das passende Mittel oder nur schwer. Jedoch können die direkten akuten Folgen der Impfungen selbstverständlich mit dem passenden Mittel sehr gut beeinflußt werden.

Nachdem die akute Phase vorbei ist, in der der Organismus darum kämpft, die krankmachende Impfung zu neutralisieren, beginnt die chronische Phase. Sie besteht aus den Veränderungen, welche im Organismus hauptsächlich energetisch stattgefunden haben und so festsitzen, daß der Organismus sie nicht ohne die entsprechende Hilfe beheben kann. Die chronische Impfblockade ist in der Regel eine Teilblockade. Inwiefern sich Körper und Seele von den krankmachenden Substanzen befreien können, bestimmt die Schwere der chronischen Blockade. In manchen Fällen bildet sich jedoch eine Totalblockade. Laut Burnett kommt es durch eine Impfung ebenfalls zu einer totalen Blockade, wenn der Körper sich anscheinend gar nicht dagegen wehrt. Das heißt, es findet – vergleichbar mit einem Schockzustand – nach außen hin keine Reaktion statt.

Es sind die energetischen Veränderungen, welche blockieren, und nicht die durch Impfungen hervorgerufenen Schäden. Mit anderen Worten: Der Impfschaden ist an sich nicht die Blockade.

1. Aufhebung der akuten Impfblockade

Die Aufhebung der akuten Blockade wird am besten mit der Impfstoffnosode vorgenommen. Sie wird aus dem Impfstoff hergestellt und wirkt homöopathisch auf die akute Impfblockade, die sie meist schnell und effizient beheben wird. Aber die akuten Reaktionen auf die Impfungen bzw. Schäden können auch andere homöopathische Mittel erfordern, obwohl bei unklaren Fällen die Impfstoffnosode die beste Wahl ist. Die

BCG-Nosode z.B. wird aus dem Tuberkuloseimpfstoff BCG hergestellt. Das Verfahren für die Aufhebung der Blockade wird im allgemeinen folgendermaßen durchgeführt:

Bis zu einer Woche nach der Impfung wird die entsprechende Impfstoffnosode erst alleine, ohne das für den Fall angezeigte Mittel, gegeben: LM 30 bis 120, je nach Individuum, einmal täglich zwei bis fünf Tropfen. Manchmal kann die Nosode auch zwei- bis dreimal täglich notwendig sein, wenn die Impfung eine sehr starke Wirkung auf den Menschen hatte. Eine starke Wirkung beschränkt sich nicht notwendigerweise auf den Körper. Auf seelischer Ebene kann die Wirkung manchmal nur an den Augen abgelesen werden. Der Schock ist z. B. dort zu erkennen. Sie können apathisch, leblos oder extrem leidend sein.

Nach einer Woche der Nosodentherapie kann in der Regel das vorher für den chronischen Zustand angezeigte Mittel in der Regel mit Erfolg gegeben werden, d. h. angemessen wirken.

Eine Woche lang die Nosode zu geben, reicht nicht unbedingt aus, um alle Auswirkungen der Impfung zu beheben. Hier haben wir die Wahl, die Nosode für einen längeren Zeitraum alleine zu geben, besonders wenn der Patient auf die Impfung stark reagiert hatte, oder parallel zu dem angezeigten Mittel. Das hängt davon ab, ob die konstitutionelle Behandlung dringend notwendig ist, denn dann sollten wir parallel die Nosode und das angezeigte Mittel in entsprechenden Abständen geben, z. B. das konstitutionelle Mittel morgens und die Nosode abends oder nachmittags. Je nach den Gegebenheiten können wir die Gaben der Nosode in der zweiten Woche um die Hälfte reduzieren. Nach weiteren zwei Wochen kann die Wiederholung noch mehr reduziert werden, je nachdem, wie oft sie in der ersten Woche gegeben wurde und was wir bei der Fallaufnahme beobachtet haben.

In der Regel sind vier bis sechs oder bis zu 12 Wochen ausreichend.

Manchmal bewirkt die Nosode mehr Wunder, als nur die blockierenden Effekte der Impfung zu beseitigen. Das heißt, daß einige der konstitutionellen Probleme der Person ebenfalls sehr positiv beeinflußt werden. *In solchen Fällen können wir die Impfstoffnosode als gegenwärtiges Konstitutionsmittel einstufen und so lange wie notwendig weiter geben.*

Bei einer akuten Blockade müssen keine Symptome zu sehen sein. Es können aber akute Symptome vorkommen, welche zu einem anderen Mittel als der Impfstoffnosode, z. B. *Thuja*, passen.

Wenn in der Zeit, in der die Nosode alleine gegeben wird, eine akute Behandlung nötig ist, kann diese parallel zur Entblockierung gegeben werden.

Bei einer länger zurückliegenden Impfung ist es ratsam, routinemäßig mit der Impfstoffnosode anzufangen (siehe „Der Zeitpunkt der Verabreichung", Kapitel 4).

In der Vergangenheit wurden Impfungen einzeln verabreicht. Später wurden zwei zusammen gegeben. Dann wurden drei, vier und immer mehr Impfstoffe kombiniert. Sogar für sehr robuste Menschen können sechs, sieben oder mehr Impfungen auf einmal verabreicht zu heftig sein. Heutzutage benutze ich gleich die kombinierte Impfstoffnosode bzw. die Mehrfachimpfnosode, um die Impfblockade aufzuheben. Wegen der Mehrfachimpfungen kann es länger dauern, die akute Blockade zu beheben. Sie werden Ihre genaue Vorgehensweise aufgrund Ihrer Beobachtungen selbst finden müssen, da sich die Gegebenheiten im Bereich der Impfungen zu schnell verändern, um Vorgaben von dauerhafter Gültigkeit zu machen. Manchmal müssen wir die Mehrfachimpfnosode mit einer einzelnen Impfstoffnosode parallel geben, z. B. wenn eine Komponente der Mehrfachimpfung eine besonders starke Wirkung auf den Organismus hat. Wir müssen alles ausprobieren, um unseren Patienten so schnell wie möglich wieder gesund zu machen.

Möglicherweise gibt es auch Ausnahmen, z. B. Patienten, die keinen akuten Totalblock erleiden, aber in unserer Praxis ist so etwas noch nicht vorgekommen.

2. Aufhebung der chronischen Impfblockade

Sogar die erste Impfung, die Pockenimpfung, war ein großes Problem für uns Homöopathen. Burnett hat über diese Problematik ausführlich in seinem Büchlein *Vakzinose und ihre Heilung mit Thuja* geschrieben. Andere Homöopathen haben Impfungen gar nicht beachtet. Machte Burnett aus einer Mücke einen Elefanten? Eindeutig nicht, denn diesem wichtigen Thema wird zu wenig Beachtung in der Homöopathie geschenkt. Nach meiner langjährigen Erfahrung und der Erfahrung vieler meiner Schüler hat Burnett nicht übertrieben. Heilungen können schneller stattfinden und sind in manchen Fällen erst durch die Verabreichung der Nosoden möglich. Burnett verwendete *Thuja* für die chronische Entblockierung und nicht die Nosode. Thuja ist jedoch auch wichtig für die akute Blockade. Thuja hat eine große Ähnlichkeit zur Pockenimpfung. *Aber es ist kein allgemeines Antidot für alle Impfgifte und wird zu oft in der Homöopathie routinemäßig verschrieben.* Doch wenn es bei Folgen anderer Impfungen angezeigt ist, wirkt es genauso wunderbar wie bei den Pockenimpffolgen. Jede Impfung hat eine ganz individuelle Wirkung auf den Organismus, auch wenn ähnliche grobpathologische Reaktionen bei vielen Impfstoffen zu beobachten sind. Aber die Behandlung der chronischen Beschwerden kann nicht durch die *Routineanwendung* einer einzelnen Nosode vollzogen werden, sondern nur durch Individualisierung (siehe unseren *Homöopathischen Ratgeber 15*: *Risiko impfen, Impffolgen behandeln*).

Wie schon beschrieben, sind wir heute, was Impfungen betrifft, ganz und gar nicht in einer beneidenswerten Lage. Das Feld verändert sich sehr schnell, neue Impfungen und Impfstoffe kommen ständig auf den Markt. Es bleibt keine Zeit, die Auswirkungen einer neuen Impfung zu studieren, bevor die nächste schon auf die Menschheit losgelassen wird. Und wir dürfen die alten Impfungen, wie Pocken- und BCG Impfung, ebenfalls nicht vergessen.

Die Impfstoffnosode hebt zwar die Blockade auf, aber kann nur die Schäden beseitigen, welche zu ihrem Bild gehören. Wir müssen die ganze Palette der homöopathischen Mittel für die Behebung der Impfschäden nutzen.

Die Aufhebung der Impfblockade ist nicht mit der Behebung der Impfschäden gleichzusetzen.

B. Medikamente, Hormone und toxische Substanzen

Medikamente, Hormone und toxische Substanzen haben genauso wie die Impfungen akute und chronische Wirkungen. Sie bilden, je nach Gegebenheit, mehr oder weniger starke akute und chronische Blockaden.

Hahnemann schrieb, es sei zum Verzweifeln, wenn man Fälle behandelt, die durch allopathische Medikamente verpfuscht wurden, und stufte sie als unheilbar ein. Mit der Zeit und dem Einsatz dynamisierter Mittel, die der toxischen Wirkung von z. B. Quecksilber ähnlich waren, gelang es ihm, auch in solchen Fällen zu helfen und sogar zu heilen. Indem man die toxischen Wirkungen mit den Mittelbildern geprüfter homöopathischer Mittel verglich, gelang es den Homöopathen auch, die meisten der schädlichen Auswirkungen der Medikamente ihrer Zeit zu behandeln. Auf die gleiche Weise lernten die Homöopathen, die Wirkungen von Giften wie Blei und Arsen zu beheben. Als immer stärkere (sprich: giftigere) Medikamente auf den Markt kamen, war es nicht mehr so leicht, ihre tieferen chronischen

Wirkungen in den Griff zu bekommen. Hahnemann wäre wahrlich schockiert, würde er in unserer modernen Welt leben und die devitalisierenden Wirkungen von Medikamenten wie Chemotherapeutika oder Kuren wie die Strahlentherapie sehen. Sie sind oft nur sehr schwer durch die Homöopathie zu beeinflussen. Selbst für einen sehr vitalen Organismus gibt es eine Grenze. In solchen Fällen sind Hochpotenzen allein bei Weitem nicht genug. Eine Entgiftung erreicht man eher besonders mit sehr niedrigen Potenzen und Urtinkturen, die aufgrund ihrer homöopathischen Ähnlichkeit ausgesucht werden. Manchmal müssen sogar Eßgewohnheiten drastisch verändert werden. Der Patient muß eine totale Umorientierung seines Lebens wollen und umsetzen. Vielen fällt es schon schwer, auch nur wenige Tropfen einer Urtinktur einzunehmen, weil sie den Geschmack nicht ausstehen können.

Im Kapitel 1, „Besserung“ habe ich als eins der Kriterien für die weitere Einnahme eines Mittels das Wohlschmecken des Mittels genannt. Das betrifft hauptsächlich die potenzierten Heilmittel. Bei Urtinkturen oder ganz niedrigen Potenzen, wie D 1 und D 2, kann es vorkommen, daß das Heilmittel die Person anwidert. Das ist oft bei Mitteln der Fall, die kurzzeitig für sehr akute Zustände notwendig sind. Ferner ist der Körper durch die gesamte Lebensweise und Giftstoffe so degeneriert, daß er nur „Ungesundes“ bzw. eine nur sehr begrenzte Auswahl an Nahrungsmitteln aufnehmen kann. Dieser Mensch findet nur an diesen Nahrungsmitteln Gefallen, alles andere ist ihm mehr oder weniger zuwider, selbst das passende Mittel in der Urtinktur ekelt ihn an.

Erst wenn wir die Geschichte der Homöopathie verfolgen, können wir verstehen, warum Hahnemann anfangs zu dem Schluß kam, daß Erkrankungen durch Medikamente unheilbar seien. Heute haben wir viel mehr Heilungsmöglichkeiten.

Die *Prüfung neuer Substanzen* und deren empirische Anwendung haben in der Homöopathie große Heilungsressourcen ans Licht gebracht. Je größer die Ähnlichkeit der Mittel zu dem krankhaften Zustand, desto besser die Heilungschancen. Zu Hahnemanns Zeiten wurde z. B. Pottasche *(Kalium carbonicum)* schulmedizinsch als Ursubstanz häufig eingesetzt, was schwere Anämien und andere toxische Wirkungen zur Folge hatte. Die Prüfungen und Anwendung kleiner Mittel wie *Calcium hypophosphoricum* und *Senna* erleichterten die Heilung dieser chronischen Nebenwirkungen sehr.

Ein nächster und sehr wichtiger Schritt war die Potenzierung und Prüfung der modernen allopathischen Medikamente, um die Nebenwirkungen zu bekämpfen, aber auch, um sie bei den angezeigten Krankheitszuständen einzusetzen. Prüfungen allopathischer Medikamente waren auch zu Hahnemanns Zeiten nichts Neues. Hahnemann hatte außer den in der Allopathie verwendeten Substanzen vorerst keine anderen zur Verfügung. Tatsächlich gibt es sehr wenige Mittel, welche ausschließlich homöopathische Produkte sind, wie z. B. *Causticum und die* Nosoden. *Psorinum, Medorrhinum, Syphilinum* und *Tuberculinum* wurden bereits homöopathisch eingesetzt, bevor fünfzig Jahre später die Allopathen den Homöopathen diese Idee abschauten und sie erstmals rein toxisch, grobstofflich und isopathisch benutzten.

Homöopathen haben schon damals darüber geschrieben und Fehlschläge aufgrund des falschen Verständnisses der Verwendung dieser Substanzen vorausgesagt, was heute mehr denn je zutrifft. Burnett beschrieb in seinem Buch *Die Behandlung der Tuberkulose* ganz genau, wie Robert Kochs Tuberculinpräparate die Patienten bis zum Äußersten schädigten und viele Todesopfer forderten.

Die Pille

Die *Pille* muß sicher auch in unseren Betrachtungen als blockierendes Medikament mit einbezogen werden, besonders wenn negative Reaktionen durch sie auftreten. Manchmal wirkt bei

Frauen überhaupt nichts, bis diese Blockade mit der potenzierten Pille behoben ist. (Siehe unten: Tautopathie; eventuell muß die Pille trotzdem abgesetzt werden.)

1. Tautopathie und Isopathie

Eine Substanz, die potenziert wird, ist noch lange nicht homöopathisch, sondern es ist das angewandte Ähnlichkeitsprinzip, das eine Substanz, auch Urtinkturen, homöopathisch wirken läßt. Eine potenzierte Substanz kann auf verschiedene Art und Weise angewendet werden: homöopathisch, biochemisch, isopathisch oder tautopathisch sowie als Drainage- und Komplexmittel sogar allopathisch. Die homöopathische Anwendung ist an sich facettenreich; die Organaufbautherapie und Hilfsmittel (*Adjuvantien*), welche die Wirkung des Hauptmittels unterstützen bzw. optimieren, gehören ebenfalls dazu. Auch die biochemische Anwendung hat ihren Nutzen. Die isopathische Anwendung ist von geringem Wert, die tautopathische dagegen von großem.

1960 schrieb der indische Homöopath Dr. Ramanlal P. Patel aus Kottayam, Kerala, die erste Schrift über Tautopathie, eine kleine Monografie mit dem Titel *What is Tautopathy*? („Was ist Tautopathie?"). Er beschreibt darin seine Erfahrungen mit tautopathischen Mitteln. Das Wort *Tautopathie* kommt von *tauto* (griechisch, dasselbe). Tautopathie ist nicht zu verwechseln mit *Isopathie*, von *iso* (griechisch, das gleiche). In der Tautopathie benutzt man dieselbe Substanz in potenzierter Form, die gewisse Symptome als Nebenwirkung verursacht hat, welche man gut von allergischen Reaktionen unterscheiden sollte. Diese Idee ist in der Homöopathie nicht neu und wurde hauptsächlich von Dr. Patel übernommen, um den negativen Effekten allopathischer Medikamente entgegenzuwirken. Kent erwähnt die Möglichkeit, *Rhus toxicodendron* potenziert bei Vergiftungen durch eben diese Pflanze einzusetzen. Er fand es aber keine sehr gute Idee, diese Methode in der Homöopathie zu benutzen. Wie dem auch sei, es gibt Fälle von Rhus-tox.-Vergiftungen, die dem Mittelbild von Rhus tox. am ähnlichsten sind. Dann ist Rhus tox. das Simillimum, auch in chronischen Fällen.

Bei der Isopathie wird das Mittel aus dem Krankheitsprodukt hergestellt, um damit die Krankheit zu behandeln. Diese Methode wurde von Dr. Johann Josef Wilhelm Lux nach vier Jahren des Experimentierens im Jahre 1833 mit der Veröffentlichung seines Artikels „Isopathie der Contagionen" eingeführt. Zu dieser Zeit benutzte man das Wort „Krankheitsprodukt", weil die Wissenschaft die Bakterien als angeblichen Krankheitserreger, noch nicht entdeckt hatte. Man glaubte, im Krankheitsprodukt seien die Krankheitsverursacher enthalten, wovon die Toxine der Krankheit die Hauptrolle übernähmen. Mit dem Krankheitsprodukt hatte man also die Krankheit und die Ursache in einem. Beide Methoden sind heute weit verbreitet. Doch unter Homöopathen führen sie vielfach zu Kontroversen und werden oft falsch interpretiert. Manche gehen so weit, jegliche Verwendung einer Nosode Isopathie zu nennen. Darum ist eine gründliche Auseinandersetzung mit diesen Themen für einen Homöopathen notwendig, damit er seine Werkzeuge präzise, ohne Bedenken und falsches Zögern einsetzen kann.

⊙ Definition:

Tautopathie ist die Behandlung der Nebensymptome eines Medikaments bzw. einer Substanz und der dadurch verursachten Blockaden mit demselben Medikament in potenzierter Form.

Isopathie ist die Behandlung einer Krankheit mit dem potenzierten Krankheitsprodukt oder Erreger, ohne die individuelle Betrachtung der Ähnlichkeit zum Krankheitszustand.

Der Hintergedanke bei der Isopathie war und ist, daß der Krankheitsverursacher, heute mit Erreger bezeichnet (was homöopathisch gesehen auch nicht korrekt ist), in allen seinen Aspekten im Krankheitsprodukt enthalten sein würde und daher in der Lage sein müßte, die Krankheit, die er verursacht, zu heilen, wenn er auf die richtige Weise präpariert wird. Die Idee, das Krankheitsprodukt zu verwenden, um vor einer Krankheit, z. B. Pocken, zu schützen, war bereits weit verbreitet. Der Gedanke, mit dem Krankheitsprodukt zu heilen, war neu. Das Problem bestand darin, das Krankheitsprodukt so zu präparieren, daß es heilen und nicht schaden würde. Also wandte man einfach Hahnemanns Methoden der Potenzierung an.

Das Wort *Nosode* wurde von Hering geprägt. Das Präfix *noso* von *nosos* (griechisch, Krankheit) zeigt uns die Bedeutung: Nosode = Krankheitsprodukt. Ich streife das Thema hier nur kurz, denn es ist riesig und wird oft mißverstanden.

Dr. Lux war ein homöopathischer Tierarzt. Er hatte bereits 15 Jahre homöopathische Erfahrung, als er auf die Idee kam, die Nosoden anzuwenden, um die entsprechende Krankheit bei Tieren zu behandeln. Er benutzte nicht das Wort Nosode, sondern den Begriff *Aequalia Aequalibus* und nannte seine Therapie „Isopathie". Wegen seines homöopathischen Hintergrunds potenzierte er seine „Isoden" zur 30. Potenz und machte sie dadurch unschädlich.

Es gibt in homöopathischen Kreisen den Irrglauben, daß allein die Potenzierung einer Substanz diese homöopathisch mache. Es ist sogar Hahnemann selbst, der hierfür verantwortlich ist, denn im *Organon* schrieb er, daß es die Potenzierung sein müsse, die eine Substanz homöopathisch wirken läßt. Er konnte die positive Wirkung, die Lux dokumentierte, nicht leugnen. Dennoch hatte er eine Abneigung gegen diese Methode, weil es eher eine Routineverschreibung war und keine Prüfung der verwendeten Substanz existierte. Mit der Prüfung von *Lyssinum* durch Hering im Jahre 1833, demselben Jahr, in dem Lux seine These veröffentlichte, wurde die Basis für die Bestimmung der Ähnlichkeit bei der Verwendung der Nosoden geschaffen. Aber Hahnemann war der erste Prüfer einer der Hauptnosoden, nämlich *Psorinum*, im Jahr 1830. Das Ergebnis wurde lediglich in Stapfs *Archiv* veröffentlicht. Er arbeitete es nicht in seine Materia medica ein. Es ist eine sehr gute Prüfung, die viele der charakteristischen Psorinum-Symptome herausbrachte. Hering benutzte sie als Basis für seine Arbeit mit Psorinum. In der Homöopathie wurde die Nosode jedoch erst viele Jahrzehnte später richtig eingesetzt.

Hahnemann selbst war zu sehr mit seinen eigenen Forschungen beschäftigt, um all den verschiedenen Möglichkeiten, die innerhalb der homöopathischen Prinzipien vorhanden sind, große Aufmerksamkeit zu schenken. Manchmal fühlte er instinktiv, daß manche neue Methoden nicht rein homöopathisch waren, konnte es aber nicht genau erklären. Homöopathen, die sich von dem Ähnlichkeitsgesetz leiten ließen, konnten diesen Teil der neuen Verfahren, welche damit im Einklang standen, trotzdem verwenden. Das Ähnlichkeitsgesetz hat schließlich doch eine sehr breite Basis. Deswegen gilt das gleiche Prinzip bei der heilsamen Wirkung von Nosoden. Daß die Potenzierung der Nosode für die Heilung notwendig ist, ist selbstverständlich. Und daß die grobstoffliche Nosode hochgefährlich ist, leitet sich ebenfalls logisch aus unserem Wissen über die Homöopathie ab (siehe Kapitel 2).

Der Unterschied zwischen Homöopathie und Isopathie in der Anwendung der Nosoden liegt darin, daß die Homöopathie das Ähnlichkeitsgesetz benutzt, um zu eruieren, wann eine bestimmte Nosode angezeigt wird, während die Isopathie sie in allen Fällen, ohne zu individualisieren, einsetzt.

Das eine ist wissenschaftlich, das andere (Isopathie) unwissenschaftlich, d. h. ein einzelner Faktor aus dem Ganzen wird zur Basis für jede Behandlung, ohne das Gesamte mit seinen vielen Facetten in Betracht zu ziehen.

Auch Othon-André Julian bringt in seinem Buch *Materia medica der Nosoden* die Bezeichnungen Nosoden und Isoden durcheinander. Laut seiner Aussage ist die Bio-Therapie der Nosoden, wie er sie nannte, Isopathie, wenn die Mittel nicht geprüft wurden. Aber das Prüfen hat natürlich nichts damit zu tun, ob man sie nach dem Ähnlichkeitsgesetz einsetzt oder nicht. Aufgrund seines Grundwissens über eine Substanz kann man Ähnlichkeiten finden. Dies wurde in der Homöopathie von Anfang an auch mit ungeprüften Mitteln gemacht. Ein gutes Beispiel hierfür finden wir im Fall der Nosode *Hippozaenum*, die niemals geprüft wurde. Garth Wilkinson legte die Leitlinien anhand von Beobachtungen der Krankheit fest. D. h., die essentiellen, grundlegenden Symptome bei einer Krankheit, die deshalb auch zum Mittelbild der Nosode gehören, werden herausgearbeitet. *Hippozaenum* wurde zu einer sehr wichtigen Nosode für unsere homöopathische Praxis.

Fassen wir noch einmal zusammen: Das Potenzieren einer Substanz alleine macht diese nicht homöopathisch. Es macht sie lediglich frei von schädlicher Wirkung und mit ansteigender Potenz tiefer wirkend. Nosoden werden ab der fünften C-Potenz unschädlicher, jedoch werden sie ab der 30. Potenz in den meisten Fällen erst richtig effektiv.

Kommen wir nun zurück zur Tautopathie. Sie ähnelt der Isopathie, aber die verwendeten Substanzen unterscheiden sich von denen der Isopathie. Der Zweck der Tautopathie ist, den Nebenwirkungen sowie den Blockaden von Medikamenten wie Cortison oder Chemikalien der Chemotherapie entgegenzuwirken, indem man dieselbe Substanz potenziert verschreibt. Darüber hinaus sind tautopathische Mittel keine Nosoden. Ferner ist ihr Nutzen für die Behandlung von akuten und chronischen Krankheiten in der Homöopathie nicht sehr weitreichend, da sie nur Nebenwirkungen und Blockaden beeinflussen. Der Gedanke, tautopathisch zu behandeln, ist nicht neu. Wir finden ihn schon in der Antike. Auch in alten ayurvedischen Texten wird empfohlen, dasselbe Gift zu verwenden, mit dem man vergiftet wurde.

Es war ebenfalls das Prinzip der Tautopathie, welches der griechische König Mithridates so erfolgreich einsetzte, daß sich der medizinische Name davon ableitet – *Mithridatismus.* Er machte sich immun gegen alle damals bekannten Gifte, indem er täglich zunehmend höhere Dosen davon über Jahre hinweg, bis zum Ende seines Lebens, einnahm. Seine „Cocktails" enthielten angeblich auch viele antidotierende Stoffe, aber es ist allgemein akzeptiert, daß es die Gifte waren, die ihm die Immunität verschafften. Wie dem auch sei, die Wirksamkeit dieser Methode wird auch von anderen Menschen bewiesen. Menschen, die mit giftigen Schlangen arbeiten, werden durch kleinere Bisse immun. Jedoch fordert diese Immunität auch ihren Tribut. Körper, Geist und Seele werden durch die Auswirkungen geprägt. Das geht auf Kosten der Lebensqualität und bringt ein gewisses Leiden durch die Symptome. Der Mensch nimmt das einfach in Kauf, ohne sich viele Gedanken darüber zu machen, zumal die Auswirkungen oft sehr schleichend auftreten.

Man kann diesen Gedanken einen Schritt weiterverfolgen und das allopathische Medikament potenziert verschreiben, indem man niedrig anfängt, eventuell sogar mit der D 6 oder D 12 und dann die Potenz langsam steigert. Dieses Verfahren macht zu einem gewissen Grad immun gegen die Nebenwirkungen des allopathischen Medikaments. Unsere Intention in diesem Buch ist aber eine andere. Es geht um die Blockade, die durch das Medikament verursacht wird. Ohne uns in zu vielen Details und Diskussionen zu verlieren, sollten wir uns erst einmal bewußt machen, daß nur wenige Menschen das Kunststück von Mithridates nachmachen können. Die Menge an Gift, die er täglich zu sich nahm, reichte aus, um Dutzende auf der Stelle umzubringen. Zweitens ist es nicht unser Ziel, den Menschen dazu zu verhelfen, mehr allopathische Medikamente vertragen zu können. Wir wollen die blockierenden Nebeneffekte aufheben und den Patienten im wahrsten Sinne des Wortes heilen, soweit das im Individualfall möglich ist.

Es gibt einen weiteren Punkt, der beachtet werden sollte. Wann immer jemand irgendeine Substanz zu sich nimmt, z. B. ein allopathisches Medikament, steht er unter dem Einfluß dieser Substanz, und nach einer Weile fängt die Arzneimittelprüfung des Medikaments richtig an. Hier sind die Nebenwirkungen die Prüfungssymptome. Somit ist Tautopathie eigentlich ein Wirken gegen die Prüfungssymptome.

Das ist im Grunde eine antidotierende Wirkung auf die Nebenwirkungen und damit eine Aufhebung der Blockade.

Dies hat in der Homöopathie auch dazu geführt, daß eine unerwünschte Reaktion auf ein Mittel (z. B. eine zu starke Wirkung oder eine Prüfungsreaktion) manchmal mit einer viel höheren Potenz desselben Mittels antidotiert wird. Das funktioniert gut. Es gibt aber noch keine ausreichenden Beobachtungen dazu.

Eine längere Einnahme allopathischer Medikamente blockiert die homöopathische Behandlung. Ferner werden viele Patienten nicht gewillt oder in der Lage sein, eine allopathische Behandlung sofort zu beenden. Die tautopathische Verschreibung der eingenommenen Medikamente hilft dem Patienten, die Medikamenteneinnahme nach und nach zu reduzieren und entfernt gleichzeitig die Blockaden, die das Medikament mit sich bringt. Dies ist besonders der Fall, wenn die allopathischen Medikamente eine starke Wirkung auf das Immunsystem ausüben, wie z. B. Antibiotika oder Corticosteroide.

2. Die Verabreichung des potenzierten Medikaments

a. Akute Fälle

Bei der homöopathischen Behandlung eines akuten Falles, der vorher allopathisch behandelt wurde, gibt es zwei Möglichkeiten:

Im ersten Fall ist der Mensch durch die medikamentöse Wirkung deutlich blockiert.

Das homöopathische Mittel kann nicht wirken, weil der Organismus noch stark durch die Wirkung des allopathischen Medikaments beeinflußt wird. In solchen Fällen können einige Gaben des potenzierten Medikaments die Blockade beheben. In der Regel reicht die LM 30 oder C 200. Man sollte tiefwirkende Mittel geben, also mindestens in der LM 30, auch müssen die Auswirkungen von allopathischen und anderen Mitteln, wie Phytotherapeutika, beseitigt werden. Dies ist aber nur dann möglich, wenn die Medikamentensymptome dem homöopathischen Mittel ähnlich sind. Deswegen ist der Einsatz des potenzierten Medikaments nur dann notwendig, wenn das homöopathische Mittel die Medikamentensymptome nicht abdeckt oder wenn es nicht so wirkt, wie man es gewöhnt ist. In den meisten Fällen hat das passende Mittel keine Wirkung auf den Zustand, der durch das Medikament ausgelöst wurde. In diesem Fall muß die Blockade durch das potenzierte Medikament aufgehoben werden.

Im zweiten Fall handelt es sich um eine Verstärkung des Zustandes.

Das allopathische Medikament verschlechtert den Zustand. Es geht hier nicht um die Nebenwirkungen, sondern dem Patienten geht es durch das allopathische Mittel insgesamt wesentlich schlechter. Der Patienten hat also eine starke Affinität zu dem Medikament. Sollte ein homöopathisches Mittel sehr gut zu dem verschlechterten Zustand passen, ist die Hürde beseitigt.

Paßt jedoch kein Mittel richtig oder zeigt das anscheinend gut passende Mittel nicht die gewünschte Wirkung, müssen wir das allopathische Medikament potenziert einsetzen, entweder alleine oder zusammen mit dem passendsten homöopathischen Mittel.

Im Falle einer weiteren Einnahme allopathischer Medikamente haben wir keine andere Wahl, als das potenzierte Medikament fortwährend, parallel zum angezeigten homöopathischen Mittel, zu geben. Auch nach Heilung des akuten Zustandes sollte das potenzierte Medikament noch eine Weile weiter gegeben werden.

b. Chronische Fälle

Der Hauptunterschied zwischen einem akuten und einem chronischen Fall ist die viel längere Einnahme von Medikamenten und die dadurch bei chronischen Fällen viel tiefer verwurzelte Wirkung des Medikaments. Dadurch kann es zu einem festsitzenden Medikamentenzustand (Medikamentenkrankheit nach Hahnemann) kommen, der seine eigene Dynamik entwickelt. D. h., es entwickelt sich eine Abhängigkeit von dem Medikament. Es besteht jetzt beim sofortigen Absetzen des Medikaments möglicherweise Lebensgefahr. Auf jeden Fall ist das Absetzen mit großen Schwierigkeiten und Leiden für den Patienten verbunden. Wie man homöopathisch dieses Problem angeht, wird im nächsten Abschnitt besprochen.
Unter „Akute Fälle" habe ich bereits die Möglichkeit besprochen, daß eine Person sehr heftig auf ein Medikament reagiert. Geschieht das, können wir im chronischen Fall genauso wie im akuten Fall verfahren. Dies geschieht jedoch in der Heftigkeit grundsätzlich eher selten, sondern ist meistens ein schleichend schlechter werdender Zustand, nicht zu verwechseln mit dem normalen Fortschreiten der Krankheit. Gewöhnlich nimmt ein Patient das allopathische Mittel über Monate oder Jahre, wäh-

rend sich die Nebenwirkungen langsam anhäufen. Natürlich kann der Körper, sofern er vital genug ist, mit der Zeit die negativen Auswirkungen eines jeden Medikaments, vorausgesetzt es wird abgesetzt, mehr oder weniger beheben, wie bei einer Prüfung. Werden aber diese *Zustände zu stark eingeprägt*, gehen sie nicht mehr von alleine weg.

Finden wir ein homöopathisches Mittel, welches den vorhandenen chronischen Zustand abdeckt und gleichzeitig die eingeprägten Symptome in seiner Pathogenese aufweist, wird es diese auch beheben können – sofern es ausreichend hoch potenziert und lange genug gegeben wird. Man sollte mindestens mit der LM 30 oder C 200 anfangen und es über mehrere Monate und länger geben. Es kann auch schon parallel mit der homöopathischen Behandlung des chronischen Zustandes angefangen werden. Wir brauchen das tautopathische Medikament, um die Blockierung zu beseitigen und die Heilung zu ermöglichen.

Nimmt ein Patient das allopathische Medikament weiterhin ein, so verfahren wir ebenso wie im akuten Fall.

3. Das Verfahren zum Ausschleichen allopathischer Medikamente

Nimmt der Patient ein Medikament schon eine Weile, ist es unser Ziel, ihn davon so schnell wie möglich zu befreien. In den meisten Fällen nimmt der Patient eine ganze Reihe von Medikamenten regelmäßig zu sich. Manche können sofort abgesetzt werden, da sie lediglich Hilfsmittel (Adjuvantien) sind. Es hängt alles davon ab, wie gut das homöopathische Mittel wirkt. Die restlichen Medikamente werden langsam reduziert, was man „Ausschleichen“ nennt.

Ausschleichverfahren
Das tautopathische Medikament wird in der LM 6 bis 30 oder der C 30 bis 200, zwei- bis dreimal täglich gegeben. Je nachdem, wie gut der Patient reagiert, wird das grobstoffliche (allopathische) Medikament wöchentlich oder alle zwei bis drei Wochen immer um die Hälfte der momentanen Dosis reduziert. Dieser Prozeß dauert zwischen drei bis vier Wochen und mehreren Monaten. Muß mehr als ein Medikament in potenzierter Form gegeben werden, so werden sie über den Tag aufgeteilt. In manchen Fällen genügt sogar ein Intervall von einer halben bis zu einer Stunde. Sind bei jemandem wirklich mehr als drei Medikamente abzusetzen, werden zuerst die ausgeschlichen, die den Patienten am meisten belasten.

Zusätzlich geben wir immer auch das homöopathische Mittel, wenn es deutlich angezeigt ist. Sind keine klaren Indikationen vorhanden, warten wir, bis sie auftauchen. Bestimmte Medikamente, wie Hormone, können oft sofort abgesetzt werden. Das potenzierte Hormon ist in manchen Fälle auch in der Lage, die Symptome gleich in Richtung Heilung zu führen, bis sich ein anderes Mittel herauskristallisiert.

4. Speisen, Genußmittel und Umwelteinflüsse

Liebt jemand bestimmte Speisen oder Getränke zu sehr, ist dadurch eine gewisse Sucht vorhanden. Das und bestimmte andere Symptome könnten ein Indiz dafür sein, daß man dieses Nahrungsmittel potenziert als Begleitmittel zu dem angezeigten Mittel geben sollte. Es kann sogar alleine als Simillimum in Frage kommen. Im ersten Fall gibt man es – genauso wie oben das tautopathische Medikament – parallel zum angezeigten Mittel. Sollte es bereits eine Prüfung dieses Mittels geben, haben wir eine gute Kontrolle über den Krankheitsprozeß bzw. über die Wirkung des Mittels. Deswegen habe ich oft Zucker (*Saccharum officinalis* oder *album)*, Schokolade, Gewürze und sogar Kaffee oder Tee verschrieben. Ist ein starkes Verlangen nach etwas Bestimmtem vorhanden, dann muß es potenziert gegeben werden, es sei denn, das Verlangen danach wird von dem angezeigten Mittel gut abgedeckt und auch heilsam beeinflußt. Manchmal bleibt ein solches Verlangen von allen Mitteln unberührt. Dann muß man Mittel mit Suchtverhalten in Erwägung ziehen,

Das soll natürlich nicht dazu führen, daß wir die Miasmen dabei aus dem Auge verlieren.

Menschen, die in der Industrie arbeiten und regelmäßig Industriegiften ausgesetzt sind, brauchen den potenzierten Giftstoff regelmäßig, um die toxische Wirkung zu minimieren. Wie oft sie ihn brauchen, ist dabei unterschiedlich. Einmal im Monat eine sehr hohe Potenz zu geben, ist in manchen Fällen genug. Ansonsten wird verfahren wie bei der Tautopathie beschrieben.

Manche Dinge können vermieden oder ihre Wirkung reduziert werden, aber unsere Umwelt ist voller Einflüsse, die wir nicht vergessen sollten. Zum Beispiel *Radioaktivität.* Sogar in Deutschland und den Ländern, die von der Tschernobyl-Katastrophe betroffen waren, ist es leicht, das nach über zwanzig Jahren zu vergessen. Aber seitdem nehmen die Radioaktivitätsmittel einen wichtigen Platz ein, denn Radioaktivität gibt es mittlerweile überall, und kleinere oder größere „Unfälle“ geschehen ständig. Nur selten erfahren wir etwas davon über die Medien. So staunen wir manchmal, wie schnell die Radioaktivitätsmittel Beschwerden beheben können, die durch andere Mittel völlig unbeeinflußt bleiben. Ich erinnere mich noch gut an einen Fall von Hexenschuß, der einfach nicht besser wurde, bis ich Radioaktivität als Ursache in Erwägung zog. In Anbetracht des depressiven Hintergrunds verschrieb ich eine Gabe *Caesium*, und die Besserung geschah augenblicklich!

Wir erinnern uns, daß Tautopathie oft ein notwendiger mechanischer Prozeß ist, aber nicht unbedingt ein wirklich homöopathischer. Das heißt, er ersetzt das homöopathische Mittel nicht notwendigerweise. Die Frage ist, wann ein allopathisches Medikament homöopathisch ist.

C. Das Medikament als Simillimum

Sollte das früher eingenommene allopathische Medikament, zufällig auch das eigentliche Simillimum gewesen sein, ist es nicht so einfach, das im Nachhinein festzustellen. Normalerweise wählen wir ein Mittel aus unserem homöopathischen Arzneischatz nach dem Ähnlichkeitsprinzip aus. Natürlich wird das ausgewählte Mittel hier nicht wirken, denn in diesem Fall ist es genau das allopathische Medikament, was der Patient braucht, wenngleich in potenzierter Form. Hier geht es also nicht um eine Blockade, sondern darum, daß das passend gewählte Mittel nicht wirkt. Im Grunde gehört dieser Punkt zu Kapitel 4, aber er paßt hier beim Thema „Tautopathie" noch besser. In der Regel ist es bei solchen Fällen so, daß der Patient das allopathische Medikament eingenommen hatte, gegenwärtig jedoch nicht mehr nimmt. Damals empfand er keine unangenehmen Nebenwirkungen. Im Gegenteil, die Wirkung war überaus positiv. Es war sozusagen in der Urtinktur (also grobstofflich) sein *Simillimum*. Aber jetzt bei der Wiedereinnahme hilft es ihm nicht mehr. Auch eine größere Dosis nicht. Durch die größere Dosis kann es ihm sogar schlechter gehen. Also muß er damit aufhören.

Wir müssen hier differenzieren zwischen der normalen, unterdrückenden Wirkung allopathischer Medikamente und den sehr wenigen Fällen, in denen das Medikament zufällig homöopathisch wirkt. Bei einer Unterdrückung von Symptomen ist der Patient zwar anfänglich sicher sehr glücklich, daß sie ihm nicht mehr zusetzen, aber es entsteht kein Gefühl eines tieferen Wohlbefindens, das wir vom Simillimum kennen, das Gefühl, im Inneren von der Krankheit befreit zu sein. Bei einer Unterdrückung, besonders in chronischen Fällen, kommt die Krankheit bald darauf mit verstärkter Intensität zurück, sollte sie nicht zusätzlich in einen tieferliegenden Krankheitsprozeß verdrängt werden. In akuten Fällen verhält es sich meistens anders und die akuten Symptome kommen nicht immer so schnell zurück. Das hängt von den miasmatischen Veranlagungen und der Vitalität der Person ab. Darum wird die Wiederkehr der akut unterdrückten Symptome oft nicht als solche wahrgenommen, wenn Monate oder sogar Jahre dazwischenliegen.

In den wenigen Fällen, in denen das Medikament nicht unterdrückt, ist die Wirkung heilend. Bedingt durch die immer toxischer werdenden Medikamente kommt dieses Phänomen heute selten vor. Der Patient erzählt, wie es ihm durch das Medikament und oft noch lange danach gutging. Als die Krankheit zurückkam, weil die nächsttiefere Ebene jetzt geöffnet wurde (selten hat sie darauffolgend eine andere Form), half dasselbe Medikament nicht mehr (auch hier gibt es Ausnahmen). *Die Krankheit ist jetzt auf einer tieferen Ebene als die Urtinktur.* Jetzt ist *dasselbe Medikament in potenzierter Form* das Heilmittel, und zwar meist höher als die ganz niedrigen Potenzen – in der Regel mindestens die LM 6, oft sogar die LM 30.

D. Das potenzierte allopathische Medikament als Anfangsmittel

Hat der Patient schon länger eine allopathische Behandlung gegen seine Krankheit gemacht und ist der Fall dadurch verschleiert, so ist die Verordnung des potenzierten allopathischen Medikaments ein guter Ansatzpunkt. Dieses Vefahren kann uns Fehlschläge und Umwege ersparen. Auch wenn wir den Zustand, wie er vor dem Medikament war, erfassen können, wird das dazu passende Mittel oft nicht helfen – es ist nicht wirklich das Simillimum, zumindest nicht für den jetzigen Moment, da es nicht das Vordergründige abdeckt. Später könnte es gut in Frage kommen. Sollte genügend Zeit zwischen der allopathischen und der homöopathischen Mitteleinnahme liegen, könnte die Verschleierung bereits von alleine verschwunden sein. In diesem Fall beginnen wir gleich mit dem gut ausgewählten homöopathischen Mittel.

Müssen wir erst akute Zustände behandeln, so nehmen wir diesen Faden anschließend auf, sofern nach der akuten Behandlung nichts anderes ans Licht kommt. Wie gesagt, es geht hier nicht um eine Blockade, sondern um eine Verschleierung der Symptomatik durch die allopathischen Medikamente. Der Zustand ist nicht wirklich erkennbar. Spielt dabei mehr als ein Medikament eine Rolle, ist es ratsam, all diese Medikamente in potenzierter Form zu geben, außer wenn eindeutig zu erkennen ist, welches Medikament am ehesten für die Verschleierung verantwortlich ist.

Zusammenfassung Blockaden, Teil 2

Entblockierung der Impfungen

Impfungen sind eines der größten Probleme, wenn wir homöopathisch behandeln, da jede Impfung die Wirkung des Mittels blockiert, zumindest für eine gewisse Zeit (Stagnation der Behandlung). Die Entblockierung kann mit Hilfe des angezeigten Mittels vorgenommen werden, aber auch häufig durch den potenzierten Impfstoff.

Medikamente und Toxine

Hahnemann hielt die iatrogenen Krankheiten für unheilbar. Tiefwirkende Mittel können eine Heilung bewirken, aber man braucht in der Regel sehr hohe Potenzen (oft über LM 120 oder C 1000), um tiefgreifende Schäden bzw. Blockaden durch Medikamente beheben zu können. Jedes Mittel kann nur das entblockieren, was in seinem Wirkungsbereich liegt. Hahnemann ging auch viel später meist nicht über die C 30. Deswegen machte er bei Medikamentenkrankheiten und -blockaden wenig positive Erfahrungen. Viele wichtige Mittel waren zur Zeit Hahnemanns auch noch nicht geprüft und klinisch bestätigt worden. Schließlich war der bewußte Einsatz tautopathischer Medikamente zur Blockadebeseitigung eine spätere Ergänzung zur Homöopathie.

Isopathie und Tautopathie

Isopathie behandelt die Krankheit mit dem Krankheitsprodukt bzw. Erreger der Krankheit. Das Krankheitsprodukt enthält auch den Erreger. Der individuelle Ausdruck und Zustand der Krankheit sowie das Krankheitsstadium werden dabei nicht berücksichtigt. Bei Epidemien (besonders zu Hahnemanns Zeiten), als die Krankheiten sehr allgemein verliefen und nur bei wenigen Menschen individuelle Symptome entstanden, hat der isopathische Einsatz sehr große Erfolge gezeigt. Aber in solchen Fällen ist das isopathische Mittel das Simillimum. Bei Tieren ist die Wirkung des isopathischen Mittels noch sichtbar, da bei ihnen weniger individuelle Symptome vorkommen. Heutzutage ist die Wirkung oft wie von einem Simile, also geringfügig bzw. nicht tief genug oder gar nicht heilend.

Tautopathie ist die Behandlung der Nebenwirkungen, mit anderen Worten, der giftigen Wirkung einer Substanz und der dadurch entstandenen Blockade, mit derselben Substanz in potenzierter Form.

Wenn es eine große Ähnlichkeit zu den Symptomen des Patienten gibt – also wenn er eine Affinität zu dieser Substanz hat – wird es zum Simillimum für diesen Menschen.

Tautopathie ist sehr nützlich, wenn der Patient regelmäßig allopathische Medikamente oder Hormone einnimmt.

Potenzierte Hormone gehören zu der Gruppe von homöopathischen Mitteln, die *Sarkoden* genannt werden.

Potenzierte Medikamente habe ich für mich in eine neue Gruppe der homöopathischen Medikamente eingeordnet: Es sind Chemikalien bzw. künstlich hergestellte Substanzen, die in der Natur nicht vorkommen.

Speisen und Genußmittel

Sogar bei diesen Dingen ist die tautopathische Methode oft sehr hilfreich, besonders wenn es um ein Produkt einer bestimmten Marke geht und das Verlangen danach sehr ausgeprägt ist. Der potenzierte Genußartikel, besonders der speziellen Marke, bereinigt den Fall.

Das Medikament als Simillimum
In seltenen, außergewöhnlichen Fällen stellt sich das allopathische Medikament als homöopathisch passend heraus. Weil es das Simillimum in der Urtinktur ist, findet keine Unterdrückung statt. Dies Medikament wird später potenziert benötigt werden.

E. Hilfs- und Begleitmittel

Andere Gründe dafür, daß ein Mittel nicht oder nicht gut genug wirkt, sind manchmal etwas arbeitsintensiver herauszufinden, weil wir eine ganze Reihe von Möglichkeiten durchdenken und versuchen müssen, ein Gefühl für die Situation und eine Ahnung von deren Ursache zu bekommen. Wenngleich es eine wissenschaftliche Vorgehensweise gibt, der wir gewissenhaft folgen müssen, spielt auch der Instinkt eine bedeutende Rolle in diesem Prozeß. Auf den Instinkt zu hören bedeutet nicht, daß man launisch handelt, denn die Prinzipien und Regeln müssen stets beachtet werden. Der Instinkt kann uns aber die Richtung weisen. Es gibt immer einen Grund, warum wir einer bestimmten Spur folgen, und plötzlich bringt uns etwas, das der Patient sagt oder uns selbst auffällt, auf die richtige Idee.

Die Möglichkeiten, die wir in Betracht ziehen müssen, sehen folgendermaßen aus:

1. Einige Mittel haben eine Reihe von Salzen, wie Calcium oder Merkur. Die Salze einer Grundsubstanz haben eine enge Beziehung zueinander. Die Beziehung bei den Merkursalzen ist so eng, daß die Basis von Merkur vollständig auf seine Salze übertragen werden kann, wogegen bei Natrium die Beziehung weniger eng ist und nur die Übertragung von Allgemeinem möglich ist. Diese Unterschiede in der

Beziehung innerhalb der verschiedenen Salzgruppen habe ich in meiner langjährigen Praxis gut beobachten können. Jede der Salzgruppen hat ein Grundmittel als Basis, wie *Calcium carbonicum* bei den Calciumsalzen. Manchmal können wir bei einem Fall die Grundrichtung gut bestimmen, aber das Grundmittel, das gut zu passen scheint, hat keine Wirkung oder keine genügende. Hier paßt ein Salz des angezeigten Grundmittels besser, das wir bestimmen müssen. Dabei kommt uns oft unser Instinkt zu Hilfe. Mit der Zeit können wir aufgrund der Erfahrungen, die wir machen, gut die Anhaltspunkte für die Indikation eines passenden Salzes erkennen.

2. Manchmal wirkt ein Mittel nur für einen Teil des Zustandes gut. Das kann bedeuten, daß ein zweites Salz der Grundsubstanz für den anderen Teil der Symptomatik benötigt wird. Entweder braucht man beide Salze dann phasenweise abwechselnd oder parallel in einem bestimmten Turnus.

Das Verfahren der abwechselnden Mittelgabe besteht aus mehr als einer Gabe des ersten Mittels, bevor man mehrere Gaben des zweiten Mittels gibt. Dies kann in einem bestimmten Rhythmus von einem Tag, Stunden oder Wochen sein.

3. Ein Mittel wirkt gut, aber in Kombination mit einem zweiten noch besser, oder es wirkt nur in Kombination mit einem zweiten Mittel, also alleine gar nicht.

F. Keine oder nur eine oberflächliche Wirkung auf den zu behandelnden Zustand

Dies ist ein Punkt, den wir mit äußerster Sorgfalt betrachten sollten, da er nichts mit Blockaden zu tun hat, aber damit verwechselt werden könnte: Das Mittel hat keine oder nur eine oberflächliche Wirkung auf den tatsächlichen Zustand, obwohl es auf andere, vom Krankheitszustand unabhängige Symptome eine sehr gute Wirkung haben kann. Die Wirkung ist einfach unzulänglich für ein Simillimum.

Wir können mit vielen Mitteln eine positive Wirkung bei einem Menschen erzielen. Wenn aber die Symptome bzw. die Zustände des Patienten nicht berührt werden, d. h. genauso bleiben wie vorher, dann hat das Mittel keinen Bezug zu diesem Teil seiner Probleme, und es hat keinen Sinn, das Mittel für dieses Problem weiter zu geben. Hier meine ich nicht die gezielte Behandlung, bei der man von einem Mittel zum nächsten aufbaut, um schließlich beim dem tatsächlichen Zustand anzukommen, denn dies wäre ein gezieltes Arbeiten von den oberen Schichten zu den tieferen.

Die Suche nach dem Simillimum oder einem Blockademittel ist ein vielseitiges Thema und ein immerwährendes Lernen!

Kapitel 7
Reaktionslosigkeit

Grundsätzliches

Die Reaktionslosigkeit eines Organismus auf ein Mittel ist zu unterscheiden von einem nicht wirkenden Mittel und Blokkaden. Alle drei Situationen sehen von außen ähnlich aus, das scheinbar passende Mittel erzielt nicht die gewünschte oder gar keine Reaktion, und Blockaden und Reaktionslosigkeit können sogar denselben mitwirkenden Faktor als Basis haben. Der Vorgang im Organismus ist jedoch ein fundamental anderer, weswegen wir grundsätzlich verschiedene homöopathische Herangehensweisen brauchen.

Wenn das Mittel nicht wirkt (siehe Kapitel 4) gibt es keine Reaktion auf ein Mittel, weil die Potenz, Dosis, Wiederholung o. ä. nicht präzise genug bestimmt waren. Es ist eine Frage der Genauigkeit des Verordnens des Simillimum. Dasselbe Mittel würde wirken, wären diese Punkte richtig auf den Fall abgestimmt.

Bei den Blockaden (siehe Kapitel 5 und 6) haben wir theoretisch alles richtig abgestimmt, aber die Wirkung ist blockiert, und wir brauchen darum zuerst ein Mittel, das den Organismus entblockiert. Der Vorgang der Blockierung ist ein aktiver, d. h. ein oder mehrere äußere Faktoren oder Einflüsse erlauben dem Mittel nicht, zu wirken.

Bei der Reaktionslosigkeit haben wir ebenfalls das richtige Mittel, die richtige Potenz etc., aber der Körper kann aus sich heraus auf das Mittel nicht reagieren. Es ist somit ein passiver Vorgang. Es existiert eine Schwäche im Organismus, die es ihm unmöglich macht, die nötige Heilreaktion hervorzubringen. Es gibt keinen äußeren Einfluß, der den Prozeß blockiert. Also können wir sagen, daß wir bei einer Blockade einen aktiven heilungsverhindernden bzw. krankheitsverursachenden Faktor haben, während bei der Reaktionslosigkeit eine Passivität vorhanden ist.

Ein und dieselbe Substanz kann in einem Fall eine Blokkade verursachen, während sie in einem anderen den Körper reaktionsunfähig macht. Bei einer Blockade reagiert der Körper empfindlich auf eine Substanz oder er wird zunehmend empfindlicher, bis der Körper irgendwann so sensibel wird, daß die Substanz als Blockade fungiert. Bei der Reaktionslosigkeit wird der Körper unsensibler, d. h. er reagiert immer weniger empfindlich auf den Stimulus, bis er gar nicht mehr und somit auch nicht mehr auf homöopathische Mittel reagiert. Kaffee z. B. kann uns empfindlicher machen, so daß wir blockiert sind, oder er macht uns unempfindlich und somit reaktionslos. Über die Substanzen hinaus ist es erforderlich, Bereiche wie Lebensstil, Lebensumstände, Miasmen, Organschwäche usw. zu berücksichtigen, die alle zu den verschiedenen Formen von Reaktionslosigkeit führen können und die im weiteren Verlauf dieses Kapitels besprochen werden.

Eine Unempfindlichkeit wird oft von Substanzen verursacht, die wir mit Freude annehmen und gerne lustvoll genießen. Es entspricht generell der Natur des Menschen, mit seinem Genuß sorglos, überschwenglich und unbedacht umzugehen. Dadurch kommt es mit der Zeit zu einer Abstumpfung. Sollte der Mensch nicht aktiv etwas gegen die abstumpfende Einwirkung von Umständen oder die in gewisser Weise unmäßige Art zu leben unternehmen, wird er zwangsläufig unempfindlich werden. In der Regel nehmen wir es gar nicht wahr oder nur am Rande, weil wir auf der einen Seite abhängig von den Genüssen oder bestimmten Dingen sind und sie auf der anderen Seite für gut halten. Trotz einiger Unannehmlichkeiten sind wir damit im Großen und Ganzen zufrieden und glücklich. Die Notwendigkeit, etwas dagegen zu tun, wird nicht empfunden. Je mehr wir eine Situation tolerieren, desto mehr neigt sie natürlich dazu, sich zu verfestigen.

Der Großteil der Ursachen für die Abstumpfung, die zur Reaktionslosigkeit führt, ist in den Mittelbildern der chronischen *Polychreste* enthalten. Deswegen sind wir meistens mit dieser Problematik im normalen Verlauf der Behandlung nicht konfrontiert, da oft der angezeigte Polychrest die Reaktionslosigkeit abdeckt. Aus diesem Grund ist im Repertorium diese Rubrik so groß. Fast jedes tiefwirkende Mittel ist aufgeführt, aber wir bekommen keine Anhaltspunkte für die Wahl des Mittels. Wir müssen unser Allgemeinwissen über die Mittel benutzen, um sie an der richtigen Stelle als Reaktionsmittel einzusetzen. Sollten wir z. B. die für *Sulfur* typische ausschweifende Art und Redelust bei einem Menschen wahrnehmen und sehen, daß er sich in diesen Zustand absacken läßt, dann merken wir uns Sulfur. Sollte das ausgewählte Mittel für seinen Zustand wenig oder keine Wirkung haben, dann wird eine kurze Kur mit Sulfur diesen Menschen wieder reaktionsfähig machen.

Manchmal ist es nicht einfach zu bestimmen, ob jemand blockiert oder reaktionslos ist. Der Grundunterschied zwischen den beiden ist: *Bei einer Reaktionslosigkeit läßt sich der Mensch gehen.* Es gibt eine gewisse Gleichgültigkeit gegenüber dem Zustand. Es ist, wie schon gesagt, ein passiver Zustand. Bei einer Blockade findet ein Kampf statt im Menschen. Er kann gezwungen sein, mit dem Zustand zu leben, aber er toleriert ihn nicht. Es ist ein aktiver Zustand. Die Problematik finden wir mehr bei Menschen, die sehr bemüht sind, an sich zu arbeiten, zumindest wünschen sie es sich sehr. Aber jeder Mensch läßt sich in bestimmten Bereichen auch einmal gehen. Wird jeder Punkt für sich betrachtet, so kann der Zustand richtig beurteilt werden.

Die Behandlung von Reaktionslosigkeit und Blockaden unterscheidet sich grundsätzlich. Bei einer Blockade geben wir normalerweise die potenzierte Substanz, die für die Blockade verantwortlich ist. Bei einem Fall von Reaktionslosigkeit brauchen wir ein Mittel, das den Organismus zur Reaktion stimuliert. Wenn Kaffee z.B. den Zustand der Reaktionslosigkeit verursacht hat, wird potenzierter Kaffee (*Coffea*) nicht das Mittel sein, welches den Körper wieder aus diesem Zustand herausholt, sondern vielleicht *Nux vomica.*

Die Vorgehensweise

Das gewählte Mittel, um eine Reaktion zu stimulieren, wird in der Regel so lange gegeben, bis der Körper reagiert. Wir merken die Reaktion an der Besserung der Symptome, die uns zum Reaktionsmittel geführt haben. Der Alkoholiker beispielsweise, der sehr friert, traurig daheim sitzt und nicht motiviert ist, wird aktiv, freudiger und friert nicht mehr so sehr. Manchmal kann das Reaktionsmittel schon nach der ersten Gabe eine heftige Reaktion hervorrufen. Dann reicht diese eine Gabe aus. Nachdem die Reaktion abgeflaut ist, können wir in der Regel zum ursprünglichen Mittel zurückkehren, das vorher nicht gewirkt hatte, aber nur wenn nichts anderes dazwischenkommt. Durch die Reaktion auf das Stimulationsmittel kann jetzt auch ein anderes Mittel angezeigt sein.

Die homöopathische Literatur zu diesem Thema

Wie ich schon erwähnt habe, finden wir in Kents *Repertorium* unter der Rubrik „Reaktionsmangel, Reaktionslosigkeit“ eine große Anzahl von Mitteln, aber keine Unterrubriken, die darüber Aufschluß geben würden, welches Mittel angezeigt sein könnte. Die Liste als solche hat darum wenig Nutzen, da sie uns keine spezifischen Informationen gibt. Auch in der homöopathischen Literatur gibt es nur sehr wenig zu diesem Thema, so daß man sich fragt, wie diese Liste überhaupt entstanden ist.

Mir blieb also nichts anderes übrig, als von vorne anzufangen. Ich sammelte alle Informationen aus der Literatur, die ich zu dem Thema finden konnte, und ergänzte sie mit meinen eigenen Beobachtungen. Dabei kam ich zu dem Schluß, daß es verschiedene Arten der Reaktionslosigkeit gibt:

1. Die „allgemeine" oder „konstitutionelle" Reaktionslosigkeit, z.B. bei *Opium*

Ein Teil der Konstitution hat einen solchen Einfluß auf den Rest des Organismus, daß er seine Fähigkeit zu reagieren mehr und mehr beeinträchtigt.
Im Fall von Opium hat ein Ereignis im Leben den Menschen allgemein so unempfindlich gemacht, daß er für nichts mehr eine gesunde Reaktion aufbringen kann. Eine kritische Auseinandersetzung mit Situationen ist nicht mehr möglich.

2. Die „situative" Reaktionslosigkeit, z.B. bei *Arnica*

In diesem Fall führen uns die äußeren Umstände, die Situation oder die auslösende Ursache zu dem Mittel.
Ein Mensch ist schon angestrengt. Mit letzter Kraft springt er über eine Mauer. Jetzt kann er nicht mehr. Er will sich nur noch fallen lassen und von nichts mehr wissen. Ein Hund läuft auf ihn zu. Er reagiert nicht mehr. Dieser Zustand ist nicht mit Erschöpfung zu verwechseln. Ein anderes Beispiel: Ein Mensch durchquert ein extrem schwieriges Terrain stundenlang mit einem schweren Rücksack. Als er mit letzter Kraft den Treffpunkt erreicht, sieht er das Abholauto wegfahren. Völlig am Ende läßt

er sich auf den Boden fallen und den Regen oder Schnee regungslos auf sich prasseln.

3. Die „organbedingte" Reaktionslosigkeit z.B. bei *Carduus marianus*

Ein Organ ist so beschädigt, daß es zu einer allgemeinen Reaktionslosigkeit führt.
Durch die Grunderkrankung der Leber ist der Mensch reaktionslos geworden, was sich generalisierend auf andere Erkrankungen des Körpers auswirkt. Erst durch Carduus ist der Mensch in der Lage, heilsam zu reagieren.

4. Die „miasmatische" Reaktionslosigkeit z.B. bei *Psorinum*

Eines der Miasmen, z. B. die Psora, betäubt den ganzen Organismus und verursacht die Reaktionslosigkeit.

Eine Schwäche des Organismus, tritt aufgrund schwerer chronischer oder akuter Erkrankungen auf. Diese Schwäche führt zur besagten Reaktionslosigkeit. Hier brauchen wir Psorinum.

Die Grundstruktur der Punkte 1 bis 4 unterteilt sich wiederum in die *akute* und *chronische Reaktionslosigkeit* und die teilweise oder vollständige Reaktionslosigkeit (entsprechend der Unterscheidung bei den Blockaden). Bei der Teilreaktionslosigkeit reagiert der Mensch zwar auf das Mittel, aber ganz zögerlich. Der Heilungsvorgang kann sich nicht ganz vollziehen.

Das Thema ist ein sehr wenig erforschtes Gebiet, zu dem es zweifelsohne noch viel zu ergänzen gibt. Bei der Reaktionslosigkeit gibt es Zeichen und Symptome, die uns in die Richtung des passenden Mittels führen können. Manchmal gibt es genügend hinweisende Symptome. In anderen Fällen können wir nur aufgrund der Beschreibung des Lebensstils unserer Patienten auf das Reaktionsmittel schließen. Durch die Unterdrükkung von Krankheitssymptomen ist es einem Menschen z. B. möglich, seinen Lebensstil noch exzessiver zu führen oder erst jetzt diesen Lebensstil zu etablieren. Dies kann das einzige sein, um über das mögliche Mittel Aufschluß zu bekommen. Fallbeispiel 1 verdeutlicht dies.

Fallbeispiele

Fall 1

Ein Mensch ist überzeugt von seiner Handlungsweise, da er seine Vorhaben doch sehr effizient zum Abschluß bringen kann. Er achtet dabei wenig auf den Körper. Der Körper muß mitmachen. Die Schreie des Körpers werden als unwichtige Lappalien abgetan. Kleineren Schmerzen bzw. Verletzungen schenkt er gar keine Beachtung. Was macht er mit stärkeren Schmerzen? Schmerztablette und weiter! Bei diesem Menschen kann oft das angezeigte Mittel keine Wirkung haben. Eine Reaktionslosigkeit ist vorhanden. Sein Lebensstil deutet auf Arnica hin. Fangen wir gleich mit *Arnica* an, da wir öfters solche Menschen behandelt haben, geht es dem Menschen dadurch alsbald besser. Danach hat das „angezeigte Mittel" eine gute Wirkung. Sollten wir mit dem „angezeigten Mittel" beginnen, werden wir zwangsläufig im Falle eines Reaktionsmangels auf Arnica zurückgreifen müssen. Hier sehen wir, wie die Erfahrung sowie die entsprechenden Kenntnisse uns Umwege ersparen.

Fall 2

In einem Fall ging die Besserung immer nur schleppend voran. Nachdem die Ursache der Reaktionslosigkeit im Konsum von Süßigkeiten festgestellt wurde, bekam der Patient das entsprechende Reaktionsmittel. Der übermäßige Verzehr von Süßigkeiten produzierte immer eine starke Verspannung im linken Kopfbereich mit entsprechenden Schmerzen im linken Kiefer. Die Wahl des Mittels fiel deswegen auf *Ammonium carbonicum*. Das Mittel brachte die Kieferschmerzen schnellstens in Ordnung, und die vorher angezeigten Mittel wirkten danach viel besser. Die Reaktionslosigkeit war von einer chronischen Art, d. h., es kam immer wieder zu mehr Süßigkeitskonsum und zu den Folgesymptomen. Aber schon bevor die Symptome voll eintraten, ließ die Wirkung des verordneten Mittels nach. Jedes Mal brachte Ammonium carb. Bewegung in die Heilung. Mit der Zeit wurde die Reaktionslosigkeit immer weniger.

Fall 3

Bei diesem Fall wurde der Patient häufig bestrahlt. Kein Mittel wirkte so, wie man es sich vorstellte. Da der Patient ganz konfus im Kopf war und beim besten Willen kaum „Nahrhaftes" zu sich nehmen konnte, war das Mittel der Wahl *X-Ray*. Eine Kur mit diesem Mittel brachte nicht nur den Kopf in Ordnung, sondern auch einen gesunden Appetit auf nahrhafte Lebensmittel. Danach wirkten die angezeigten Mittel sehr zufriedenstellend.

Fall 4

In einem akuten Fall bewegte sich gar nichts durch den Einsatz der bestausgesuchten Mittel. Jetzt wurde die Vorgeschichte in Betracht gezogen: Das Kind mochte und aß nur fette, süße und gebratene Nahrung. Das war der Grund, um *Carbo vegetabilis* zu verordnen. Eine schnelle Besserung des Zustandes trat ein. Danach heilte das Folgemittel den Fall schnellstens aus.

Die bisherige Rubrik im Kentschen *Repertorium* sieht folgendermaßen aus und ist von wenig Nutzen, da es keine näheren Anhaltspunkte gibt, um das entsprechende Reaktionsmittel zu bestimmen.

Reaktionsmangel

Reaktionslosigkeit: Agar., *alum.*, **Ambr., Am-c.,** *anac.*, ant-c., Ant-t., arn., *ars.*, *ars-j.*, *asaf.*, *bar-c.*, bism., *brom.*, bry., **Calc.,** *calc-j.*, *calc-s.*, *camph.*, **Caps.,** *carb-an.*, **Carb-v.,** *cast.*, caust., cham., *chin.*, *cic.*, *cocc.*, coff., **Con.,** *cupr.*, *dulc.*, euph., *ferr.*, ferr-j., *fl-ac.*, **Gels.,** *graph.*, *guaj.*, **Hell., Hydr-ac.,** hyos., *ip.*, *jod.*, *kali-br.*, *kali-c.*, *kali-s.*, *lach.*, **Laur.,** *lyc.*, mag-c., mag-m., **Med.,** *merc.*, mez., *mosch.*, *mur-ac.*, nat-c., nat-m., nat-p., *nux-m.*, **Olnd., Op.,** petr., **Ph-ac.,** *phos.*, *plb.*, **Psor.,** *rhod.*, *sec.*, *seneg.*, *sep.*, spong., *stann.*, *stram.*, stront., **Sulf.,** *syph.*, **Tarant.,** *thuj.*, *valer.*, *verat.*, *verb.*, zinc.

Meine Erfahrungen mit den Reaktionsmitteln habe ich im *Praktischen Repertorium* wie folgt zusammengefaßt. Die Quellen und ebenfalls die Farbdifferenzierungen sind hier aus drucktechnischen Gründen weggelassen worden:

Reaktionsmangel, Zustände und Mittel

Abszessen, bei: Carb-v., chin.
akuter Erkrankung, nach
  Frieren, mit: Psor.
  lange, sehr lange Genesung: Cypr.
  Nerven, schwachen, mit: Scut.
akuten Fällen, bei
  Kälte, großer, mit: Camph.
  Kollaps, mit extremer (bei Säuglingsdurchfall): Coff.
  Malaria (Kaffeetrinkern, bei): Coff.
  reichhaltiges Essen, durch: Carb-v.
allgemeiner (unspezifische Symptomatik):
    Sep.

Anstrengung, körperliche, große, oder Verletzung: Arn.
Aromen, Parfüms, durch: Gels.
Bestrahlungen und Röntgenaufnahmen: X-Ray
Erschöpfung durch Strapazen des Lebens: Ars.
Faulheit, durch: Ped.
fetter, schwerer, jedoch vitalstoffarmer **Ernährung**, nach: Carb-v.
Fieber, exanthematösem, akutem, bei: Bry.
Herz, schwaches: Laur.
trauriges: Dig.
Kaffee, durch: Nux-v.
Kamillentee, durch: Valer.
Konstellation, schwere, und zu große Bemühungen; dadurch nur Energie fürs Notwendigste: Zinc.
Leber, apathische: Card-m.
empfindungslose: Chel.
Lunge, schwache: Seneg.
Lungenerkrankungen, akuten, bei oder nach: Ant-t.
Nervenenergie verbraucht; Belastung durch Führenwollen eines ordentlichen Geschäfts oder Haushalts und dadurch verbrauchte kreative Energien: Cast.
nervösen Menschen, bei: Ambr.
Opium und seine Alkaloide, durch: Nux-v.
Säfteverlust und Ausschweifung: Chin.
Schwäche durch Kampf gegen Tyrannei: Mosch.
Sepsis, bei oder nach: Pyrog.
Stimulanzienmißbrauch, um Freude zu spüren; schlaffes Gewebe, Frieren: Caps.

Süßes, durch: Am-c.
überempfindlich durch zu viele Medikamente, ob pflanzlich, schulmedizinisch oder homöopathisch: Teucr.
unempfindlich, spürt nichts; keine Art von Medikamenten hat eine Wirkung: Op.
venöse Diathese und zu viel Süßes: Am-c.
Vitalität, herabgesetzte, Erkrankungen, schwere, durch: Hippoz.

Kapitel 8

Restsymptome

Allgemeines

Der Begriff *Restsymptome* bezieht sich auf die Symptome oder Teile eines Zustandes, die übrigbleiben, nachdem sich der Allgemeinzustand verbessert hat und das Hauptproblem mehr oder weniger behoben ist. Hat der Patient das homöopathische Mittel eine Weile genommen und es ist keine weitere Besserung mehr zu sehen, auch nachdem die Potenz erhöht wurde (die Regel der Besserung verlangt mindestens den Versuch mit einer höheren Potenz), ist es an der Zeit, den Fall neu zu erfassen. Manche Symptome sind besser, manche sind behoben und andere vielleicht vollkommen unberührt von dem Mittel. Wieviel Zeit vergeht, bis wir an diesen Punkt kommen, kann sehr unterschiedlich sein. Auch wenn die Zeiträume in akuten und subakuten Fällen kürzer sind, wissen wir nie, ob dieses Szenario nach Tagen, Stunden oder nur Minuten eintreten wird. Es gibt Notfallsituationen, bei denen das Mittel innerhalb von Minuten mehrmals gegeben wurde und dann bereits ausgewirkt hat. Hier wird jedoch keine höhere Potenz gegeben, sondern gleich zum nächsten Mittel übergegangen. Während der langen Behandlung von chronischen Erkrankungen können verschiedene Zustände auftreten. Die Zeiträume, bis sich Restsymptome zeigen, können sehr groß sein.

Wir müssen die Entscheidung, ein Mittel abzusetzen, immer sehr genau abwägen, auch wenn seine Wirkung nach unserem Eindruck vollständig abgeschlossen ist, besonders wenn die höheren Potenzen auch keine weitere sichtbare Wirkung zeigen. Wie ich schon bei der Besserung deutlich dargestellt habe, bessern sich manche Symptome schneller als andere. Das Mittel, das wir verschrieben haben, deckt den behandelten Zustand vollständig ab. Aus diesem Grund erwarten wir vom Mittel auch die vollständige Beseitigung aller Symptome, zumindest in der Theorie. Das Leben und die Praxis lehren uns oft etwas anderes. Diese vollständige Beseitigung aller Symptome passiert sogar manchmal auch dann nicht, wenn das Mittel den Zustand sehr gut abdeckt. Es können Restzustände übrigbleiben, die einfach mit diesem Mittel nicht weichen, so daß ein zweites Mittel benötigt wird.

Noch viel höher sind die Erwartungen bei der sogenannten konstitutionellen Behandlung, bei der ein einziges Mittel alle Zustände und alle miasmatischen Belastungen in Ordnung bringen soll. Diese Art der Behandlung hat auch andere Lükken, z. B. lehnt sie die Möglichkeit des gleichzeitigen Vorhandenseins von mehr als einem Zustand ab.

Wir erleben immer wieder in der Praxis, daß tiefwirkende Mittel Symptome beseitigen, die vorher im Mittelbild nicht bekannt waren. Ferner können Reflex- bzw. Randsymptome durch das Mittel ebenfalls verschwinden, außer wenn eine zusätzliche anhaltende Ursache vorliegt. Aber in der Regel trägt ein einziges Mittel oft nur einen kleinen Teil zum gesamten Heilungsprozeß bei. Alle Erfahrungen und das gesamte Wissen der Homöopathie ist notwendig, um unseren Patienten nach Hahnemanns Aufforderungen helfen zu können.

⊙ Definition:

Hat ein Mittel seine Wirkung vollständig beendet, und es bleiben Symptome übrig, die zu dem ursprünglichen Zustand gehören, für den das Mittel gewählt worden war, sind das die ***Restsymptome.***

Der vorherige Absatz beschreibt die Möglichkeit, bei der das Mittel alle Symptome abdeckt. Die andere Möglichkeit ist, daß einige Symptome schon zu einem anderen Zustand (Mittel) gehören, der aber noch nicht im Vordergrund steht. In diesem Fall muß der erste Zustand vollständig ausgeheilt sein. Nun steht der dahinterliegende Zustand im vollen Umfang für sich da. Es gehört zu den Gesetzmäßigkeiten der Heilung, daß ein Zustand erst voll entwickelt, ungestört und deutlich dastehen muß, um richtig behandelt zu werden. Anderenfalls hat man schlechte, verwirrende oder verschleiernde Wirkungen (siehe Kapitel 4 „Das Mittel wirkt nicht – Der Zeitpunkt der Verabreichung"). Hier ist Geduld angesagt.

Im Wesentlichen gibt es zwei Arten von Restsymptomen:

1. Das Mittel hat keine weitere Wirkung, weil es keine Macht mehr über den Restzustand hat, d. h. die zurückgebliebenen Symptome werden nicht von dem Mittel abgedeckt, da sie sich außerhalb der Reichweite dieses Mittels befinden, was sich bei manchen Fällen erst später herausstellt.
2. Das Mittel ist eigentlich noch angezeigt (die Restsymptome gehören zum Mittelbild), aber es hat keine Wirkung mehr auf diese Symptome.

Die Reichweite eines Mittels

Im ersten Fall befinden sich die Restsymptome jenseits der *Reichweite* des Mittels. Die Idee der Reichweite eines Mittels, wie sie von Burnett formuliert wurde (*Die Heilbarkeit von Tumoren mit Arzneimitteln*), ist von höchster Wichtigkeit in der Homöopathie. Alle Mittel haben eine Reichweite in ihrer Wirkung, mit der wir im allgemeinen und auch im spezifischen bestens vertraut sein sollten. Die Reichweite hat mit der Dauer des Einsatzes des Mittels nichts zu tun, sondern sie bestimmt, wie weit ein Mittel einen Zustand heilen kann. Den Punkt, ab dem ein Mittel keine Wirkung mehr haben wird, nennt Burnett den „Wirkungsbereichsendpunkt" eines Mittels. Dort hört die Wirkung des Mittels auf. Dieser Gedanke könnte dazu verleiten, nur Mittel mit größerer Reichweite zu verschreiben. Wenn jedoch der Zustand eines Mittels mit geringerer Reichweite aktiv vorhanden ist, wird das tiefergehende Mittel keine Wirkung haben, bevor der vordergründige, aktive Zustand behandelt worden ist.

Die Reichweite eines Mittels besteht in seiner *Pathognomonie*, anders gesagt, darin, welche Art von pathologischer Wirkung das Mittel beinhaltet.

Ein Mittel kann eine sehr große Reichweite für einen bestimmten Zustand haben, jedoch kann seine allgemeine Wirkung eingeschränkt sein. Andererseits kann ein Mittel eine sehr große allgemeine Reichweite haben, die bei bestimmten Zuständen aber sehr eingeschränkt ist.

Belladonna z. B. hat eine kleine Reichweite, aber seine spezifische Wirkung auf den Hals ist stark. Es ist darum in der Lage, einen Krebs, der im Hals sitzt, zu heilen, wenn der Fall unkompliziert ist und der Lebensstil sowie die Lebenskraft des Patienten helfen, den Fortschritt der Krankheit zu stoppen und dem Körper die Umkehrung des Krankheitsprozesses zu erlauben. Belladonna kann aber die Krebsdiathese nicht heilen, es deckt lediglich die akute oder subakute Manifestation im Hals ab. *Belladonna* kann in diesem Fall die Krebsdiathese für den Rest des Lebens in einen Ruhezustand bringen. Aber dem Patienten verbleibt ein bedeutender Restzustand, der wie die sieben Achtel des Eisbergs größtenteils unsichtbar ist. Da Belladonna keine Wirkung auf diese sieben Achtel hat, kann der Krebs unter ungünstigen Umständen wieder voll ausbrechen. Dieses Mal wird Belladonna in jeglicher Potenz wirkungslos sein.

Belladonna als Krebsmittel im *Repertorium* aufzuführen, ist also irreführend. Ähnliches gilt für viele Mittel, die in dieser

Rubrik gelistet sind. Diese Mittel sollten auf die gleiche Weise wie Belladonna analysiert werden. Hier fangen wir an, die große Bedeutung von Hahnemanns Miasmentheorie zu sehen. Wir müssen tiefer gehen und nicht nur die Spitze des Eisberges behandeln, um den Patienten, wenn er dazu bereit ist, zu wahrer Heilung und einer höheren Ebene der Gesundheit zu verhelfen.

Wenn wir die Wirkungsreichweite der Mittel studieren, wissen wir, was wir von einem Mittel erwarten können und wann das nächste Mittel nötig sein wird. Das ist in Notfällen sehr wichtig, wenn wir keine Zeit haben, lange Überlegungen anzustellen. Wir müssen das nächste Mittel sofort erkennen, sobald die Wirkung des ersten Mittels zu Ende kommt. Die Kenntnisse der pathologischen Wirkung der Mittel sind unentbehrlich und bei Notfallsituationen können sie über Leben und Tod entscheiden.

Leider ist der Gedanke der konstitutionellen Behandlung sehr weit verbreitet: Es wird erwartet, daß das Konstitutionsmittel jeglichen Zustand heilen kann, der der Konstitution des Patienten entspricht, und daß man nur das eine richtige Mittel finden muß. Diese Methode ist jedoch unvollständig, wenn wir die Pathologie nicht voll mit einbeziehen. Die Diagnose ist nicht gleichzusetzen mit der speziellen pathologischen Situation in diesem Moment. Pathologien sollten als eine *Entwicklung* der Krankheiten aus der Sicht ihrer miasmatischen Ursprünge betrachtet werden. Wenn wir die *tatsächliche* Pathologie der Miasmen anschauen, würden wir *Aconit* nicht unter den antipsorischen Mitteln (nach Hahnemanns Definition) in den Repertorien einordnen. Natürlich kann man sagen, daß jeder Krankheitszustand ein Ausdruck der Miasmen ist, und so jedes Mittel mit ihnen in Verbindung bringen. Das wäre aber nicht korrekt, denn Hahnemanns antimiasmatische Behandlung bedeutet, in die *tieferen* Ebenen der Miasmen vorzudringen, wo tiefsitzende Ursachen beseitigt werden und Stabilität in die Gesundheit des Patienten gebracht werden kann.

Zusammenfasssung

- Wir decken Zustände in der Homöopathie ab und nicht Symptome.
- Wie weit ein Mittel einen Zustand abdeckt, hängt von seiner Reichweite ab.
- Was über das Wirkpunktende hinausgeht, bleibt als Restzustand übrig.
- Der Restzustand braucht ein Mittel, das ihn in seiner Reichweite abdeckt.

Die Vorgehensweise

1. Restzustand nicht im Mittelbild (außerhalb der Reichweite)

Der Restzustand kann aus körperlichen, geistigen, allgemeinen oder gemischten Symptomen bestehen. Für diese erste Art brauchen wir die verschiedenen Symptome nicht in der Reihenfolge ihrer Wichtigkeit zu kategorisieren, wie es sonst nach einer Fallaufnahme üblich ist. Wir wollen die tieferen Ebenen der Krankheit ergründen, und dafür suchen wir erst nach den Symptomen, welche die Pathologie des tieferliegenden Zustandes anzeigen. Mit anderen Worten: Es gilt, ein Mittel zu finden, das die Heilung auf einer tieferen Ebene fortführt.

Wenn wir nicht mit Sicherheit sagen können, welches Symptom den Grundzustand bestimmt, müssen wir uns auf die hervorstechenden Symptome konzentrieren. Ein Symptom, welches noch vollkommen unberührt bleibt, ist dabei wichtiger als eines, das schon um mehr als

50 Prozent besser wurde. In der Regel hängen die Restsymptome zusammen.

Sind die Symptome gemischt und ist der Grundzustand nicht definierbar, haben die geistigen und allgemeinen Symptome vor den körperlichen Priorität. Manchmal haben wir nur ein oder zwei Symptome als Anhaltspunkte. Wir können z.B. einen reinen Allgemeinzustand haben: Alle Symptome sind weg, aber dem Patienten ist immer noch kalt oder zu warm, er hat keinen Appetit oder fühlt sich noch schwach. Die Tatsache, daß er sich auch geistig noch nicht ganz fit fühlt oder es ihm körperlich noch etwas unwohl ist, wäre dann mehr oder weniger belanglos. Der Allgemeinzustand ist ausreichend, um das passende Mittel zu finden, und zwar auf der Basis der Mittelbilder und der Miasmen.

Ein einfaches Beispiel verdeutlicht diesen Punkt: Ein akuter Fall von *Bryonia* mit Fieber, Husten, Schmerzen usw. ist von all diesen Symptomen durch Bryonia befreit. Der Patient friert nicht mehr, fühlt sich jedoch noch schwach und möchte nicht aufstehen oder arbeiten. Diese Restsymptome verlangen Sulfur, womit der Patient in kürzester Zeit wieder voll am Leben teilnehmen wird.

2. Restzustand im Mittelbild

Für die zweite Art von Restsymptomen (wenn der Restzustand noch im Mittelbild enthalten ist, sich aber nicht mehr verändert) brauchen wir eine andere Vorgehensweise. Nachdem wir uns davon überzeugt haben, daß der Zustand nicht nur in der Reichweite des Mittels liegt, sondern auch in seiner Totalität dazugehört, stellen wir wie im ersten Fall fest, ob es sich um einen körperlichen, geistig/allgemeinen oder gemischten Zustand handelt. Doch hier bleiben wir erst einmal beim selben Mittel.

Bei rein *körperlichen Symptomen* sollten wir das Mittel, wie Hahnemann es uns gelehrt hat, nicht nur öfters geben, sondern auch die Dosis und Dosierung erhöhen. Wenn dies alleine nicht ausreicht, um eine weitergehende Wirkung zu erzielen, kann die Potenz ebenfalls erhöht werden.

Aber es gibt noch eine andere Methode für solche Fälle. Sie besteht darin, *das Mittel in ganz niedriger Potenz zu geben.* Das erste Mal erfuhr ich von dieser Methode in Clarkes *Materia medica*, jedoch werden auch an anderen Stellen in der homöopathischen Literatur solche Fälle beschrieben. Diese Methode hat ihren speziellen Nutzen und kann in bestimmten Fällen sehr effektiv sein. Sie scheint jedoch nur dann zu funktionieren, wenn das Mittel dafür bekannt ist, in sehr niedrigen Potenzen für diesen Zustand deutlich heilsam zu wirken. Nosoden sind dafür natürlich nicht besonders geeignet. In einem Fall hatte ich mit *Arsen LM 6* gute Erfolge bei meinem Patienten, aber die Magensymptome wollten einfach nicht weggehen. Als ich *Arsen D 6* gab, kamen auch diese in Ordnung.

Wenn wir nur noch *Allgemeinsymptome* haben und besonders wenn sie nur aus *geistigen* bestehen, dann sollten wir in der Regel zu den *hohen oder sogar sehr hohen Potenzen* greifen und können gleichzeitig auch die Dosis und die Häufigkeit der Gaben erhöhen. Natürlich ist auch dies eine Regel mit Ausnahmen. Es gibt auch Mittel, die in sehr niedrigen Potenzen gut helfen, wie z. B. *Belladonna, Stramonium, Hyoscyamus, Kalium phos.*

Helfen diese Vorgehensweisen nicht, liegt der Zustand doch außerhalb der Reichweite des Mittels, und wir müssen ihn neu definieren. Hier gibt es wiederum zwei Möglichkeiten: Entweder wir finden ein Komplementärmittel (Ergänzungsmittel) oder ein antimiasmatisches Mittel, welches in diesem Fall häufig eine Nosode ist.

Kapitel 9
Scheinverschlimmerung

Exkurs: Das Problem der fehlenden einheitlichen Definitionen in der Homöopathie

Jede Reaktion hat ihre Bedeutung und verlangt vom Behandler die entsprechende Antwort, die zur Heilung führen wird. Aus diesem Grund muß jede Reaktion richtig klassifiziert und kategorisiert werden. Die Voraussetzung dafür ist die klare und ausführliche Definition der *Reaktionen und Begriffe*. Hahnemann hat bereits manche Begriffe klar im *Organon* beschrieben und einige der Reaktionen in den *Chronischen Krankheiten* dargestellt. Doch was in der gesamten homöopathischen Literatur noch fehlt, sind kurze, klare und präzise Definitionen aller Phänomene der Homöopathie, sozusagen ein homöopathisches Lexikon mit einheitlichen Definitionen. Es existiert sehr viel Unklarheit und Verwirrung in bezug auf diese Dinge. Die Beobachtungen (z. B. der Reaktionen) werden zwar in der Literatur beschrieben, aber selten definiert. Oft kommen verschiedene Begriffe und Phänomene wild durcheinander vor, so daß man sie selbst auseinandersortieren muß. Alle Beobachtungen müssen unverwechselbar dargestellt werden, um eine grundlegende Basis zu schaffen.

Als ich 1979 mein erstes Buch, *Elemente der Homöopathie*, in Zusammenarbeit mit Karl Heinz Lachowski schrieb, wurde mir die Größe dieses Problems bewußt: Verschiedene Autoren hatten ein unterschiedliches Verständnis von den Begriffen. In der Geschichte der Homöopathie fanden wichtige Entwicklungen mal im deutschsprachigen, mal im englischsprachigen Raum statt und bauten dabei aufeinander auf, so daß sich zusätzlich beim Übersetzen viele Fehler einschlichen. Durch das Hin und

Her-Übersetzen breiteten sich auch im ursprünglichen Sprachraum Mißverständnisse aus.

Der englische Begriff *keynote symptom* wurde z.B. im Deutschen als „Schlüsselsymptom“ übersetzt. Das englische Wort *keynote* kommt aus der Musik und bedeutet wörtlich „Grundton“. Das würde auf Deutsch keinen Sinn ergeben, aber das Wort einfach nur mit *Schlüssel* zu übersetzen, ist auch nicht korrekt. Folglich gibt es eine Vielzahl von Begriffen, die hierfür verwendet wurden (auf Englisch immer noch): Nachdem der Begriff „Schlüsselsymptom“ von Lachowski und mir in Frage gestellt wurde, wird er heute mit Leitsymptom übersetzt. Aber auch die Begriffe *Leaders und Guiding Symptoms* werden als Leitsymptome übersetzt. H. C. Allen nannte sein Buch *Keynotes and Characteristics of the Materia Medica.* Auf Deutsch wurden beide Wörter mit dem Begriff „Leitsymptome“ übersetzt, obwohl das Wort „Charakteristika“ in der Homöopathie viel benutzt wird. Diese Vereinfachung würde z. B. bedeuten, daß Charakteristika und Leitsymptome das Gleiche sind, ebenso wie *keynotes*, werden sie als Leitsymptome bezeichnet. Josef Attomyr (ein Zeitgenosse Hahnemanns) definierte seinerzeit den Begriff „Charakteristik“ als „genau nur zu einem Mittel gehörend“.

Seit dem Schreiben dieses ersten Buches habe ich für mich jeden einzelnen dieser homöopathischen Begriffe auf der Basis der Altmeister definiert. Oft mußte ich neue Begriffe kreieren, um Reaktionen genauer zu definieren, die zwar in der Literatur beschrieben und diskutiert wurden, aber nicht genau festgelegt waren, und ebenso für die Reaktionen, die ich aus meinen Beobachtungen heraus zu den schon beschriebenen hinzufügte.

Wodurch entsteht eine Scheinverschlimmerung?

Scheinverschlimmerungen entstehen durch eine überempfindliche Reaktion des Organismus. Hier gibt es keine Verschlimmerung der Symptome, für die das Mittel gegeben wurde (Ausnahmen werden unten besprochen), weswegen es keine echte homöopathische Verschlimmerung ist. Wird das Mittel abgesetzt, tritt keine Besserung des zu behandelten Krankheitszustandes mehr ein.

⊙ Definition:
Eine **Scheinverschlimmerung** ist das Resultat der Überempfindlichkeit des Patienten, wobei das Mittel nicht abgesetzt zu werden braucht. Sollte das Mittel doch abgesetzt werden, geht es dem Patienten dadurch nicht besser, wie man es bei einer tatsächlichen Verschlimmerung erwartet. Es muß nur eine Änderung in der Art der Verabreichung des Mittels vorgenommen werden, um die optimale Wirkung zu erlangen.

Die Handhabung der Scheinverschlimmerung

Zum besseren Verständnis habe ich die *Scheinverschlimmerung* in drei Kategorien unterteilt. Zwei davon sind aufgrund meiner Beobachtungen und Recherchen neu hinzu gekommen. Ich nenne sie *Mittelreaktion* und *Prüfungsreaktion.*

1. **Mittelreaktion**
2. **Prüfungsreaktion**
3. **Überreaktion**

Alle drei Arten der Scheinverschlimmerung treten bei sehr empfindlichen Menschen auf, die hypersensibel auf die kleinsten Veränderungen in ihrem Leben reagieren. Die meisten Menschen können die Wirkung einer Substanz innerhalb eines gewissen Rahmens ausgleichen, d. h., es macht ihnen nichts aus, wenn etwas zu viel oder etwas zu wenig gegeben wird. Eine Spannweite von zwei bis fünf Tropfen eines Mittels macht z.B. nicht viel Unterschied. Ein sehr empfindlicher Mensch wird aber nur eine sehr präzise abgestimmte Dosis vertragen, um sein Gleichgewicht zu bewahren. Schon die kleinste Abweichung kann er nicht ausgleichen.

1. Die Mittelreaktion

Bei einer Mittelreaktion ist die grundlegende Wirkung des Mittels positiv. Dem Patienten geht es gut, das Mittel paßt und die Heilung schreitet voran. Aber jedes Mal, wenn der Patient das Mittel einnimmt, ist es wie ein Schlag für ihn. Es geht ihm zuerst eine kurze Zeit schlechter, er kann das jedoch nicht genau beschreiben. *Keines seiner Symptome wird schlechter*, er fühlt sich einfach undefinierbar nicht gut. Er kann das Gefühl haben, daß die Symptome schlimmer sind, aber wenn man genau nachfragt, dann kann er es nicht wirklich bestätigen. Nachdem die Zeit des Unwohlseins vorüber ist, fühlt er sich von seinen Symptomen her besser. Meist dauert dieses Unwohlsein nur ein paar Minuten, manchmal auch länger, auch bis zu ein paar Stunden.

> ⊙ Definition:
> Die **Mittelreaktion** ist ein kurzzeitiges Unwohlsein direkt nach der Einnahme des Mittels mit anschließender fortschreitender Besserung.

2. Die Prüfungsreaktion

Wie im vorigen Fall geht es dem Patienten grundlegend gut und der Heilungsprozeß schreitet voran. Der Patient fängt aber

an, Symptome des verabreichten Mittels zu entwickeln. Diese können jedes Mal nach der Einnahme des Mittels auftreten und wieder verschwinden oder sie bleiben da und begleiten den Patienten die ganze Zeit.
Der Unterschied zwischen der Prüfungsreaktion und der Prüfung ist: In einer Prüfung findet keine Besserung statt, wogegen bei der Prüfungsreaktion eine deutliche Besserung des Zustandes eintritt.

⊙ Definition:
Die **Prüfungsreaktion** ist das Entstehen von Prüfungssymptomen durch die Einnahme des Mittels mit gleichzeitiger Besserung des behandelten Zustandes.

3. Die Überreaktion

Dies ist die wahre Scheinverschlimmerung. Die Symptome, die momentan behandelt werden, verschlimmern sich kurzzeitig, aber wenn das Mittel abgesetzt wird, tritt keine Besserung ein. Aber allgemein geht es dem Patienten mit dem Mittel gut und insgesamt verbessert sich sein Zustand. Die Gesamtwirkung ist deswegen positiv, weil es dem Patienten nach der Scheinverschlimmerung auf jeden Fall besser geht, aber auch in der Zeit der verstärkten Symptome hat er ein positives Gefühl. Doch jedes Mal, wenn er das Mittel nimmt, verschlimmern sich seine Symptome für kurze Zeit. Diese kurze sogenannte Überreaktion kann ein oder alle Symptome betreffen. Sie unterscheidet sich von der Verschlimmerung, weil sich der Gesamtzustand *nach der kurzen Verstärkung der Symptome* während der weiteren Einnahme des Mittels stetig verbessert, d. h. *also auch der Symptome, die verstärkt wurden.* Im Gegensatz dazu verstärken sich bei einer Verschlimmerung die Symptome durch die weitere Einnahme noch mehr. Die Scheinverschlimmerung dauert unterschiedlich lang, von ein paar Minuten bis zu ein paar Stunden oder sogar noch länger. Ist man sich nicht sicher, ob es eine Überreaktion ist, kann man das Mittel absetzen. Sollte es sich um eine Überreaktion handeln, wird es dem Patienten sofort schlecht gehen. Wird das Mittel nicht gleich wieder eingesetzt, gäbe es keine weitere Besserung. Es kann sogar der bisher erreichte Erfolg verloren gehen.

⊙ Definition:
Die Überreaktion ist die kurzzeitige Verschlimmerung manche der behandelten Symptome mit fortschreitender Besserung.

Die Überreaktion und die Mittelreaktion fangen sofort nach der ersten Gabe des Mittels an. Die Prüfungsreaktion kann jederzeit, also auch zu einem späteren Zeitpunkt beginnen. In allen drei Fällen sind die Dauer und Intensität einer empfindlichen Reaktion sowie die Anzahl der sich zeigenden Symptome sehr individuell.

Die Mittel, auf die der Patienten überempfindlich reagiert, sind spezifisch für ihn. Diese überempfindliche Reaktion findet meist nur bei wenigen Mitteln statt. Es gibt auch sehr empfindliche Menschen, die auf alle Mittel überreagieren, aber auf manche besonders stark.

Es ist offensichtlich, wie schädlich es für einen Fall sein kann, wenn man mit diesen Reaktionen nicht vertraut ist. Die gute Arbeit bei der Suche nach dem richtigen Mittel wird zunichte gemacht, wenn diese feinen Punkte der Scheinverschlimmerung nicht bekannt sind.

Der Umgang mit der Scheinverschlimmerung

Alle drei Reaktionen werden auf die gleiche Weise behandelt. Die Ausdrucksweise ist zwar von Fall zu Fall unterschiedlich, aber die erhöhte Empfindlichkeit ist die gleiche. In allen drei Fällen wissen wir, daß das Mittel das richtige ist, weil eine Besserung stattfindet. Die Potenz ist korrekt, denn wenn sie zu hoch wäre, hätten wir eine echte homöopathische Verschlimmerung.

Wir gehen mit der Scheinverschlimmerung wie folgt um:

1. Das Mittel wird weiter gegeben.
2. Die Potenz bleibt auch unverändert.
3. Die Dosis des Mittels wird reduziert.
4. Eventuell wird der Abstand zwischen den Wiederholungen vergrößert.

Die Methoden der Verdünnung

Die Methode, die Dosis zu reduzieren oder zu verdünnen, ist nicht neu und stammt von Hahnemann. Erst reduziert man die Anzahl der Tropfen oder Globuli, bis man bei einem Tropfen bzw. Globulus angelangt ist. Da es unpraktisch ist, einen Tropfen bzw. Globulus zu halbieren, verdünnt man nun nach folgender Methode:

1. Die Wasserglasmethode:
Nehmen Sie ein Glas (ca. 1/4 Liter) Wasser und geben Sie die verschriebene Tropfen- oder Globuli-Anzahl des Mittels hinein. Rühren Sie mit einem Löffel so lange um, bis

die Globuli sich aufgelöst haben oder die Lösung nach Ihrem Empfinden homogen ist. Anschließend nehmen Sie einen Schluck oder einen Teelöffel der Lösung zu sich. Die Dosierung kann auch geringer sein, bis zu ein paar Tropfen. Dies stellt eine Gabe dar. Jede weitere Dosis muß auf die gleiche Art zubereitet und eingenommen werden. Es ist auch möglich, aus der einmalig gemachten Verdünnung weitere Gaben zu entnehmen. Dann muß sie aber konserviert und jedes Mal erneut kräftig umgerührt werden (als ob man ein Ei schlägt). Wir nehmen mehr als die verschriebene Tropfenmenge oder Globuli-Anzahl, wenn wir eine größere Dosis, und umgekehrt weniger, wenn wir eine kleinere Dosis haben wollen (siehe Kapitel 4).

2. Die Riechmethode:
Hahnemann wandte diese Methode in seinem späteren Leben bei empfindlichen Menschen an, besonders wenn geistige Symptome im Vordergrund standen. Hierbei ließ er den Patienten am offenen Mittelfläschchen riechen, – erst durch ein Nasenloch, dann durch das andere. Wenn die Wirkung auch dann noch zu stark ist, kann man nach Methode 1 verdünnen und nur die Energie einatmen, indem man einen Finger mit der „Lösung“ benetzt und daran riecht. Dies mag manchen Therapeuten vielleicht absurd erscheinen, aber homöopathische Mittel bestehen vornehmlich aus Energie, und es gibt tatsächlich Menschen, die so sensibel auf ein Mittel reagieren, daß diese Methode nötig ist. Sollte das Verdünnen in einem Glas Wasser und daran riechen immer noch zu stark sein, kann man die Wegschüttmethode benutzen.

3. Die Wegschüttmethode:
Wie bei der Wasserglasmethode werden auf 1/4 l Wasser ca. 3 Tropfen gegeben. Nachdem das Wasser mit dem

Mittel umgerührt wurde, wird es ausgeschüttet. Nun wird das Glas erneut mit Wasser (nur Wasser!) aufgefüllt und umgerührt. Von diesem „zweiten Glas“ kann nun nach Bedarf das Mittel eingenommen werden: ein Löffel, ein paar Tropfen, wie auch immer. Das ist das erste Wegschütten. Wir können diesen Prozeß nach Bedarf fortsetzen, indem wir wieder alles wegschütten, mit Wasser auffüllen, umrühren usw. Für manche ist es schwer zu verstehen, daß das Mittel nur einmal am Anfang dazugegeben wurde und der Rest Verdünnung ist. Aber das ist genau das, was wir machen. Wie bei der Potenzierung eines Mittels sind die Tropfen, die im Glas hängen bleiben, genug für die jeweils nächste „Lösung“.

Die Empfindlichkeit der Menschen auf ein homöopathisches Mittel kann sehr unterschiedlich sein. Für manche ist ein einmaliges Wegschütten kaum genug. Die empfindliche Reaktion reduziert sich, aber sie verschwindet nicht. Also müssen wir weiter verdünnen, bis alle „Nebeneffekte“ aufhören. In der Regel genügt es bei den meisten Menschen ein- bis dreimal auf diese Art und Weise zu verdünnen, damit die Scheinverschlimmerung aufhört. Aber ebenso gibt es Menschen, die siebenmal verdünnen müssen, bis die übersensible Reaktion aufhört.

Die Richtlinie, um das Maß der nötigen Verdünnung und den Abstand der Wiederholungen zu erwägen, liegt in der Intensität und Dauer der Reaktion.

Je intensiver die Reaktion war, umso mehr Verdünnung ist nötig. Je länger die Reaktion andauerte, umso länger sollte das Intervall zwischen den Wiederholungen sein.

Aber zuerst einmal müssen wir verdünnen, bevor wir uns über die Wiederholung Gedanken machen. In der Regel reicht das Verdünnen aus, um das Problem zu beheben.

Zusammenfassung

1. Die Scheinverschlimmerung tritt als Reaktion auf das Simillimum auf.
2. Die Heilwirkung ist unbeeinträchtigt.
3. Die empfindlichen Nebenreaktionen verschwinden, wenn das Mittel entsprechend verdünnt wird.
4. Unser Ziel ist es, die optimale Verdünnung und Wiederholung zu finden, um das Mittel weiter geben zu können, ohne daß der überempfindliche Organismus zu stark darauf reagiert.

Kapitel 10
Verschlechterung und Prüfung

Ist ein Begriff klar definiert, sollte er nicht mit anderen verwechselt werden. Trotzdem werden die Begriffe *Verschlimmerung*, *Verschlechterung* und *Prüfung* oft ohne groß zu unterscheiden verwendet, wenn es dem Patienten nach einem Mittel nicht gut geht. In der Umgangssprache sind die Wörter *Verschlimmerung* und *Verschlechterung* gleichbedeutend. Das ist in der Homöopathie jedoch nicht der Fall! Um solchen Reaktionen gerecht zu werden, müssen die Begriffe *Verschlimmerung*, *Verschlechterung* und *Prüfung* genauestens verstanden und auseinandergehalten werden.

Schauen wir uns noch einmal die Definition für die Verschlimmerung an: Bei einer Verschlimmerung *werden die Symptome, für die das Mittel gegeben* wurde, *intensiviert*. Nichts weiter!

Verschlechterung

Bei einer Verschlechterung wird *der Zustand des Patienten schlechter*. Wenn wir eine Krankheit nicht behandeln, dann wird sie, zumindest in chronischen Fällen, stetig voranschreiten. Akute Krankheiten tun das auch, aber bei ihnen gibt es einen natürlichen Umkehrpunkt; die Krankheit erreicht einen Höhepunkt und geht dann wieder zurück. In Ausnahmefällen kann eine akute Krankheit auch eine Weile in einem Stadium stillstehen oder subakut werden. Wird das Simillimum gegeben, sollte es auf jeden Fall den Krankheitsprozeß verkürzen und seine Intensität mildern.

Statt einer positiven Reaktion kann das vermeintliche Simillimum jedoch auch eine gegensätzliche Reaktion haben und den Zustand verschlechtern. Das heißt, *die Krankheit schreitet schneller als bisher fort.* Das Mittel war also nicht richtig. Um dies beurteilen zu können, brauchen wir gute pathologische Kenntnisse. Normalerweise hat ein Mittel, welches nicht paßt, bei einem stabileren Menschen keine Wirkung, weder positiv noch negativ, außer es wird zu lange gegeben. Für kurze Zeit gegeben, wird es im Normalfall keine negative Reaktion auslösen. Der Organismus kann das Mittel ohne Probleme neutralisieren.

Ist das Mittel jedoch dem allgemeinen Zustand des Menschen zu ähnlich, paßt aber nicht zum Stadium der Pathologie, wird es eine Verschlechterung geben. Es sind also zwei Voraussetzungen für eine Verschlechterung notwendig. Sollte die Potenz auch noch sehr hoch sein, haben wir einen zusätzlichen Faktor, der sehr gravierende Auswirkungen haben kann. Darum ist es wichtig, während der Fallaufnahme den Fortschritt der Krankheit zu notieren, um eine Ahnung davon zu erlangen, wie sie sich weiterentwickeln wird. Wenn die Krankheit nach der Einnahme des Mittels in der gleichen Geschwindigkeit wie vorher voranschreitet, dann ist es keine Verschlechterung. Das Kriterium für die Verschlechterung ist *die Beschleunigung des Krankheitsprozesses nach der Mittelgabe.*

Unser Ziel ist sicherzustellen, daß nach dem Verordnen eines Mittels die Besserung eintritt. Passiert das nicht, ist es nicht das passende Mittel für den Moment. Wir sollten so geübt sein, daß bei schweren Zuständen und Notfällen Verschlechterungen, Verschlimmerungen und Besserungen sofort erkannt und unterschieden werden.

Vergleich: Besserung, Verschlimmerung und Verschlechterung

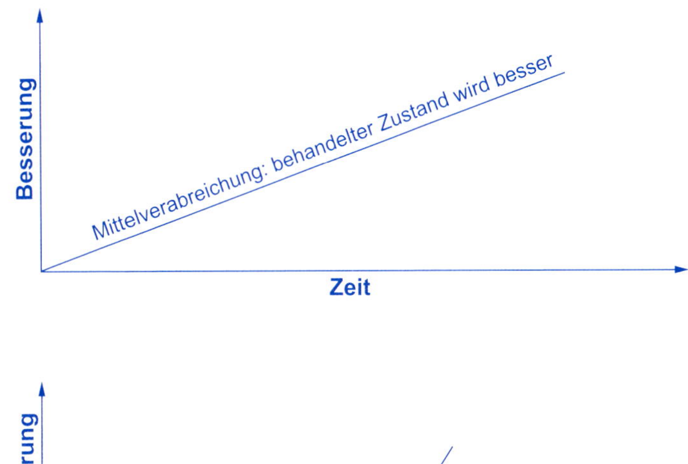

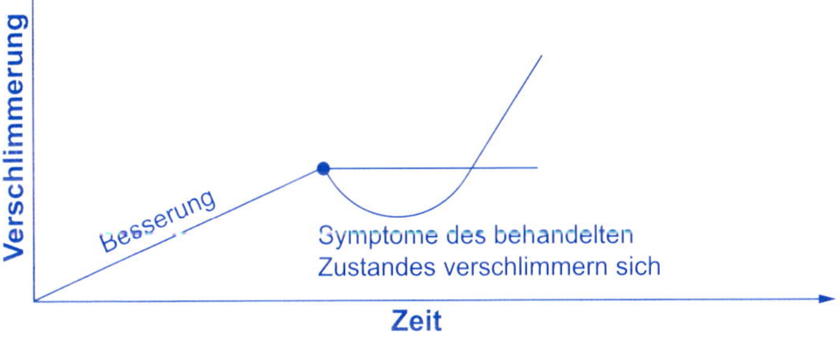

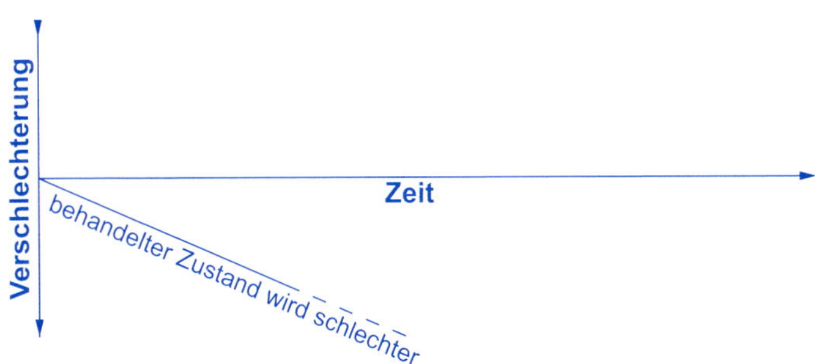

⊙ Definition:
Eine **homöopathische Verschlechterung** ist ein Schlechterwerden des Krankheitszustandes. *Der Krankheitsprozeß wird durch das homöopathische Mittel deutlich beschleunigt.*

In den meisten Fällen ist die Verschlechterung offensichtlich, weil es dem Patienten bald nach der Einnahme des Mittels deutlich schlechter geht. Er kann auch in das nächste Stadium der Krankheit katapultiert werden.

Ein Mittel, welches eine Verschlechterung auslöst, paßt nicht zur Pathologie dieses Stadiums und auch nicht zum vorherigen Stadium. Das Mittel hätte womöglich früher hilfreich sein können. Sicher sind allgemeine und geistige Symptome von diesem Mittel vorhanden.

Eine Verschlechterung kann auf jeder Ebene stattfinden, der geistigen, allgemeinen oder körperlichen, aber auch auf zwei oder drei Ebenen gleichzeitig.

Eine Verschlechterung ist bei kritischen Krankheiten äußerst gefährlich und bei schweren Krankheiten kann es sogar ein Kampf auf Leben und Tod werden. In solch einer Situation ist das ganze Können des Heilers gefordert, um den Körper wieder ins Gleichgewicht zu bringen.

In der Literatur sind Todesfälle durch homöopathische Mittel aufgeführt (z.B. Kents *Kleine Schriften*). Sollte der Patient nach der Einnahme des Konstitutionsmittels, des vermeintlichen Simillimum, sterben, handelt es sich in Wirklichkeit um eine Verschlechterung. Das Mittel ist eindeutig falsch, denn es ist auf der Basis der Konstitutionstherapie ausgewählt worden und nicht nach dem Ähnlichkeitsgesetz.

Oft werden diese Fälle als Verschlimmerung fehlinterpretiert, indem der Behandler annimmt, daß der Patient nicht mehr die Kraft hatte, sich von der vermeintlichen Heilreaktion zu erholen, und daraufhin stirbt. Solche Fälle werden als unheilbar abgestempelt. Das sind sie jedoch nicht!

Kent stellt sich in seinen *Kleinen Schriften* die Frage: Wenn das „Simillimum" den Patienten tötet, war es dann wirklich das „Simillimum"? Kent erlebte selbst in seiner Praxis auch das Sterben von Patienten durch sein „Simillimum". Er war jedoch überzeugt von der Richtigkeit der konstitutionellen Behandlung und sogar mit sehr hohen Potenzen. Dieses Verfahren erfaßt den Menschen mit seinen wichtigsten Symptomen unter dem Überbegriff der Konstitution, und zwar in der Wichtigkeit nach der Reihenfolge Geist, Allgemeines und Körper. Die Konstitutionsbehandlung mit dem sogenannten Simillimum erfaßt jedoch nicht die Krankheit – höchstens rein zufällig. Hahnemann fordert in § 3 jedoch explizit dazu auf, die Krankheit und nicht die Konstitution zu erfassen.

§ 3 „Sieht der Arzt deutlich ein, was an Krankheiten, das ist, was an jedem einzelnen Krankheitsfalle insbesondere zu heilen ist (Krankheits-Erkenntniß, Indikation), ... so versteht er zweckmäßig und gründlich zu handeln und ist ein ächter Heilkünstler."

Krankheiten bestehen aus Stadien und jedes Stadium einer Krankheit erfordert seine Gruppe von Mitteln, und nur diese können auf die Krankheit in diesem Stadium heilsam wirken. Welch eine große Gefahr das Konstitutionsmittel bei schweren, fortgeschritten Krankheiten in sich birgt, besonders wenn der Patient zusätzlich eine geschwächte Vitalität und Lebenskraft hat, wird in homöopathischen Zeitschriften deutlich warnend dargestellt. Das Konstitutionsmittel ist hier das vermeintliche Simillimum. Wir können uns sicher sein, daß das echte Simillimum niemals töten wird, sondern heilt. Selbstverständlich gibt es unheilbare Zustände. Das Kriterium für die Unheilbarkeit ist jedoch nicht das Stadium der Krankheit, sondern die Reaktion auf das am besten passende Mittel. In unheilbaren Fällen tun die Mittel gut, aber die Heilwirkung hält nicht an (siehe Kapitel 1 „Besserung“, letzter Abschnitt, „Linderung“).

Dazu ein Beispiel:
Ein sehr vitaler und kräftiger Phosphor-Typ erkrankte an Krebs. Sein Konstitutionsmittel Phosphor half ihm in einer mittleren Potenz über ein Jahr insofern, als daß es ihm allgemein gut tat, doch es konnte das Fortschreiten des bösartigen Tumorwachstums nicht stoppen. Für diese Pathologie hätte er ein ähnlicheres Mittel gebraucht. Das ist Hahnemanns Forderung im Organon § 3.

Dann wechselte der Patient seinen Homöopathen. Jetzt wurde nach dem Stadium der Krankheit behandelt und damit konnte der Fortschritt der Krankheit bald gestoppt und sogar in Richtung Heilung gelenkt werden.

Kent hat mit seiner Philosophie einen Teil der homöopathischen Welt geprägt. Hat er aber die Homöopathie Hahnemanns gelehrt? Seine zwölf Reaktionen in seinem Buch „Zur Theorie der Homöopathie“ entsprechen meines Erachtens der Homöopathie Hahnemanns nicht.
Wir sollten vorsichtig sein, jemanden als unheilbar abzustempeln. Schlechte Reaktionen auf das vermeintliche Simillimum/Konstitutionsmittel dürfen nicht auf Kosten des Patienten hingenommen werden.

Erinnern wir uns an Hahnemanns Worte in der Einleitung zum *Organon*: Wenn es um Menschenleben geht, dann sollten wir keine Anstrengung scheuen, uns alle Prinzipien und Regeln in Erinnerung zu rufen. In solch schweren Fällen mit Verschlechterung brauchen wir all unser Wissen über die Pathologie eines Mittels, seine Beziehungen zu anderen Mitteln und wie die Lebenskraft des Patienten wieder aufzubauen ist.

Dies Mittel muß für längere Zeit strikt gemieden werden, selbst nachdem sich der Patient von dem Angriff des Mittels erholt hat.

Aber nicht nur das ähnlichste Mittel spielt eine wichtige Rolle, sondern auch die richtige Potenz. In einem Fall, in dem *Phosphor C 200* eine heftige Verschlechterung ausgelöst, die fast tödlich verlaufen wäre, könnte die D 3 – mit dem richtigen Timing nach dem Aufbau des Patienten das Heilmittel sein.

Eine sehr niedrige Potenz kommt bei fortgeschrittenen Pathologien in Frage, welche sich mehr oder weniger verselbständigt haben. Ist die Vitalität zusätzlich geschwächt, sollte die Wahl der Potenz noch niedriger sein.

Eine Verschlechterung setzt destruktive Prozesse in Gang, die unaufhaltsam voranschreiten. In manchen Fällen ist es möglich, diesen Prozeß mit Hilfe des passenden Antidots zu stoppen. *Phosphor* z.B. hat als Antidot *Nux vomica.* Nux kann die Verschlechterung aufhalten, aber nicht notwendigerweise das rückgängig machen, was bereits zerstört ist. Können wir nicht das passende Mittel für die Verschlechterung finden, muß das richtige Antidot so lange gegeben werden, bis die Verschlechterung aufhört oder das Heilmittel für den verschlechterten Zustand gefunden ist. Es gibt Glücksfälle, in denen das Mittel für den verschlechterten Zustand das Heilmittel für den Gesamtzustand ist und den Prozeß nicht nur stoppt, sondern vollständig heilt.

Ein echter Notfall kommt nur bei schweren akuten und chronischen Krankheiten vor. Hier kann eine Verschlechterung den sofortigen Tod zur Folge haben.

Die Hauptmittel, die dafür bekannt sind, eine Verschlechterung auszulösen, wenn sie im unpassenden Moment und fälschlicherweise im Sinne eines „konstitutionellen Mittels“ oder in zu hoher Potenz gegeben werden, sind: *Lycopodium, Phosphor, Silicea, Calcium carb., Lachesis, Causticum, Tuberculinum, Medorrhinum* sowie andere *Nosoden.*

Regel
Das Mittel, welches eine Verschlechterung auslöst, sollte für geraume Zeit auf eine Tabuliste für diesen Patienten gesetzt werden.

Syphilinum ist eine Ausnahme und oft auch ein wichtiges Mittel, wenn starke Verschlechterungen auftreten. Es hilft, den Menschen aus der Krise zu holen (das Mittelbild muß passen), und kann ihn manchmal sogar heilen. Wird es völlig falsch eingesetzt, kann es aber genauso schädlich sein.

Unzählige Male konnte ich die aufbauende Wirkung von Syphilinum nach einer Verschlechterung bestätigen:

- Nach Lycopodium hatte ein Mensch wochenlang keine richtige Freude mehr und empfand sein Leben als recht anstrengend. Zusätzlich setzten im Zahn- und Kiefer-Bereich dumpfe plagende Schmerzen ein. Eine Gabe Syphilinum brachte am selben Tag Licht in sein Leben hinein, und die Schmerzen im Zahn wichen innerhalb von ein paar Stunden vollständig.
- In einem anderen Fall fiel ein depressiver Patient unter der Einwirkung von Argentum nitricum in einer hohen Potenz ins tiefste Loch der Hoffnungslosigkeit. Eine Gabe Syphilinum CM ließ innerhalb Minuten alles Dunkle verschwinden.

Die Fälle werden wie folgt von einer Prüfung unterschieden, die unten besprochen wird: Im ersten Fall hatte dieser Mensch schon in der Krankengeschichte eine Kieferproblematik. Im zweiten Fall bestand schon eine depressive Stimmung.

Bei einer Verschlechterung muß die neue Situation vollständig erfaßt werden. Vor allem aber benötigen wir profunde Kenntnisse über die degenerativen Zustände der Organe und wie man sie homöopathisch schnell wieder aufbaut. Der Verfall muß homöopathisch rückgängig gemacht und die Lebenskräfte müssen zurückgebracht werden. Allopathische Konditionierungen oder Zweifel an der Heilung sind hier fehl am Platz. Sogar die Kräuterheilkunde und Phytotherapie können ein großes Hindernis sein, wenn sie sich nicht nach Heilgesetzmäßigkeiten richten, sondern nach allgemeinen Ansätzen wie „Diese Pflanze ist gut für die Leber oder die Nieren". Ein Organmittel wird nach seiner exakten pathologischen Wirkung auf das Organ ausgewählt.

Es ist nicht leicht, sich von allopathischen Gedanken zu befreien, weil es in der angeborenen Natur des Menschen liegt, unterdrückend oder vermeidend zu handeln. Es ist jedoch unser Bestreben, nicht den Weg des geringsten Widerstands zu gehen, d. h. nicht seiner menschlichen Natur zu erliegen.

Die Organe können homöopathisch durch eine Reihe von Heilpflanzen sowie viele Metalle aufgebaut werden. *Die aufbauenden Pflanzenmittel werden immer in niedrigen Potenzen gegeben und die Metalle meistens auch.* Mehr darüber finden Sie in meinem Buch *Biowaffen und Homöopathie* im Kapitel *Organmittel zur Stärkung des Immunsystems.*

Fallbeispiel:

Ein Patient nahm aus Versehen *Calcium carbonicum D 4* anstatt *Kalium carbonicum.* Sofort setzte eine massive Verschlechterung mit starken Schmerzen und hektischem Fieber ein, die mit Hilfe von Brennesseltee gestoppt und rückgängig gemacht werden konnten. Urtica urens wurde natürlich nach dem Ähnlichkeitsprinzip ausgewählt. Erst nach dem Aufheben der Verschlechterung, durfte *Kalium carb.* gegeben werden und seine heilende Wirkung entfalten.

Prüfung

Homöopathische Laien oder Schulmediziner könnten den Gedanken, eine Prüfung mit einem Arzneimittel zu machen, sehr beunruhigend finden. Ihre große Angst davor ist durchaus verständlich, da die schulmedizinischen Medikamente oft schwere Nebenwirkungen bis hin zum Exitus haben können.

Die schlimmen Symptome in der homöopathischen Arzneimittellehre sind meist der schulmedizinischen Behandlung mit diesen Substanzen zu verdanken. Ferner kommt das Wissen über die Wirkung der Mittel bei schweren Pathologien nicht von den Prüfungen, sondern wurde durch homöopathische Anwendung des Mittels bei solchen Fällen gewonnen. Homöopathie ist eine Erfahrungsheilkunde und erlaubt in dieser Weise, das Wissen über die Mittel fundamental zu erweitern.

Im Unterschied zu Medikamenten lösen jedoch potenzierte Arzneimittel keine Vergiftungen aus. Aus diesem Grund braucht keiner Angst zu haben, durch die Einnahme eines ähnlichen Mittels in eine Prüfung zu geraten und mögliche Schäden davonzutragen. Erstaunlicherweise sind Menschen bereit, stoisch die Tortur der allopathischen chemischen Gifte auf sich zu nehmen, besonders der Chemotherapeutika, aber vor homöopathischen Mitteln haben sie direkt Panik. Dies ist ein Paradoxon!

Eine ungewollte homöopathische Prüfung während einer Behandlung kann bei Anwendung der Prinzipien und Regeln nicht erzeugt werden.

Natürlich kann jemand, der ein Mittel absichtlich prüft, mitunter hart auf die Probe gestellt werden, wenn er es darauf ankommen läßt. Aber da dies freiwillig geschieht, tut es der Prüfling gerne und empfindet es als bereichernd für sein Leben. Etwaige schlimme Geschichten entstammen dem fehlerhaften Umgang mit der Prüfung oder Übereifer aus den frühen Tagen der Homöopathie. Aufgrund falscher Prüfungsanleitungen prägten sich manche Prüfer einige Symptome des Mittels in ihrem Organismus ein. Dies passierte nur bei sehr wenigen Mitteln, wie *Lachesis* und *X-Ray*. Es ist also bei Schlangengiften oder Radioaktivitätsmitteln mehr Vorsicht geboten.

⊙ Definition:

In einer **Prüfung**, auch in einer versehentlichen, werden nur die Symptome des gegebenen Mittels produziert und keine anderen. Eine Prüfung ist nur dann möglich, wenn das Mittel keine Ähnlichkeit zum Zustand des Patienten hat. Bei einer versehentlichen Prüfung erlebt der Patient keine Besserung seines Zustandes.
Jegliche Ähnlichkeit des Mittels mit dem Zustand schließt also eine Prüfung aus.

Auch wenn ein unähnliches Mittel gegeben wurde, müssen nicht gleich Prüfungssymptome entstehen. Für eine ungewollte Prüfung braucht es das Zusammenspiel mehrerer Faktoren:

1. *Überempfindlichkeit des Patienten*: Die meisten Menschen können ein unähnliches Mittel eine angemessene Zeit ausgleichen oder tolerieren, ohne darauf negativ zu reagieren.
2. *Der gegenwärtige Zustand des Patienten:* Ein geschwächter Patient ist anfälliger für eine Prüfung durch das falsche Mittel. Dies kommt vor, wenn das Immunsystem durch den akuten oder chronischen Zustand instabil geworden ist oder wenn ein Mensch emotionalen oder Arbeitsstreß hat.
3. *Der Zeitraum, in dem ein Mittel gegeben wurde:* Je länger eingenommen, desto größer ist die Gefahr einer Prüfung.
4. *Die Höhe der Potenz:* Höhere Potenzen und ganz niedrige, von der Urtinktur bis zur dritten Potenz, können eher Prüfungen auslösen.

Bei einer unbeabsichtigten Prüfung fühlt sich der Patient recht krank. Ihm ging es vorher schon nicht gut, und nun kommt die Prüfung als zusätzliche Belastung dazu.

Ein weiteres Merkmal: Die Symptome, die vorhanden waren, treten immer mehr in den Hintergrund. Dies liegt an der Reaktion auf unähnliche Krankheiten, wie Hahnemann es in den Paragraphen 36-38 des *Organon* beschreibt (eine stärkere unähnliche Krankheit unterdrückt eine schwächere, bis die stärkere ihren Lauf genommen hat). Der bestehende Zustand wird jedoch normalerweise nicht vollständig unterdrückt. Ist die Wirkung des Mittels nicht stärker als die Krankheit, wird es zu keiner Prüfung kommen.

Setzt man das Mittel bei einer Prüfung sofort ab, dauert es bei den LM-Potenzen nicht lange, bis die Reaktion von alleine verschwindet. Die LM-Potenzen sind sehr mild, und auch eine eventuelle negative Wirkung hält nicht lange an. Die C-Potenzen, besonders die hohen, können lange und schwere Prüfungen auslösen. Sie müssen unbedingt schnellstmöglich antidotiert werden.

Die Prüfung antidotieren

Findet eine ungewollte Prüfung statt, muß der Patient das Mittel sofort absetzen; danach wird es antidotiert. Sollte die Prüfung bei einer LM-Potenz nicht schnellstens von alleine abflauen, muß auch antidotiert werden.

Das richtige *Antidot* wird auf der Grundlage der erzeugten Symptome ausgewählt. Die bekannten Antidote sind hilfreich, wobei die dynamischen von den chemischen Gegenmitteln zu unterscheiden sind (siehe Kapitel 6).

Dosierung:
Das Antidot wird in der Regel nur einmal gegeben. Sollten die Prüfungssymptome nicht schnell nachlassen, dann öfters, je nach Intensität der Symptome.
Bei potenzierten Mitteln genügt eine Potenz zwischen C 30 und C 200.
Bei Urtinkturen oder ganz niedrigen Potenzen paßt meist das chemische Antidot.

Sie können Listen der Antidote in der entsprechenden Fachliteratur finden. Auch in den Arzneimittellehren sind in der Regel die wichtigsten Antidote aufgeführt.

Wenn kein klares Antidot zu finden ist oder die verwendeten nicht helfen, kann daßelbe Mittel, welches die Prüfung verursachte, entweder in einer viel höheren oder viel niedrigeren Potenz gegeben werden. Nehmen wir beispielsweise an, eine niedrige Potenz von *Natrium mur.* löste eine Prüfung aus, dann geben wir eine Gabe in der C 1000. Wenn eine hohe Potenz die Prüfung verursachte, lösen wiederholte Gaben der D 4 oder D 6 das Problem.

Normalerweise verändert die Prüfung den alten Zustand nicht und das richtig ausgewählte Mittel kann nach Abklingen der ungewollten Prüfung gegeben werden. Möglicherweise tut aber das Antidot dem Menschen so gut, daß er das Mittel eine Zeitlang braucht.

Achtung!
Wird eine Verschlechterung als eine unbeabsichtigte Prüfung fehlinterpretiert, kann der Patient größere Schäden erleiden, weil hier nicht antidotiert wird, sondern der neue gefährliche Zustand behandelt werden muß.

Unechte Prüfung

Bei einer unechten Prüfung reagiert der Mensch auf ein unpassendes Mittel nur allgemein schlecht. Die erzeugten Symptome sind unspezifisch, undefinierbar oder grobpathologisch, wie leichte Niedergeschlagenheit, schlechte Laune, etwas Mattigkeit, leichtes Bauchweh usw.

Bei einer echten Prüfung entstehen Symptome, welche spezifisch zum Mittelbild gehören.

Manchmal wird eine unechte Prüfung als Verschlimmerung eingestuft, da es dem Patienten allgemein schlechter geht. Jedoch bei einer Verschlimmerung müssen die Symptome des Zustandes verstärkt werden.

Bei der unechten Prüfung findet nach dem Absetzen keine Besserung beim Patienten statt.

Auf Urtinkturen folgen oft grob pathologische Reaktionen, mindestens anfänglich. Im Grunde ist das schon eine Prüfung, wenn auch noch nicht spezifisch. Wenn dies jedoch durch potenzierte Mittel passiert, ist das eine unechte Prüfung.

Im Normalfall vergeht diese Wirkung bald nach dem Absetzen des Mittels. Also brauchen wir nur dann zu antidotieren, wenn die Symptome hartnäckig anhalten. Bei unspezifischen Symptomen reicht das Hauptantidot gegen das Mittel aus.

Kapitel 11

Spezielle Reaktionen

Es gibt eine Reihe von weiteren, kleineren, doch wichtigen Reaktionen, die ich *spezielle Reaktionen* nenne. Jede von ihnen muß auf ihre eigene Weise gehandhabt werden. Die einzelnen Reaktionen haben nichts miteinander zu tun. Sie können schwer unter einem anderen Namen zusammengefaßt werden:

1. Die Nachreaktion
2. Die kausalitätsbezogene Reaktion
3. Die positive Reaktion
4. Die negative positive Reaktion
5. Das Sekundenphänomen
6. Die heilige Reaktion
7. Die Mischreaktion

1. Die Nachreaktion

Die Nachreaktion kann nur nach einer homöopathischen Verschlimmerung stattfinden. Wie wir wissen, geht es dem Patienten nach Abklingen der Verschlimmerung erst mal besser. Normalerweise kommt diese Besserung irgendwann zu einem Ende, entweder durch Ausheilung, Stillstand oder weil die Symptome wiederkehren.

Bei einer Nachreaktion erfährt der Patient noch einmal die Verschlimmerung während der Besserungsphase, wenngleich in abgemilderter Form. Es ist wie eine zweite Verschlimmerung der Symptome, ohne daß das Mittel noch einmal genommen wurde. Der Patient macht noch einmal die gleiche Situation durch, nur nicht so heftig und nicht so lange.

⊙ Definition:
Eine Nachreaktion ist eine kurze und sanfte Wiederholung der vorigen Verschlimmerung, die nicht durch irgendwelche äußeren Einflüsse ausgelöst wird.

Nachdem die Nachreaktion vorüber ist, fühlt sich der Patient besser als vorher und die Besserung schreitet weiter fort. Die Patienten scheinen durch eine neue Bewußtseinsebene zu gehen. Sie bekommen auf einer tieferen Ebene Klarheit über ihre Probleme.
Die Nachreaktion kann als ein sehr intensives Erlebnis empfunden werden!

Regel:
Die Nachreaktion **darf** nicht gestört werden!

Nachreaktionen sind selten, und wie bei den Verschlimmerungen muß dieser Bewußtseins- und Heilungsprozeß ungestört seinen Lauf nehmen; ihn zu stören kann sehr schädlich für den Patienten sein.

Wie können wir eine Nachreaktion von dem Ende der Besserung und der Wiederkehr der Symptome unterscheiden?

Eine Nachreaktion dauert nicht lange, in der Regel ein bis zwei Tage. Danach geht es dem Patienten besser. Aus diesem Grunde sollten nach Rückkehr der Symptome am Ende der Besserungsphase noch ein paar Tage abgewartet werden, bevor das Mittel wieder gegeben wird, besonders wenn keine Eindeutigkeit vorhanden ist.

Nach einer einzigen Verschlimmerung können mehrere Nachreaktionen auftreten, die sich über wenige Tage, viele *Monate oder in seltenen Fällen sogar Jahre* erstrecken können. Eine Patientin bekam z.B. innerhalb von ein paar Tagen zwei Nachreaktionen.

Über den gesamten Zeitraum wird kein Mittel gegeben und abgewartet. Unser Ziel ist es zu heilen und nicht ein Mittel geben zu wollen!

Während des gesamten Prozesses der Nachreaktion dürfen Unpäßlichkeiten und leichte Beschwerden nicht mit Mitteln und Medikamenten behandelt werden. Diese kleinen Zwischenfälle können wir als heilsame Ausscheidungsreaktionen betrachten. Bei äußeren Einflüssen darf unter Umständen doch ein Mittel gegeben werden. Ist die innerliche Einnahme nicht zwingend notwendig, können bei Verletzungen die homöopathischen Mittel auch äußerlich aufgetragen werden. Nur das Notwendigste wird getan.

Im Grunde können wir es so betrachten: Entstehen schwerwiegende Zustände durch rein äußerliche Einflüsse wie Sonneneinwirkung, Radioaktivität, Röntgenstrahlen, große Kälte usw., sollten sie behandelt werden.

Sagt der Patient jedoch er habe sich verkühlt und jetzt eine Erkältung bekommen, verordnen wir Bettruhe, heiße Bäder, Sauna, Teil- oder Vollfasten usw. Eine sogenannte „Infektion" ist im homöopathischen Sinne kein äußerlicher Einfluß, sondern eine Unpäßlichkeit und wird im Zeitraum der Nachreaktion nicht mit Mitteln behandelt. Sollte die Infektion aber eine gefährliche Richtung einschlagen, muß sie behandelt werden.

Zusammenfassung

- Eine Nachreaktion ist eine kompakte jedoch mildere Wiederholung der vorhergehenden Verschlimmerung. Wenn sie vorüber ist, geht die Besserung weiter. Es dürfen keine Mittel bei Nachreaktionen gegeben werden.
- Erst wenn es dem Patienten nicht mehr stetig besser geht, ist die Besserung vorbei.

- Nach einer Nachreaktion geht es dem Patienten besser als vorher. Er ist bewußter und kann sein Leben bestimmter und aufmerksamer leben.
- Eine Nachreaktion kann sich wiederholen. Es wird nicht behandelt, wie beim ersten Mal.
- Nur bei schwerwiegenden äußeren Einflüssen oder gefährlichen Infektionen wird mit Mitteln eingegriffen.

2. Die kausalitätsbezogene Reaktion

Die kausalitätsbezogene Reaktion sieht wie eine Verschlimmerung aus, ist aber keine. Sie kommt bei den Mitteln vor, die *Kausalitäten* in ihrem Mittelbild haben. Eine Kausalität ist ein äußerer Einfluß, der einen Krankheitsprozeß aktiviert. Beispiele von Kausalitäten im homöopathischen Sinne sind: naß werden, Austern essen usw. *Bakterien und Viren werden nicht zu den Kausalitäten gezählt.*

Wir geben einem Menschen *Lycopodium*, und das Mittel hilft ihm gut. Eines Tages ißt er sehr viel Knoblauch. Diesem Knoblauchexzeß folgt etwas später oder am nächsten Tag ein Unwohlsein. Einige der Symptome, für die dieser Mensch Lycopodium genommen hatte, sind schlimmer. Es können manchmal auch einige andere Lycopodium-Symptome (Prüfungssymptome), die der Patient vorher nicht hatte, auftreten. **Das ist eine kausalitätsbezogene Reaktion.** Die Einnahme von Lycopodium macht diesen Menschen empfindlich für die Kausalitäten des Mittels. Lycopodium bekommt sehr schnell Probleme, wenn er Knoblauch, Lauch oder ähnliches ißt. Also muß er nach der Einnahme von Lycopodium und als Folge seiner „Attacke auf sich selbst" lernen, diese Nahrungsmittel bewußter und gemäßigter zu sich zu nehmen. Eßgewohnheiten sind ein wichtiger Teil des Lebens.

Definition:
Die kausalitätsbezogene Reaktion entsteht durch das Eintreten einer Kausalität des verordneten Mittels. Sie ist dadurch bedingt. Es verstärken sich manche Symptome des behandelten Zustandes. Diese Verstärkung der Symptome ist keine echte Verschlimmerung.

Das Mittel wird in diesem Fall nicht abgesetzt, sondern weiter gegeben. Man kann die Dosis ein paar Tage reduzieren, wenn das Unwohlsein nach dem Knoblauch sehr heftig ist. Die weitere Wiederholung des Mittels wird den Zustand in Ordnung bringen, auch auf einer tieferen Ebene, und die vermeintliche Verschlimmerung wird relativ schnell vorüber sein. Der Patient sollte sich natürlich, wie bei jedem Unwohlsein, an eine leichte Kost halten. Er sollte alle dem Mittel entsprechenden Kausalitäten vermeiden. Nimmt er *Lycopodium*, muß er vorsichtig bei den Nahrungsmitteln sein, auf die das Mittel nachteilig reagiert.

Beispielsweise sollte man, während man *Rhus tox.* einnimmt, vermeiden, sich kalt zu duschen, im kalten Wasser zu schwimmen oder im Regen spazierenzugehen. Muß man es trotzdem machen, dann in Maßen. Ähnlich kann bei *Pulsatilla* schon eine kleine Menge Speiseeis manchmal Probleme bereiten.

3. Die positive Reaktion

Eine positive Reaktion ist möglicherweise am schwierigsten zu bestimmen. Auch hier müssen wir beobachten und Geduld bewahren.

Ab und zu treffen wir auf Menschen, deren Zustand so weit fortgeschritten ist, daß eine Heilung mehr oder weniger hoffnungslos erscheint. Nach der ersten Gabe des angezeigten

Mittels dreht sich das Ganze jedoch plötzlich in eine positive Richtung, und die Situation sieht jetzt gar nicht mehr hoffnungslos aus.

Dies ist die Art von Reaktion, über die sich alle freuen, denn wir können klar sehen, wie die Krankheit zurückgeht und der Körper sich langsam aus den Krallen des Todes löst. Es ist *eine einzige Gabe,* die diese positive Wendung aktiviert hat, und der Heilung steht nichts mehr im Wege.

Aber ein übereifriger Heiler könnte dem im Weg stehen. Wir müssen in der Lage sein, zurückzutreten und der Natur, wo nötig, ihren Lauf zulassen. Wir müssen aufpassen, daß wir uns dabei nicht nutzlos fühlen und einfach nur irgendetwas tun wollen.

Die positive Reaktion tritt immer nach der ersten Gabe eines Mittels ein. Danach darf das Mittel nicht wiederholt werden.

Das Einzige, was der Therapeut nun machen kann, ist, Ratschläge für angemessene und sanft heilende Maßnahmen zu geben, die den Prozeß unterstützen, wie Diät, Ruhe oder Bewegung, aufbauende Literatur, klassische Musik usw.

> *Das höchste Gebot einer positiven Reaktion ist:*
> **Das Mittel darf auf keinen Fall wiederholt werden!**

Eine Wiederholung des Mittels ist niemals erforderlich, um einen weiteren starken Impuls zu geben, der die Heilung beschleunigen soll. Auch nicht dann, wenn schon einige Zeit **oder sogar viel Zeit vergangen ist** und man das Gefühl hat, die Wirkung könnte nachlassen.

Eine Wiederholung in solch einem Fall ist mit schrecklichen Konsequenzen verbunden:

- Handelt es sich um einen Patienten, der schon auf der Schwelle zum Tod stand, wird die Wiederholung einen frühen Tod für diesen Menschen bedeuten. Eine Situation, wo es um Leben und Tod geht, treffen wir häufiger bei Akutfällen an, aber durchaus auch bei chronischer Verlaufsform.

- Bei einem chronischen Fall, in dem die Situation lebensbedrohlich ist, zerstören wir mit einer Wiederholung die positive Wirkung augenblicklich und für immer! Eine Heilung dieses Menschen ist danach vielleicht nicht mehr möglich.
- Akute Fälle, die nicht lebensbedrohlich sind, werden ruiniert. Die Genesung und Heilung werden zu einem langwierigen und ermüdenden Prozeß.

Eine positive Reaktion ist bei Menschen bzw. bei Krankheitsstadien möglich, bei denen der Krankheitszustand eine isolierte Einheit bildet. Die Person hat ihre Lebenssituation vollständig akzeptiert, aber sie hat sie noch nicht loslassen können. *Sie hat nicht die Kraft,* die Krankheit in ihrer Gänze (besonders auf seelischer Ebene) abzuwerfen. Sie braucht nur diesen *einen* sanften, exakt stimmenden, positiven Heilungsimpuls.

Wir finden in solchen Fällen eine Korrespondenz zwischen den Symptomen des Patienten und dem Mittel wie aus dem Lehrbuch. Die Mittel, die in solchen chronischen Fällen benötigt werden, sind sehr tiefgehend. In akuten Fällen kann das Mittel auch sehr kurz wirkend sein, wie z. B. bei *Aconit* oder *Belladonna.*

Kent schreibt über Belladonna, daß es in manchen Fällen töten kann, wenn es wiederholt wird, in anderen, wenn es nicht wiederholt wird (Kents *Arzneimittellehre*). Dies ist jedoch nicht nur bei Belladonna der Fall, sondern auch bei anderen Mitteln, nur bei Belladonna hat man es vielleicht häufiger beobachtet. Im ersten Fall ist es eine positive Reaktion, in der das Mittel nicht wiederholt werden darf, und im zweiten Fall ist es einfach eine Besserung, bei der ausreichend Wiederholungen notwendig sind, um den Fall zu heilen.

Beobachten wir die Wirkung eines Mittels genau, werden wir mit Sicherheit eine positive Reaktion erkennen können. Es ist so, als ob eine unerschütterliche Kraft in die Person hineingeflossen wäre und die Befehlsgewalt ergriffen hätte. Der Körper wird sehr still und ruhig, die Atmung tief und regelmäßig. Der Patient strahlt heilkräftige Wiederbelebung aus. Manchmal sieht man ganz sprichwörtlich: „Wo Dunkelheit weilte, ist nun Licht."

Jede Potenz von der höchsten bis zur niedrigsten kann eine positive Reaktion hervorrufen.

Wenn es eine echte positive Reaktion war, wird der Patient dieses Mittel sein Leben lang nie wieder benötigen. Auch wenn wir Jahre später, wenn die Heilung dieses Zustandes schon lange zurückliegt, das Gefühl haben, das Mittel sei angezeigt, so wird das nicht der Fall sein.

Das Mittel ist, *wenn der Patient wirklich vollständig von dem Zustand geheilt wurde,* auch nicht mehr gefährlich für den Patienten. Wird es nach der vollständigen Heilung gegeben, zeigt es keine Wirkung mehr. Dieser Zustand ist für ihn abgeschlossen.

Eine positive Reaktion findet meistens in Fällen statt, in denen das Leben des Patienten gefährdet ist, oder auch wenn die Symptome intensiv fast wie eine Gestalt dastehen, in chronischen sowie in akuten Zuständen. Eine einzige Gabe des Simillimum gibt den Anstoß für die vollständige Heilung des Zustandes. Unter keinen Umständen darf das Mittel wiederholt werden.

Ich habe über dieses Phänomen zum ersten Mal vor etwa vierzig Jahren in einer homöopathischen Zeitschrift gelesen. Die Geschichte ereignete sich in Amerika. Der Homöopath, der diese Geschichte erzählte, war ein Schüler von Adolph zur Lippe senior und arbeitete in einem homöopathischen Krankenhaus. Lippe kam einmal in der Woche dorthin, um Patienten zu behandeln und dabei zu unterrichten. Bei einer alten Frau war der Zustand so weit fortgeschritten, daß alle sie aufgegeben hatten. Lippe sah die Frau an, machte die Anamnese und gab eine Gabe eines Mittels. Danach gab er die Anweisungen: Es wird ihr langsam besser gehen. Sie wird aus den Fängen des Todes herauskommen. Solltet ihr jedoch das Mittel wiederholen, wird sie sterben. Wie es oft bei jungen Leuten ist, hatten sie das nur nebenbei registriert. Sie freuten sich, als es der Frau Tag für Tag besser ging. Nach etwa zwei Wochen dachten sie, sie könnten den Prozeß beschleunigen, indem sie noch eine Gabe nachschöben. Alle hatten Lippes Ermahnung vergessen. Sie wiederholten das Mittel und hofften auf ein Wunder. Am nächsten Tag war die Frau tot! Der berichtende Homöopath schreibt, daß er das nie vergessen würde. Dieses Erlebnis hat sein Leben geprägt. Auch mein Leben wurde durch die Geschichte geprägt. Ich habe, dank dieser Geschichte, meine Fälle mit positiven Reaktionen selbst mit äußerster Geduld bis zum Ende der Heilung abwarten können. In einem Fall vollzog sich die Heilung nach sechs Monaten mit einer einzigen Gabe der LM 6, sogar in stark verdünnter Form!

Ich habe später in der Literatur immer wieder Fälle von anderen Homöopathen über positive Reaktionen gelesen. Sie nannten diese nicht so, sondern schilderten sie einfach als selbstverständlich. Aber weil ich das Glück hatte, den Bericht von Lippes Schüler gelesen zu haben, konnte ich diese Reaktion richtig einordnen und noch mehr Bestätigung und Zuversicht daraus schöpfen.

Betrachten Sie das folgende Beispiel: Ein schwer am Kopf Verletzter liegt bewußtlos da. Sie benetzen seine Lippen mit etwas *Arnica*. Ein paar Minuten später öffnet er seine Augen. Erst schaut er vielleicht etwas konfus, aber bald registriert er alles richtig. Seine Atmung ist tief und ruhig, sein Gesicht nimmt wieder Farbe an, er setzt sich auf, und es überfällt ihn kein Schwindel: eine positive Reaktion! Sie brauchen nichts mehr machen. Zumindest nicht mehr für den Kopf, aber auch nicht für die anderen Arnica-Verletzungen, die er vielleicht erlitten hat. Natürlich benötigen andere Arten von Verletzungen auch in so einem Fall die entsprechenden anderen Heilmittel.

Dies ist eindeutig von einem Fall zu unterscheiden, bei dem der Patient erst nach einiger Zeit der Arnica-Gabe die Augen kurz aufmacht, oder sie flackern nur, und bald ist er wieder weggetreten. Er stöhnt vielleicht, ist unruhig. Nach ein paar Stunden wacht er wieder auf. Diesmal ist er länger wach und kann auch etwas verständlich reden. In so einem Fall brauchen wir wiederholte Gaben von Arnica.

Ein dritter Fall von Arnica sieht so aus: Es ist eine schwere Gehirnerschütterung. Dem Patient ist schlecht und schwindlig. Er hat sich vielleicht schon übergeben. Nach einer Gabe schläft er ein und wacht nach ein paar Stunden ohne irgendwelche Anzeichen von Gehirnerschütterung auf. Dies ist auch eine positive Reaktion.

Bei einem anderen Fall geht es um einen Kreislaufkollaps. Der Patient ist käseweiß geworden. Die Glieder sind kalt, etwas kalter Schweiß ist da, und er atmet schwer. Der Bauch ist aufgebläht. Ein Bilderbuchfall von Carbo vegetabilis. Eine Gabe davon läßt den Bauch sichtlich vor unseren Augen abschwellen. Er bekommt Kraft und kann sich bewegen. Nach einer Weile ist er wieder hergestellt. Ein positive Reaktion.

Nun in diesen Fällen ist der Mensch so schnell geheilt und der Prozeß so schnell abgeschlossen, daß eine Wiederholung des Mittels keine Gefahr für den Patienten in sich bergen würde. Aber genau hier sollten wir üben, keine zweite Gabe zu geben. Wenn wir wirklich einen Fall haben, wo Lebensgefahr besteht, dann dauert der Prozeß länger, und eine Wiederholung *kann tödlich sein.* Haben wir die gleiche oder eine noch schwerere Symptomatik bei Carbo vegetabilis im letzten Stadium einer schweren Krankheit, ist auch mit positiven Reaktionen zu rechnen, aber jetzt wird der gesamte Heilungsprozeß länger dauern. Eine Wiederholung des Mittels bei einer positiven Reaktion ist unbedingt zu unterlassen.

4. Die negative positive Reaktion

Der Name dieser Reaktion sagt uns schon, was wir erwarten können. Mit Sicherheit nichts Freudvolles! Diese Reaktion kommt nur bei chronischen Fällen vor und besonders dann, wenn der Patient seelisch sehr leidet. Die Wirkung des verordneten Mittels, meist in einer hohen Potenz, ist augenblicklich, und der Patient fühlt sich, als würden Jahrzehnte des Leidens von ihm abfallen. Vielleicht fühlt es sich so an, als würden sie von oben nach unten und durch die Füße aus dem Körper rausfließen. Der Mensch ist überglücklich. Es geht ihm 24 Stunden lang unglaublich gut. Danach ist wieder alles wie vorher. Die Wiederholung des Mittels erzeugt überhaupt keine Wirkung mehr, auch nicht in höheren und noch höheren Potenzen. Ist der Mensch selbst Homöopath, wird er erfolglos alle möglichen Mittel ausprobieren, um eine Wiederholung dieses paradiesischen Zustandes herbeizuführen. Aber sie werden entweder gar nichts oder auch nichts Vergleichbares bewirken.

Dies passiert bei Menschen, die geistig sehr angespannt sind und sehr kämpfen müssen, um mit sich selbst zurechtzukommen. Sie haben auch körperliche Probleme, aber die sind nichts im Vergleich zu den geistigen Qualen. Sie können natürlich solchen Menschen helfen, aber es ist ein Prozeß, der Jahre dauert. Es braucht viel Geduld und Beharrlichkeit.

Darum habe ich das die negative positive Reaktion genannt. Es ist eigentlich selbstverständlich, daß ein tiefsitzender

Zustand nicht von einer Sekunde auf die nächste geheilt werden kann. Heilung ist ein langer Prozeß. Hat man nach dem langen Heilungsweg die Kulmination eines Prozesses erreicht, ist eine positive Reaktion möglich, aber bis dahin wird sich die Person schon komplett positiv verändert haben.

Eine negative positive Reaktion tritt bei tiefsitzenden chronischen Krankheiten auf, meist bei seelischen Leiden. Eine einzige Gabe des Mittels löst alle Beschwerden innerhalb von Sekunden auf. Aber innerhalb von 24 Stunden kommen sie alle zurück und sind nicht wieder so schnell wegzubekommen.

5. Das Sekundenphänomen

Das Sekundenphänomen ist wohl jedem Homöopathen bekannt. Im Gegensatz zur negativen positiven Reaktion kommt es nur in akuten Fällen vor oder während einer akuten Phase einer chronischen Krankheit, und dann nur, wenn sie hochakut ist. Die Krankheit hat ihren Höhepunkt erreicht, läßt aber in keiner Weise nach, so daß der Patient leidet und leidet.

In solch einem Fall wirkt das Simillimum augenblicklich. Kaum hat das Mittel die Zunge oder gar nur die Lippen berührt, ist das Leiden zu Ende. Die Krankheit ist sozusagen sofort geheilt. Nur bei Neuralgien beobachtet man manchmal, daß der Schmerz wiederkehrt. Eine weitere Gabe des Mittels verbannt ihn jedoch ebenso schnell wie zuvor.

Bei dem Sekundenphänomen hat die Krankheit ihren Höhepunkt schon vor einer Weile erreicht, und der Körper kämpft noch, um darüber hinwegzukommen. Alle Lebenskräfte wurden mobilisiert, aber es ist nicht genug. Das sind die Wunder in der Homöopathie, von denen die Homöopathen und Patienten sprechen.

> ⊙ Definition:
> Das Sekundenphänomen tritt ein, wenn eine akute Krankheit ihren Höhepunkt erreicht hat und nicht nachläßt. Das Simillimum bringt augenblickliche Heilung.

6. Die heilige Reaktion

Ab und zu geschieht es in der Homöopathie, daß die Heilung spontan geschieht, ohne daß das Mittel eingenommen wurde. Ich habe dieses Phänomen die „heilige Reaktion" genannt. Sie kann auf verschiedene Arten auftreten:

1. Nach einer besonders intensiven Fallaufnahme fühlt sich der Patient sehr gut und glaubt, er sei geheilt.
2. Ähnlich wie im ersten Fall beginnt die heilende Wirkung, sobald der Patient die schriftliche Verordnung erhält oder auch nur den Namen des Mittels hört.
3. In einer Erweiterung des zweiten Falls erfährt der Patient den Namen des Mittels und beginnt, sich darüber zu informieren, z. B., indem er darüber liest. Nachdem er das Mittelbild gelesen hat, fängt er an, sich besser zu fühlen.
4. Der Patient holt sich das Mittel. In dem Moment, in dem er die Flasche oder das Röhrchen in der Hand hält, setzt die heilende Wirkung ein.

Kleine Variationen der obigen Beispiele sind möglich, und es gibt auch noch andere Fälle. Die aufgeführten sind jedoch die häufigsten Auslöser.

> **Bei der heiligen Reaktion nimmt der Patient das Mittel nicht ein. Wir stören die Wirkung nicht, solange sie andauert. Wenn die Wirkung nachläßt und die Symptome wiederkehren, kann das Mittel jetzt innerlich verabreicht werden.**

7. Die Mischreaktion

Eine Mischreaktion ist an sich sehr einfach zu definieren. Statt einer eindeutigen Reaktion finden zwei oder drei verschiedene gleichzeitig statt.

Es kann z.B. ein altes Symptom auftauchen und gleichzeitig eine Verschlimmerung, wie in Kapitel 14, „Alter Zustand" beschrieben. Es kann zusätzlich bald eine Ausscheidung stattfinden.

Die Handhabung ist nicht kompliziert. Wir müssen nur die entsprechenden Regeln der einzelnen Reaktion beachten, wie unter Kapitel 14 erklärt wird. Kommt eine Ausscheidung dazu, ist es natürlich günstig, da es dem Patienten viel schneller besser gehen wird.

Kapitel 12
Ausscheidungsreaktion

Der Wunsch, den Körper zu reinigen

Wie weit wir auch immer in der Geschichte der Heilkünste zurückgehen, finden wir den Gedanken, daß der Körper zum Ausscheiden gebracht werden soll, um sich zu reinigen. Jede Heilkunst auf dieser Erde hat eine Reihe von Methoden, mit denen versucht wird, *die Krankheit aus dem Körper zu vertreiben.* Dieser Gedanke sitzt so fest in den Köpfen der Menschen, daß es sogar für einen überzeugten Homöopathen nicht einfach ist, sich davon zu befreien. Ursprung dieser Idee ist der Glaube, daß Krankheit das Resultat eines krankheitsverursachenden Fremdeinflusses sei. Der sogenannte „Erreger" bricht mit Gewalt in den Körper ein, der ab diesem Moment nicht mehr selbstbestimmt ist. Der Körper versucht nun vergeblich, den krankmachenden Fremdeinfluß bzw. Erreger abzuwehren und sich zu befreien. Es haben sich viele Methoden über die Jahrtausende entwickelt, um den Körper zu stimulieren, die Krankheitsprodukte und -erreger zu eliminieren.

Heilsame und unheilsame Ausscheidung

Die Vorstellung eines Krankheitserregers ist nicht grundsätzlich falsch, aber wir müssen verstehen, wie es so einem Erreger überhaupt möglich ist, in den Körper einzudringen. Es liegt in der Natur des Körpers, solche Attacken und Fremdeinflüsse abzuwehren und nicht die Kontrolle übernehmen zu lassen. Lebt der Mensch ungesund, dann erzeugt er Energiemuster, die den Energiemustern bestimmter Krankheitserreger ähneln. In diesem Zustand erlaubt der Körper den Erregern, einzudringen. Er erlaubt sich, krank zu werden, um über diese Muster bewusst zu werden, so daß er sich davon befreien kann, d.h. gesunden kann. Nun kann der Körper durch das ungesunde Leben so geschwächt sein, daß der Gesundungsprozeß zu heftig wird und außer Kontrolle gerät. Die Interaktion zwischen dem Körper und dem Erreger produziert wiederum Substanzen, die dem Körper nicht bekömmlich sind. Diese produzierten Substanzen sind Krankheitsprodukte, und der Körper versucht stets, sich von ihnen zu befreien, was ihm nur teilweise gelingt. Dies ist der Prozeß der Ausscheidung. Es gibt zwei Arten von Ausscheidungen, eine ist heilsam, die andere nicht.

Im ersten Fall erzeugt die Ausscheidung ein Gefühl des Wohlbefindens, und es gibt eine Linderung des Krankheitszustandes. Die Symptome mögen dabei unangenehm sein, man wäre sie gerne los, aber sie beeinträchtigen das Wohlbefinden nicht sonderlich. (Wenn der Patient als Ausscheidung z. B. Durchfall hat, bedeutet das eine gewisse Unannehmlichkeit, besonders wenn er mehrere Tage anhält.)

Bei der nicht heilsamen Ausscheidung gibt es kein Gefühl des Wohlbefindens; im Gegenteil, der Mensch fühlt sich krank und schwach. Hier ist der Durchfall ein schwächendes, krankmachendes Ereignis.

⊙ Definition:

Die **heilsame Ausscheidungsreaktion** kommt spontan nach der Einnahme des Simillimum. In der Regel findet eine kräftige Ausscheidung von Krankheitsprodukten bzw. Toxinen oder Schlacken statt, bei der sich der Patient aber wohlfühlt. Sollte er sich im geringsten dabei krank fühlen, so ist es keine heilsame Ausscheidung! Zu den heilsamen Ausscheidungsreaktionen gehört auch eine Ausscheidung gesunder Körpersäfte durch die Wirkung des Simillimum, wenn der Mensch sich dabei gut fühlt. Der Körper entgiftet sich, indem er innerlich die Toxine neutralisiert (umwandelt) oder sie ausscheidet. Die innerliche Entgiftung ist die Regel bei einer homöopathischen Behandlung. Eine Ausscheidung ist eher ein seltenerer Vorgang.

Dies behalten wir im Sinn. Wir sollten uns von dem Gedanken befreien, daß der Erreger ausgetrieben werden muß. Nur das Gefühl des Wohlbefindens erlaubt es, die Reaktion als heilsam zu klassifizieren. Sonst ist sie etwas, was behandelt werden muß.

Die Ausscheidungsreaktion kann jederzeit während der Behandlung stattfinden, nicht nur am Anfang der Mitteleinnahme. Die Ausscheidung kann von jeder Art und überall im Körper vorkommen: die Schleimabsonderung bei einer Erkältung, Durchfall, Schweiß usw.

Es kann auch ein gesunder Körpersaft sein, wie bei einem Blutstau, der sich verselbständigt hat und bei dem das Blut durch das richtige Mittel abfließen kann, wobei gleichzeitig auch die dahinterliegende Pathologie geheilt wird.

Zwang und Gesundheit

Wenn wir das Thema der Toxine vor dem Hintergrund der ungesunden Energiemuster im Körper betrachten, dann sehen wir, daß der Gedanke, die Gifte aus dem Körper auszutreiben (mit welcher Methode auch immer), deplaziert ist. Die Aktivität unserer eigenen Strukturen bestimmt, wieviele Toxine sich in uns ansammeln. Wenn wir etwas mit *Gewalt*, egal welcher Art, ob rohe oder die sanfteste, aus uns austreiben, dann kommen wir damit an die Struktur, die für die Giftstoffe verantwortlich ist, gar nicht ran. Hierzu gehört auch Fasten, wobei wir zwischen natürlichem und unnatürlichem Fasten unterscheiden. Bei akuten Erkrankungen ist meist am Anfang ein falscher Hunger vorhanden, der aus der Gewohnheit entsteht (wobei Gelüste auftauchen oder man vom Kopf her meint, etwas essen zu müssen). Hier nicht zu essen, ist natürlich und heilsam, zu essen unnatürlich und belastet den Körper unnötig.

Im anderen Fall, wo der Mensch trotzdem Hunger hat und nicht ißt, weil er der Meinung ist, Fasten ist das Beste, schädigt und schwächt er den Körper. Beim Fasten aufgrund chronischer Erkrankungen ist es genauso.

Ißt ein Mensch immer ohne richtiges Hungergefühl und entscheidet sich eines Tages, erst beim echten Hungergefühl zu essen, handelt er gesund. Jetzt kann sich sein natürliches Hungergefühl langsam einstellen. Das kann auch Wochen dauern. Dabei wird er sich wohlfühlen, Kraft haben und wenig Gewicht verlieren. Wogegen fasten, um „gesund“ zu werden, obwohl man Hunger hat, unnatürlich und ungesund ist. Es bringt auch keinen echten Erfolg, da die alten Gewohnheiten wieder zurückkehren werden.

Obiges hat mit krankhaften Zuständen, wie Magersucht, nichts zu tun.

Tatsächlich verstärkt jegliche Gewalt bzw. jeder Zwang dem Körper gegenüber die krankhaften Strukturen. Sobald die Giftstoffe aus dem Körper heraus sind, wird es nicht lange dauern, bis sie wieder ihren Platz im Körper einnehmen. Man muß also ständig entgiften und Kontakt mit allem, was die Toxineinlagerung begünstigt, vermeiden. Das ist genau das Szenario, welches sich in unserer Welt endlos wiederholt – der ständige Versuch, sich von den Giftstoffen mit allen möglichen Methoden zu befreien, ohne das Ursächliche im geringsten zu beachten.

Der konstante Druck durch den ewigen Versuch, den Körper von Toxinen zu reinigen, schwächt auf Dauer und macht ihn in Wahrheit im Inneren noch kränker. Um sich wirklich von dem Einfluß zu befreien, muß homöopathisch vorgegangen werden. Die passenden Mittel beginnen, die Strukturen zu verändern, die es den Giftstoffen erlauben, sich im Körper anzulagern. Die krankmachenden Produkte werden somit automatisch ausgeschieden. Das geschieht mit einem Gefühl der Erleichterung und der Befreiung, anstatt mit dem Gefühl des Unwohlseins oder sogar Schmerzen, wenn unter Gewaltanwendung Giftstoffe ausgetrieben werden. Auch dabei kann kurzfristig Erleichterung verspürt werden, doch es ist keine wirkliche Besserung, kein echtes Wohlbefinden. Es können sogar neue Beschwerden auftreten. Wenn z. B. das im Gewebe gestaute Wasser mit Entwässerungstabletten ausgeschieden wird, empfindet der Patient dies zwar momentan als eine Erleichterung, jedoch wird auf Dauer kein heilsames Wohlbefinden erreicht. Wogegen die Wirkung des homöopathischen Heilmittels mit einem anhaltenden Energiefluß und einer Kräftigung verbunden ist und das Wasser natürlich aus dem Körper ausgeschieden wird. Selbstverständlich können Entgiftungskuren, v. a. bei vitalen Menschen, erst mal ein Hochgefühl verschaffen. Je stärker dabei die krankmachenden Strukturen angegangen werden, desto länger hält die Besserung an, je nachdem, wie weit der Mensch seine Strukturen heilsam bearbeitet hat.

Der homöopathische Weg wandelt also sehr effizient krankheitsverursachende Strukturen in gesunde um, wodurch die Toxine permanent ausgeschieden bzw. neutralisiert werden.

Der Umgang mit der Ausscheidungsreaktion

Im Normalfall wird das homöopathische Mittel ohne Unterbrechung weiter gegeben. Manchmal ist die Ausscheidung so exzessiv, daß sie mehr als die übliche Unannehmlichkeit bereitet. Hier kann die Dosis reduziert werden, um den Prozeß auf ein leichter zu bewältigendes Maß zu reduzieren. Das Mittel kann auch ein paar Tage ausgesetzt werden.

Fallbeispiele – heilsame und nicht heilsame Ausscheidungen

Nachdem ein Mann eine Weile *Lycopodium* genommen hatte, fing er an, große Mengen rotes Sediment (Satz) mit seinem Urin auszuscheiden. Mit der Ausscheidung ging es ihm auch weiterhin gut mit Lycopodium. Damit erfüllte er das Kriterium der heilsamen Ausscheidung. *Lycopodium* hat das Symptom des roten Bodensatzes. Also wurde das Mittel unverändert weiter gegeben, und der Bodensatz hörte nach einer Weile wieder auf.

Die Art der Ausscheidung gehört immer zur Grundwirkung des Mittels.

Eine Frau hatte bei Streß oft starke Zahnschmerzen. Nach drei Gaben des entsprechenden Mittels waren die Zahnschmerzen weg, aber sie bekam nun heftige Niesanfälle, Schnupfen und Schlaflosigkeit, was drei Tage andauerte. Gleich zu Beginn der Sinusitis setzte sie das Mittel ab. Eine Weile danach kamen die Zahnschmerzen wieder, also wiederholte sie das Mittel, die Zahnschmerzen verschwanden und sie bekam wieder diese schmerzhafte Sinusitis. Bei der nächsten Zahnschmerzattacke – die Schmerzen waren mittlerweile viel sanfter geworden – wollte sie aus Angst vor dem Schnupfen das Mittel nicht mehr nehmen. Ich verordnete ihr also ein zweites Mittel für die Sinusitis. Das war ein Segen, denn so half ihr ein Mittel bei den Zahnschmerzen und das zweite bei der Erkältung. Damit war der unheilvolle Kreislauf der sich abwechselnden Beschwerden gestoppt. Sie konnte wieder schlafen und mußte sich nicht drei Tage lang mit der Erkältung herumschlagen.

Automatisch alle Ausscheidungsreaktionen als positiv einzustufen, dient nicht der Heilung. Hier wurden durch die Sinusitis keine Toxine ausgeschieden, da die Erkältung mit keinem

Wohlbefinden einherging. Deswegen war es eine nicht heilsame Ausscheidungsreaktion, die einer Behandlung bedurfte.

Sinusitis hat einen Bezug zu Zahnschmerzen, daher zu glauben „eine derartige Ausscheidung sei heilsam“ ist ein Denkmuster. Darin verfangen zu sein, kann gefährlich werden! Eine heilsame Ausscheidungsreaktion geht ausschließlich mit einem wohltuenden Gefühl einher.

Kapitel 13

Anfallsleiden oder periodische Zustände

Allgemeines

Reaktionen bei Anfallsleiden oder periodischen Zuständen benötigen einen besonderen Umgang. Für die homöopathische Behandlung fallen alle Beschwerden, die in regelmäßigen oder unregelmäßigen Zeitabständen auftreten, unter den Begriff „Anfallsleiden“. Da die schulmedizinische Definition des Anfallsleidens enger gefaßt ist (sie bezieht sich nur auf die Epilepsie), wird der zweite Begriff „periodische Zustände“ dazugenommen, um von dem allopathischen Begriff Epilepsie Abstand zu halten.

Bei Anfallsleiden treten in gewissen Abständen leichtere bis schwerwiegende und sogar lebensbedrohliche Attacken auf. Nach der Attacke gibt es normalerweise eine mehr oder weniger kurze Phase des Unwohlseins. Dann tritt die Ruhephase ein, in der es keine Anzeichen und Symptome der Anfallskrankheit gibt. Die Intensität der Attacken bleibt normalerweise im natürlichen Verlauf der Krankheit entweder gleich oder sie nimmt zu. Natürlich können andere Faktoren zu Abweichungen führen. Wie lang die Zeitspanne zwischen den Attacken ist, ist unterschiedlich. Lehrbücher erwähnen Fälle von chronischen Vergiftungen, deren Beschwerden nur einmal im Jahr oder sogar noch seltener auftreten.

⊙ Definition:
Anfallsleiden oder periodische Zustände sind alle Beschwerden, die mit gleichbleibender oder steigender Intensität periodisch wiederkehren.

Ein Anfallsleiden ist meist eine chronische Krankheit, auch wenn beim Anfall die Symptome hochakut sein können. Sollte sich ein Mittel deutlich herausstellen, kann der Anfall damit behandelt werden, jedoch muß die chronische Behandlung danach sehr präzise weiter erfolgen.
Bei der Behandlung von periodischen Zuständen können theoretisch alle Reaktionen vorkommen. Im Laufe der Behandlung bleibt der Fokus auf die folgenden Punkte gerichtet:

- Wie ist die allgemeine Wirkung des Mittels?
- Wie verhält sich die Intensität der Attacke zur vorhergehenden?
- Wie verändert sich das Intervall zwischen den Attacken?

Die Entscheidung, das Mittel, den Abstand zwischen den Wiederholungen, die Potenz, Dosierung usw. beizubehalten, hängt davon ab, wie korrekt die obigen Punkte eingeschätzt werden und ob der Patient das Mittel regelmäßig weiter genommen oder es aus irgendeinem Grund abgesetzt hat.

1. Reaktionen während der regelmäßigen Einnahme des Mittels

a. Allgemein geht es dem Anfallskranken besser. Die Intensität der Attacken ist reduziert und die Intervalle sind länger.

Diese Reaktion ist am einfachsten zu beurteilen. Alle Kriterien einer Besserung sind erfüllt, und das Mittel wird nach der Regel der Besserung in stetig steigenden Potenzen weiter gegeben. Selbstverständlich können Zwischenfälle vorkommen. Hahnemann war ein genialer Geist, der Realitäten im richtigen Licht betrachten und dafür Lösungen suchen konnte. Diese Lösungen hat er ausnahmslos nach dem Heilprinzip des Ähnlichkeitsgesetzes herausgearbeitet. In seinen *Chronischen Krankheiten* erläutert er ausführlich, einfach und logisch die Handhabung von Zwischenfällen (siehe Kapitel 14 und 15). Trotzdem gibt es heute unterschiedliche Meinungen bezüglich der Handhabung von Zwischenfällen. Warum immer noch abweichende Meinungen beharrlich vertreten werden, ist kaum verständlich. Natürlich ist es völlig in Ordnung, andere Meinungen zu haben. Jedoch wird eine Wissenschaft nicht auf der Basis von Meinungen aufrechterhalten, sondern durch Prinzipien und Regeln.

Es gibt die Auffassung, daß die Heilung beim Patienten unbedingt ganz störungsfrei durchgeführt werden muß, und dafür alles, was irgendeine Störung in seiner Lebensweise, seiner Ernährung, seinen Emotionen, im Beruf usw. erzeugen könnte, ausgeschaltet werden sollte. Wie wird dann die tägliche Praxis und der Umgang mit dem Patienten aussehen? Sollte sich ein Patient während der ideal vorgestellten Behandlung verletzen, dann paßt das gar nicht in den Behandlungsplan dieses Homöopathen. Es ist fast unverschämt vom Patienten, sich jetzt gerade in diesem Moment, wo das Konstitutionsmittel so schön wirkt, zu verletzen. Also wird meist nicht homöopathisch behandelt, auch wenn die Verletzung gravierend ist. Erkältet sich der Patient etwa, so hätte er doch besser aufpassen sollen. Bekommt er eine Lebensmittelvergiftung, wird die laufende Behandlung manchmal trotzdem fortgeführt und die Störung schlichtweg ignoriert. Hahnemann jedoch betrachtete diese Zwischenfälle ganz pragmatisch. Bei einer Unpäßlichkeit, die der Organismus schnell beheben kann, ohne daß irgendwelche Spuren zurückbleiben und die weitere Behandlung stören könnten, wird kein Mittel gegeben. Ist es eine richtige Erkrankung, wird mit aller Konsequenz homöopathisch behandelt (Details siehe Kapitel 15).

In einem Fall von Epilepsie läuft die Behandlung wie unter Punkt 1a. Das betroffene Mädchen entwickelt sich geistig und seelisch gut, öffnet sich und bekommt immer mehr Selbstvertrauen. Sie kann ihre Erkrankung, die sich zunehmend verbessert anschauen und akzeptieren. Dann kommt als Zwischenfall eine Erkältung, gefolgt von tieferen seelischen Problemen. Sofort wird das Anfallsmittel abgesetzt. Die gesamte Erkältungsepisode dauert mehr als zwei Monate und wird entsprechend behandelt. Erst danach kann mit den ursprünglichen Mitteln fortgefahren werden. Der Zwischenfall muß, wie Hahnemann vorgibt, vollständig, v. a. in miasmatischer Hinsicht, bis zum Ende behandelt werden, bevor man mit der Behandlung der „Haupterkrankung" fortfährt. Die miasmatische Behandlung des Zwischenfalls ist von höchster Wichtigkeit, um die Ursachen von Grund auf zu beseitigen. Nach diesem Zwischenfall macht das Mädchen einen großen Sprung nach vorne, die Anfälle wurden viel leichter und seltener.

b. Allgemein geht es dem Anfallskranken besser. Die Intensität der Attacken ist reduziert, aber die Intervalle zwischen den Attacken bleiben gleich.

Indem eine allgemeine Besserung einsetzt und die Intensität reduziert ist, paßt das Mittel gut zu der Pathologie der Krankheit. Nach der Regel der Besserung wird die Potenz, die Wiederholung oder die Dosis entsprechend erhöht, um die Wirkung des Mittels zu optimieren, so daß die Heilung schneller voranschreitet. Sollten die Abstände trotz bester Bemühungen hartnäckig gleichbleiben, während die Intensität milder wird, so bleiben wir trotzdem bei dem Mittel. Die festen Intervalle bilden vielleicht die genaue Periodizität der Erkrankung und sind daher nicht zu beeinflussen. Das macht nichts, solange alles andere immer besser wird. Oft kann diese Art der Periodizität in Zusammenhang mit einem anderen Faktor, z.B. mit dem Mond, gebracht werden. In der Regel ist die Häufigkeit der Anfälle weniger wichtig. Wenn sie ungefähr gleichbleiben, ist das für die Weiterbehandlung kein Hindernis. Mit steigender Potenz desselben Mittels wird mit der Zeit eine Heilung des Zustandes erreicht.

Wieviel Zeit die Heilung braucht, kann im voraus nicht bestimmt werden. Es kann zwei, drei, fünf oder sieben Jahre dauern. Denn diese Fälle sind heutzutage durch Impfungen, Medikamente sowie verschiedene Blockaden in aller Regel so kompliziert, daß ein verschlungener und verzwickter Weg bis zur Heilung bevorsteht. Unser Halt und Trost sind die Prinzipien und Regeln der Homöopathie, die das Unmögliche oftmals möglich machen.

c. Allgemein geht es dem Anfallskranken besser. Die Intensität der Attacken bleibt gleich, aber die Intervalle werden länger.

In der Regel spricht die allgemeine Besserung des Zustandes für eine gute Prognose, jedoch sollte auch die Intensität der Anfälle nachlassen. Trotzdem sollte man nicht zu schnell handeln, ohne versucht zu haben, die Potenz zu erhöhen, häufiger zu wiederholen, und die Dosis zu erhöhen. Sollte es ganz klare Hinweise geben, welche zu einem anderen oder zweiten Mittel führen, wird die Potenz nicht erhöht. Wenn dies alles die Intensität nicht mindert, müssen die miasmatischen Hintergründe und Blockaden, vor allem die Impfungen, in Betracht gezogen werden.

Beispiel: Bei einem Anfallskranken mit immer wieder auftretender Erkältung, der viele Tetanusimpfungen erhalten hatte, wobei an der Intensität der Erkältung nicht zu rütteln war, brachte die Tetanusnosode den Durchbruch.

Wenn jemand alle drei bis vier Wochen in der kalten Jahreszeit eine Erkältung hat, ist dies auch eine Periodizität und unter diesem Gesichtpunkt zu behandeln.

d. Allgemein geht es dem Anfallskranken besser, die Intensität der Attacken ist unverändert, und die Intervalle sind es ebenfalls.

In diesem Fall wird selbstverständlich ein neues, passendes Mittel für den periodischen Zustand gebraucht. Trotzdem bedarf es hier einer Klarstellung, da wir fast ausnahmslos in irgendeiner Weise von der Idee des Konstitutionsmittels geprägt sind.

Wir erwarten von einem Konstitutionsmittel das Unmögliche und gehen davon aus, daß es alle Beschwerden beseitigt. Wenn ein Mittel allgemein sehr gut paßt und auch das Wesentliche von der Pathologie beinhaltet, schafft es oft Heilungen, die uns erstaunen. Betrachten wir dieses Phänomen ebenfalls auf der Basis des Quantensprungs. Wenn ein Mittel anscheinend alle unsere Probleme behebt, auch diejenigen, die gar nichts bzw. nicht grundsätzlich mit der Pathologie des Mittels zu tun haben, ist es im Rahmen der Quantengesetze ein Quantensprung. Die nächsthöhere Energiesphäre oder, anders gesagt, die nächsthöhere Welt schaltet in dem Moment die Einwirkungen aller Miasmen aus. Sie existieren zwar weiterhin in einer abgeschwächten Form, sind aber nicht mehr aktiv.

Ein Mittel, das nur eine allgemeine Besserung bringt, deckt die Pathologie des periodisch auftretenden Zustandes nicht ab. Dies ist natürlich schwierig einzuordnen, wenn wir uns zu stark an den Gedanken des Konstitutionsmittels klammern. Wir müssen uns von dieser Idee loslösen können, auch wenn wir uns in dieses Mittel, für diesen Menschen, als das Konstitutionsmittel „verliebt“ haben.

Ob das neue Mittel parallel zum ersten gegeben wird, hängt davon ab, wie gut ihm das erste Mittel getan hat. Wirkt das Mittel sehr positiv auf Geist und Allgemeinzustand, sollte es nicht abgesetzt, sondern parallel weiter gegeben werden. Deckt das neue Mittel die Pathologie gut ab und beinhaltet auch den Allgemeinzustand, kann es alleine gegeben werden.

Arsen z. B. könnte in einem Fall nur allgemein bessern, wogegen *Phosphor* die Pathologie mit in Ordnung bringen würde. Phosphor hat einiges gemeinsam mit den Allgemeinsymptomen von Arsen.

e. Keine allgemeine Besserung, aber die Attacken werden besser

Sind die Attacken besser geworden, fühlt sich der Patient natürlich auf eine gewisse Weise wohler. Das Mittel, das diese Pathologie gut abdeckt, jedoch nicht seinen Allgemeinzustand, ist kein Konstitutionsmittel. Sollte der Patient nur diese Attakken als Beschwerde gehabt haben und es ihm allgemein nicht schlecht gehen, wäre dieses Mittel ausreichend für die Heilung. Es gibt viele solcher Fälle, wo die Miasmen nicht in hohem Maße aktiv sind und der Patient nur diesen Zustand hat. Das Extrembeispiel ist der einseitige Fall. Sollte es allgemein bzw. konstitutionell notwendig sein zu behandeln, brauchen wir ein zusätzliches Mittel für den Allgemeinzustand.

f. Die nächste Attacke ist nicht so heftig, aber der Allgemeinzustand wird schlechter

Dies ist in der Regel keine gute Reaktion. Wenn Lokalsymptome besser werden und es dem Kranken allgemein schlechter geht, handelt es sich höchstwahrscheinlich um eine Unterdrükkung, und es bedarf notwendigerweise einer Antidotierung (siehe Kapitel 9, „Scheinverschlimmerung"). Jedoch ist das aufgrund der Unterdrückung passende Mittel, meistens gleichzeitig auch das Antidot.

In dem seltenen Fall, in dem das verordnete Mittel eine zweite, schon vorhandene Symptomatik verstärkt hervorbringt, können wir eine Bestätigung dessen durch das Absetzen des Mittels bekommen (siehe Kapitel 3 „Verschlimmerung"). Nach dem Absetzen verbessert sich der verschlimmerte Zustand schnellstens. In vielen solchen Fällen ist es möglich, ein besser passendes Mittel zu finden, aber die Wahrscheinlichkeit, daß zwei Mittel, das alte und ein neues, notwendig sind, ist nicht auszuschließen.

2. Reaktionen nach dem Absetzen des Mittels, hauptsächlich nach einer Verschlimmerung

Im Verlauf der Behandlung können auch andere Reaktionen und Zwischenfälle wie Ausscheidung, Überreaktion usw. auftreten. Nachdem entsprechend der Reaktion behandelt worden ist, wird mit dem ersten Mittel weiter fortgefahren (siehe Erläuterung zu Punkt 1 a).

Eine Verschlimmerung erfordert jedoch besondere Aufmerksamkeit, weil eine feine Differenzierung für die weitere Vorgehensweise und Heilung erforderlich ist. Sie wird bei periodischen Zuständen daran erkannt, daß die nächstfolgende Attacke intensiver oder das Intervall kürzer ist oder beides.

Es kann aber auch nur der Allgemeinzustand schlimmer werden. Das ist ebenfalls eine Verschlimmerung. Das Mittel muß nach der Regel der Verschlimmerung abgesetzt werden.

Eine Verschlimmerung kann im Laufe der Einnahme eines bestimmten Mittels auftreten oder nach dem Beginn eines neuen Mittels.

Wie tiefgehend die Heilung nach der Verschlimmerung sein wird, zeigt sich erst bei der darauffolgenden Attacke. Die folgenden Möglichkeiten von a. bis d. betreffen nur die Reaktion nach einer Verschlimmerung.

a. Allgemein besser. Die Intensität läßt nach und das Intervall wird länger.

Wie bei 1 a. ist dieser Verlauf optimal. Alles bessert sich.

Also abwarten und kein weiteres Mittel geben!

Nach der Regel der Verschlimmerung gibt es keine Grenze bezüglich der Wartezeit. Solange die Besserung anhält, wird abgewartet, *auch wenn es Monate dauert.* Es können immer wieder Anfälle auftreten. *Wenn die allgemeine Besserung jedoch anhält, die Intensität sich jedes Mal weiter verringert und die Intervalle größer werden, wird das abgesetzte Mittel ausnahmslos vom Patienten ferngehalten.*

Nach jeder Attacke muß überprüft werden, ob die Besserung in dieser Weise weiter fortschreitet. Im Idealfall kommen irgendwann keine Attacken mehr und der Fall ist geheilt. Aber meistens hören die Attacken nicht so leicht auf. Auch der geniale Burnett versprach sich bei tiefsitzenden Krankheiten keine Heilung unter zwei Jahren. Kent sprach bei chronischen Fällen von Heilungen über einen Zeitraum von zwei bis fünf Jahren.

Erst wenn die Besserung aufhört, wird gehandelt, was sich wie folgt zeigt:

1. Das Allgemeinbefinden wird wieder schlechter.
2. Die Intensität der nächsten Attacke gegenüber der letzten ist stärker.
3. Das Intervall zwischen den Attacken wird wieder kürzer.

In allen drei Fällen ist es an der Zeit, das Mittel zu wiederholen. Hier trifft die *Regel der Verschlimmerung* zu: Das Mittel darf erst dann wiederholt werden, wenn die auf die Verschlimmerung folgende Besserung deutlich aufhört.

Die oben genannten Punkte müssen nicht einzeln auftreten. Im Grunde ist es selten, daß sie sich nur einzeln wieder verschlimmern, in der Regel sind es entweder alle drei Punkte oder zumindest zwei, wobei dies meist zusammen mit dem Schlechterwerden des allgemeinen Zustandes stattfindet.

Es muß nicht wieder zu einer Verstärkung der Symptome kommen. Es kann einfach einen Stillstand geben, in dem sich die Intensität nicht weiter reduziert und die Intervalle auch nicht länger werden. In dem Fall ist die Weiterbehandlung vom Allgemeinbefinden des Patienten abhängig. Sollte das Allgemeinbefinden weiterhin sehr gut bleiben, ist es ratsam, bis zur nächsten Attacke abzuwarten, um zu überprüfen, ob es nur eine Phase war oder ob tatsächlich beim nächsten Mal keine weitere Besserung stattfindet. Tritt beim allgemeinen Zustand des Patienten auch ein Stillstand ein, ist jetzt auf jeden Fall die Zeit für eine Wiederholung gekommen. Oft ist das nicht direkt meßbar. Aber der Patient kann normalerweise feststellen, ob die Besserung fortschreitet oder nicht.

b. Allgemein besser. Die Intensität ist reduziert, aber das Intervall bleibt gleich.

Die Intervalle sind in dem ganzen Geschehen am wenigsten von Bedeutung. Da die Intensität geringer wird, warten wir auf jeden Fall ab. Solange die Attacken immer schwächer werden, wird kein Mittel gegeben, bis sie aufhören schwächer zu werden oder sich wieder verstärken.

c. Allgemein besser. Die Intensität nimmt nicht ab, aber das Intervall ist größer.

Die Intensität ist zwar ein wichtiger Punkt, aber da es allgemein besser geht, wird noch abgewartet. Sollte jedoch die Intensität bei der nächsten Attacke nicht nachlassen, muß gehandelt werden. Entweder ist das Mittel in einer höheren Potenz angeraten, oder ein anderes Mittel ist besser angezeigt. (siehe auch Punkt 1 c)

d. Allgemein besser. Die Intensität und das Intervall bleiben gleich.

Das Mittel paßt nur zum Allgemeinzustand, nicht jedoch für die Pathologie der Attacken. Es braucht ein neues Mittel, eventuell parallel wie bei Punkt 1 b.

Kapitel 14

Alter Zustand bzw. alte Symptome

Allgemeines

Die Notwendigkeit, alles klar zu definieren, damit keine Verwechslungen auftreten, ist bei dieser Reaktion besonders markant. Das Wort „alt“ könnte den Eindruck vermitteln, daß es sich um etwas handelt, das weit zurückliegt. Für die Definition des *alten Zustandes* ist es jedoch nicht von Bedeutung, wie weit etwas zurückliegt, denn theoretisch kann ein Zustand schon nach einer Sekunde alt sein, wenn er dann nicht mehr aktiv ist. Existieren tut er schon irgendwo in tief gelegenen Schubladen.

Die momentane aktive Pathologie enthält viele Symptome und Zustände. Hört ein Zustand auf zu existieren, ist er alt. Wenn dieser Zustand wieder auftaucht, ist das die Rückkehr eines alten Zustandes.

Ich benutze das Wort „Zustand“ und nicht „Symptome“, weil es immer um den Zustand geht, der zurückkehrt, und deshalb müssen nicht unbedingt die Symptome exakt dieselben sein. Es kann eine Veränderung der Symptome geben, ohne dass der Zustand sich verändert. Diese Veränderung kann sich in Richtung plus oder minus bewegen, d. h., die Symptome können in verstärkter oder abgemilderter Form zurückkommen. Sie können verstärkt werden, wenn der Mensch, was diesen Zustand betrifft, sich geistig und seelisch zurückentwickelt hat. Abgemildert werden sie aus dem umgekehrten Grund, also bei entsprechender Weiterentwicklung. Normalerweise macht sich der Mensch keine Gedanken über das Verschwinden von Symptomen und neigt im Leben in der Regel eher dazu, sich zurückzuentwickeln, als voranzuschreiten. Also bleibt das Gesetz der Entropie in Kraft, und die Symptome kommen, nachdem sie eine Zeit lang verschwunden waren, so wie sie zuvor waren oder verstärkt zurück.

Es gibt meines Erachtens hier zwei relevante Gründe, warum Symptome bzw. Zustände verschwinden. Der dritte Punkt hat mit diesem Thema nichts zu tun, aber ich erwähne ihn, um alle Möglichkeiten zu durchleuchten. Natürlich verschwindet der Zustand auch, wenn er schon geheilt ist:

a. Der Zustand geht in die Latenz.

b. Der Zustand wird unterdrückt.

c. Das nächste Stadium in der Entwicklung der Krankheit tritt ein.

a. Der Zustand geht in die Latenz

Ein Zustand kann unter günstigen Umständen (Klimawechsel, glückliche Liebe usw.) für kurze oder längere Zeit, sogar für sehr lange Zeit, latent werden und nicht mehr erkennbar sein. Durch die homöopathische Behandlung kommt er aber immer im Laufe der Zeit wieder an die Oberfläche, um jetzt richtig geheilt zu werden. In der Regel kommt der Zustand dann mit abgemildeter Intensität zurück.

Die Symptome können auch durch andere Behandlungen wie Akupunktur, Energiebehandlungen, Massagen – im Grunde genommen durch jede Art von Behandlung – in eine latente Form übergehen. Sollten diese Behandlungen heilsam gewesen sein (d. h. Ursachen angehend und nicht bloß krankheitauslösende Faktoren beseitigend), kommen die Beschwerden abgeschwächt zurück.

Ähnlich ist es mit der miasmatischen homöopathischen Behandlung. Die Symptome werden besser und verschwinden sogar ganz, um nach kurzer oder längerer Zeit während der Behandlung wieder zurückzukehren. Jetzt ist die nächsttiefere Ebene zu bearbeiten. Miasmatisch hat sich noch nicht alles aufgelöst. Die Symptome sind in der Regel leichter. Ist das nicht der Fall, so ist zumindest das Allgemeinbefinden besser geworden, bzw. der Patient kann damit nun viel besser umgehen.

b. Der Zustand wird unterdrückt

Es ist allgemein bekannt, daß ein Zustand durch Allopathie leicht vollständig unterdrückt werden kann. In solch einem Fall entstehen neue, schlimmere Symptome, die den Zustand noch gravierender machen. Was weniger bekannt bzw. nicht zugegeben wird, ist die Tatsache der Unterdrückung durch „heilsame" Methoden. Selbst die Homöopathie kann unterdrückend wirken, wenn sie nicht richtig angewandt wird. In der gleichen Weise kann dies durch andere Therapien, welche unter a. genannt wurden, geschehen. Werden anstatt des Zustandes nur die Symptome behandelt, kommt es zu einer Unterdrückung.

In meinem *Praktischen Repertorium* sind die Rubriken Hyper- und Hypotonie nicht aufgeführt, weil sie keine Krankheitsbegriffe und auch keine Symptome, sondern nur Ergebnisse einer Messung sind, die für sich genommen gar keine Aussagekraft für den wirklichen Krankheitszustand haben. Es gibt natürlich Rubriken im Repertorium, die reine Symptome sind, aber sie können in den Unterrubriken spezifiziert werden und dadurch einen Teilzustand ausdrücken. Wogegen dies bei den Begriffen Hypertonie und Hypotonie nicht möglich ist. Das wohlbekannte Beispiel ist das unspezifische Verordnen von Aurum in niedriger Potenz gegen hohen Blutdruck. Dies führt zu schlimmen Unterdrückungen mit verheerenden Folgen.

Bei einer Unterdrückung kommt der alte Zustand in der Regel gewaltiger zurück.

Wenn Kopfschmerzen auf die Unterdrückung eines Fließschnupfens durch kalten Wind folgen (man beachte die Möglichkeit der Unterdrückung durch äußere Umstände), erwarten wir bei der Heilung eine Rückkehr des Schnupfens, und zwar mindestens genauso heftig. Diesmal leidet der Patient nicht mehr so unter dem Fließschnupfen und er sollte auch schnell vorübergehen. Kent erwähnt unter Nase bei *Belladonna* (Kents *Arzneimittelbilder*) die Eigenart, einen schrecklichen Kopfschmerz zu bekommen, sollten die Nasenschleimhäute plötzlich trocken werden. Dies kann durch die trockene Kälte bei einem Schnupfen geschehen oder bei der normal verstärkten Sekretion während der kalten Jahreszeit. In beiden Fällen kann erst eine verstärkte Sekretion aus der Nase mit komplettem Nachlassen des Kopfschmerzes die Heilreaktion sein.

c. Das nächste Stadium in der Entwicklung der Krankheit tritt ein

In dem Fall wird das vorherige Stadium bei der Heilung nicht wieder auftreten, denn es ist kein alter Zustand. Die Krankheit wird jetzt im neuen Stadium behandelt und dort geheilt. Bei einem Fall im zweiten Stadium von Lungenentzündung, wirkt das passende Mittel direkt in diesem Stadium heilsam. Die sogenannte Heringsche Regel für eine Heilung lautet: In der umgekehrten Reihenfolge des Erscheinens von Symptomen verschwinden sie auch wieder. Dies gilt nur für Symptome bzw. Zustände, die alle in der gegenwärtigen Krankheitsphase schon vorhanden und aktiv sind. Jedoch nicht für ein vorheriges Stadium.

Übrigens wurden die Heringschen Regeln bereits von Hahnemann aufgestellt. Hering hat sie lediglich zusammengefaßt.

Symptome, die mal da sind und mal nicht, sind keine „alten Symptome“, sondern als gegenwärtige Symptome zu beurteilen. Die Gegenwart ist ein sehr dehnbarer Begriff. Die Gegenwart kann ein paar Minuten sein oder Jahre bedeuten. D.h. der momentane Zustand kann schon seit Jahren existieren. Dies ist das Thema des nächsten Kapitels: Neue Symptome.

⊙ Definition:

1. Sobald ein Zustand bzw. ein Symptom aufhört, in der im Moment *aktiven Pathologie* zu existieren, ist es ein *alter Zustand* bzw. *altes Symptom*. Der Zeitraum, der seitdem vergangen ist, spielt hierbei keine Rolle.

2. Zu der *aktiven Pathologie* gehören alle Zustände, die momentan wirken, also vordergründig sind bzw. gerade aktiv werden (im Entwickeln sind); es sind bereits kennzeichnende Symptome anderer Mittel vorhanden.

Beispiel zur aktiven Pathologie (2. Teil der Definition)
Entwickelt der Patient einen Schnupfen mit einer deutlichen Totalität, kann der Schnupfen ohne Weiteres behandelt werden. Sollten sich im Moment der Anamnese ein Kratzen im Hals und ein Husten dazu melden, ist der Schnupfen die vordergründige Pathologie und die Bronchitis entwickelt sich im Hintergrund.

Wir haben die Möglichkeit, so lange zu warten, bis beide Zustände zu einem geworden sind (was nicht immer der Fall sein wird), um sie dann in einem zu erfassen. Der angenehmere Heilungsweg ist, die Schnupfentotalität gleich zu behandeln, vorausgesetzt, das Heilmittel ist deutlich angezeigt, um dadurch den Prozeß der Gesamtheilung zu beschleunigen. Es ist vielleicht in manchen Fällen die weisere Entscheidung, zu warten, da für eine treffsichere Mittelwahl verschiedene Faktoren beachtet und abgewogen werden müssen. Das Mittel für den Schnupfen muß genau passen, sonst kann das zu einer Verschleierung des Falls führen. Davor warnt uns Kent am Beispiel von *Allium cepa*, einem seltenen Mittel bei Schnupfen. Verschleiern ist eine Teilunterdrückung, wodurch die individualisierenden Symptome verschwinden.

Durch das richtige Mittel für den Schnupfen geht es dem Patienten allgemein und nasal besser. Jetzt wird jedoch schnell der Husten mit klarer Symptomatik hervortreten, außer wenn das Mittel zufällig den Hustenzustand mit abdeckt. In dem Fall werden beide Zustände als eine Einheit geheilt.

Hier sollten wir uns nicht durch die Heringsche Regel verwirren lassen, die lautet: Heilung geschieht von innen nach außen, d. h. durch die Behandlung eines Schnupfens sollte sich kein Husten entwickeln. Aber jeder Zustand, in diesem Fall der vom Husten, der sich gerade entwickelt, wird immer verstärkt und schneller hervortreten, wenn der vordergründige Zustand richtig behandelt wird.

Sollte der Patient unterdrückende Maßnahmen gegen den Hustenreiz ergreifen, wie z. B. Lutschbonbons, wird der Husten zu einem alten Zustand, der vielleicht nur ein paar Stunden oder noch viel kürzer zurückliegt. Durch das passende Mittel wird er wieder – und zwar richtig und heftig – hervortreten!

Tritt im Laufe einer Behandlung wieder ein alter Zustand auf, so betrachten wir ihn unter den folgenden zwei Gesichtspunkten:

A. Der alte Zustand paßt in das Arzneimittelbild
B. Der alte Zustand paßt nicht in das Arzneimittelbild

Ferner betrachten wir die beiden Möglichkeiten jeweils mit den Kriterien:

1. **Geht es dem Patienten weiterhin besser?**
2. **Geht es ihm mit dem Auftauchen des alten Zustandes schlechter?**

Die Betrachtungen nach **A** und **B** setzen voraus, daß die Rückkehr des alten Zustandes während der Einnahme eines passenden Mittels eintritt.

Durch die Kombination der Beobachtungen **A, B, 1** und **2** ergeben sich vier Möglichkeiten, die zu berücksichtigen sind:

A. Der alte Zustand paßt in das Arzneimittelbild

1. Dem Patienten geht es weiterhin besser

Das Auftreten eines alten Zustandes geht nicht immer mit Unannehmlichkeiten einher und sollte auch keine Ängste verursachen. Es gibt durchaus die Möglichkeit, durch die alten Symptome problemlos hindurchzugehen.

Paßt das Mittel und geht es dem Patienten gut, gibt es überhaupt keinen Grund, das Mittel abzusetzen, da die Regel der Besserung hier voll zutrifft. Also geben wir das Mittel vorerst weiter. Sollten die alten Symptome sehr heftig sein, können wir eventuell die Dosis reduzieren. Es gibt jetzt zwei Möglichkeiten:

a. Der alte Zustand verschwindet nach einer Weile durch die Wirkung des Mittels

Dies ist der einfachste Fall, und das Mittel kann ohne Unterbrechung weiter gegeben werden.

Fallbeispiel

Eine Frau nahm wegen Hals- und Magenschmerzen abends ein Mittel ein, woraufhin sie sehr müde wurde, was sie von früher her kannte. Am nächsten Morgen war die Heiserkeit weg, und auch dem Magen ging es deutlich besser. Mittags hatte sie kurz einen heftigen Schwindel, auch ein altes Symptom. Nach dem Mittagschlaf bekam sie kurz heftige Gallenschmerzen, ebenfalls ein altes Symptom. Am Abend war sie nicht depressiv wie sonst und hatte Lust und Energie, einen Spaziergang zu machen. Auch die rheumatischen Schmerzen waren besser. Die Symptome, die auftraten, gehörten zum Mittelbild. Ferner waren sie so schnell weg, daß die Notwendigkeit, irgendwelche anderen Überlegungen anzustellen, gar nicht existierte. Bei solchen Prozessen kommt es oft zu einer Mischung von alten Symptomen und Symptomen, die der Patient immer wieder hat.

b. Der alte Zustand verschwindet nicht durch die weitere Wirkung des Mittels

Verschwindet der alte Zustand nicht, brauchen wir ein neues Mittel. Da das alte Mittel gut für den Patienten ist, setzen wir es nicht ab. Wir müssen jedoch ein passendes, neues Mittel für den alten Zustand finden, das dann parallel gegeben wird.

Der obere Fall unter a. kann uns dazu verleiten, immer ein schnelles Verschwinden des alten Zustandes als normal anzunehmen. Dies ist aber nicht die Regel. Es kann sogar sehr lange dauern, bevor die Symptome doch endlich nachlassen, wie es beim folgenden Fall zu sehen ist:

Fallbeispiel

Die Patientin nahm *Psorinum LM 240* alle drei Tage. Davor hatte sie das Mittel in der LM 120 ca. zehn Wochen lang täglich genommen. Das Mittel hatte bis dahin sehr gut gewirkt. Nach etwa drei Monaten der LM 240 bekam sie auf einmal wieder Rückenschmerzen, die mit *Natrium muriaticum* bereits behoben worden waren. Obwohl die Schmerzen schon stark waren, setzte sie Psorinum nicht ab, da sie sich mit dem Mittel sehr gut aufgehoben fühlte. Sie konnte morgens aufgrund der Schmerzen nicht im Bett liegenbleiben. Nach dem Aufstehen wurden die Schmerzen gleich besser. Sie hielten etwa sechs Wochen an und verschwanden dann von heute auf morgen.

Beide Fälle machen deutlich, wie extrem kurz oder lang der alte Zustand zeitlich anhalten kann (1/4 bis 1/2 Stunde oder auch wochenlang).

Die Regeln für das Nichteinsetzen des Parallelmittels

- Das verordnete Mittel wirkt weiterhin zufriedenstellend bis sehr gut.
- Der alte Zustand, auch wenn heftig, beeinträchtigt den Patienten nicht, sondern er bleibt seelisch und geistig in guter Verfassung.

Fallbeispiel

In diesem Fall bekam der Patient unter der Wirkung von *Silicea* sehr starke Druckschmerzen in der Kieferhöhle. Ansonsten tut Silicea bei den anderen Beschwerden sehr gut, aber die Kieferhöhlenschmerzen sind schwer auszuhalten. Zusätzlich setzt eine Ausscheidung aus der Kieferhöhle über die Nase ein, ohne jedoch zu einer Schmerzlinderung zu führen. Es ist also keine Ausscheidungsreaktion, sondern ein altes Symptom, das längere Zeit latent war. Nach zwei Tagen greifen die Schmerzen sogar auf Kiefer und Zahn über.

Der alte Zustand schreitet also weiter fort; jetzt ist eindeutig zusätzlich ein neues Mittel notwendig. Silicea wird weiter gegeben und dazu *Magnesium phos.* Die Symptome von Magnesium phos. haben sich klar herauskristallisiert: eine richtige Neuralgie mit der entsprechenden Empfindlichkeit. Ferner ist die Wärme sehr angenehm, was auch zu Silicea paßt. Aus dem Grund war der Zustand bisher dem Mittelbild von Silicea zuzuschreiben. Paßt das verordnete Mittel allgemein zum alten Zustand und bleibt dieser auch noch allgemein (unspezifisch), wird das alte Mittel weitergegeben, da es dem Patienten guttut. Die Dosis kann bei heftigen Symptomen reduziert werden.

In dem Moment also, in dem die Symptome vom alten Zustand sehr spezifisch für ein anderes Mittel werden, ist normalerweise dieses neue angezeigte Mittel an der Reihe. Entweder alleine oder zusätzlich.

Die Regel bzw. das Heilgesetz für Punkt 1b

- Der Organismus entwickelt ganz klare Zeichen und Symptome, wenn er dringend Hilfe braucht.
- Der Patient selbst möchte eindeutig nicht länger die Beschwerden ertragen.
- Es gibt auch die Möglichkeit, daß die Symptome ganz eindeutig ein Mittel anzeigen, der Patient aber das Mittel nicht will. In dem Fall verschwinden diese Symptome auch bald bzw. in angemessener Zeit.

2. Dem Patienten geht es schlechter

Geht es dem Patienten schlechter, gibt es in der Regel keinen Grund, das Mittel weiter zu geben. Es ist jetzt zu überprüfen, ob zusätzlich eine gleichzeitige Verschlimmerung stattgefunden hat oder ob das Schlechtergehen nur am Auftreten eines alten Zustandes liegt. Dies zu unterscheiden ist an sich einfach, da bei einer Verschlimmerung gleichzeitig die vorherigen Symptome verstärkt sein müssen.

Nun gibt es zwei Möglichkeiten:

a. Der alte Zustand verschwindet nach einer Weile von selbst
Das bedeutet: Obwohl das Auftauchen des *alten Zustandes* das Allgemeinbefinden des Patienten beeinträchtigte, lag es in der Macht des Mittels, den *alten Zustand* zu heilen. Es bedeutet auch, daß das Mittel weiterhin angezeigt ist. Nachdem der alte Zustand verschwunden ist, kann das Mittel weiter gegeben werden, wenn die vorherigen Symptome, für die das Mittel ursprünglich gegeben wurde, keine weitere Besserung, wie vor dem Absetzen, zeigen.

Stellen wir jedoch eine eindeutige Besserung fest und schreitet diese weiterhin fort, wird das Mittel erst mal nicht wiederholt.

Ist es an der Zeit, das Mittel wieder zu geben, müssen wir in Betracht ziehen, wie stark die alten Symptome auftraten. Sollten sie um einiges heftiger als früher gewesen sein, muß die Dosis reduziert werden.

Fand eine Verschlimmerung statt, müssen wir die Regeln der Verschlimmerung beachten. Sollte die Verschlimmerung eher vorbei sein als das Verschwinden des alten Zustandes, wird es dem Patienten weiter entsprechend schlecht gehen, bis der alte Zustand vorbei ist. Erst wenn die nachfolgende Besserung vergeht, wird der Patient das Mittel wieder brauchen, außer wenn der Zustand sich ändert (siehe Kapitel 15, „Neuer Zustand“).

b. Der alte Zustand verschwindet nicht von alleine

Auch hier muß das laufende (= letzte) Mittel abgesetzt werden. Wir brauchen auf jeden Fall ein neues Mittel. Ob das laufende Mittel später zusätzlich noch gebraucht wird, erkennen wir daran, ob die Symptome, für die das laufende Mittel gegeben wurde, nach dem Absetzen des Mittels schlimmer werden. In dem Fall geben wir das letzte Mittel in reduzierter Dosis zusammen mit dem neuen Mittel für den *alten Zustand.* Wenn die Symptome, für die das vorherige Mittel gegeben wurde, nach dem Absetzen mehr oder weniger gleich bleiben, sollte ein Mittel gegeben werden, welches beide Zustände abdeckt. Ist das nicht möglich, können zwei Mittel gegeben werden.

Es kann zusätzlich eine Verschlimmerung, wie unter 2a, stattfinden, in dem Fall ist genauso zu verfahren.

B. Der alte Zustand paßt nicht in das Arzneimittelbild

1. Dem Patienten geht es weiterhin besser

Bei tiefwirkenden Mitteln kann der alte Zustand zu dem laufenden Mittel passen, ohne daß wir das wissen. Also geben wir das Mittel vorerst weiter. Wenn der alte Zustand sehr heftig ist, können wir wie unter Punkt **A1** die Dosis reduzieren.
Auch hier gibt es wieder zwei Möglichkeiten:

a. Die weitere Einnahme des Mittels erweist sich als förderlich und der alte Zustand verschwindet

Es gibt hier kein Problem, und wir können wie gehabt weitermachen. Der alte Zustand gehört zum Mittelbild. Wir haben also etwas neues über das Mittel gelernt.

Tiefwirkende Mittel, besonders die Hauptnosoden, beinhalten oftmals noch unbekannte Möglichkeiten. Das Wissen über das Wesentliche dieser Mittel hilft uns, einen Versuch zu unternehmen und beim Mittel zu bleiben.

b. Der alte Zustand verschwindet durch die weitere Einnahme des Mittels nicht

Wenn der alte Zustand nicht verschwindet, brauchen wir mit Sicherheit ein neues Mittel. Deckt das neue Mittel beide Zustände ab, geben wir nur dieses eine Mittel. Andernfalls geben wir beide, das alte und das neue Mittel.

2. Dem Patienten geht es schlechter

In diesem Fall müssen wir das Mittel sofort absetzen und abwarten, außer der alte Zustand ist sehr intensiv. Dann brauchen wir sofort ein neues Mittel.

a. Nach dem Absetzen verschwindet der alte Zustand von alleine

Normalerweise geschieht dies nicht, da der alte Zustand nicht zum Mittelbild gehört und es dem Patienten durch den alten Zustand auch schlechter geht. Das Schlechtergehen alleine ist Grund genug, ein neues Mittel in Betracht zu ziehen. Jedoch ist es bei tiefwirkenden Mitteln manchmal trotzdem möglich, daß der alte Zustand bzw. das alte Symptom doch mitgeheilt wird. Das passiert, wenn das Symptom nicht zu stark bzw. zu tief verwurzelt ist oder wenn das Symptom ein Reflexsymptom bzw. Begleitsymptom ist, wie z. B. Knieschmerzen, die aus dem unteren Rückenbereich entstehen können. Sie waren durch Gymnastik u. ä. verschwunden. Dieses Symptom war noch nicht fest verwurzelt, d. h. noch mehr oder weniger funktionell. Also kann es wieder auftreten, und obwohl es in der Weise unbekannt bei diesem Mittel ist, wird es trotzdem verschwinden. Solche Symptome können wir auch nicht dem Mittel als geheiltes Symptom zuschreiben! Zumindest nicht mit seinen Modalitäten. Nur als allgemeines Symptom, aber das nützt uns auch nicht viel, da tiefwirkende Mittel sowieso alle Bereiche des Körpers abdecken.

Nach dem Verschwinden des alten Zustandes wird es dem Patienten gewöhnlich eine Zeitlang gut gehen, und *wir warten ab. Erst wenn sich der ursprüngliche Zustand wieder meldet, werden wir das Mittel wiederholen, meist in der nächsthöheren Potenz.*

Bei Punkt 2a ist wiederum zu beachten, daß eine Verschlimmerung des ursprünglichen Zustandes zusätzlich stattfinden kann. In dem Fall gehen wir entsprechend, wie bei 1a besprochen, vor.

b. Der alte Zustand verschwindet nach dem Absetzen nicht von selbst

Wir brauchen ein neues Mittel. Wenn möglich, sollte das Mittel beide Zustände abdecken, den alten und den ursprünglichen.

Ist das nicht möglich, brauchen wir zwei Mittel. Vor langer Zeit wurde ich auf diese Möglichkeit aufmerksam, als ich in einer Zeitschrift einen Fallbericht las: Das verordnete Mittel brachte eine unterdrückte Gonorrhöe ganz heftig zurück, die sofort mit *Medorrhinum* behandelt wurde und bald geheilt war und damit auch die Gesamtbeschwerden des Patienten. Bis dahin kannte ich nur die zwölf Reaktionen, die Kent in seinem Buch *Zur Theorie der Homöopathie* beschreibt. Kent erwähnt diese Möglichkeiten in keiner Weise. Ich war zwar etwas verblüfft, aber der Heilerfolg überzeugte mich. Ich mußte diese Möglichkeit nur noch für mich in die Gesamtstruktur einordnen.

Rückkehr alter Symptome bei der Einnahme eines nicht passenden Mittels

Sollte ein Mittel nur einen alten Zustand zurückbringen, ohne selbst zum Wohlbefinden des Patienten beizutragen, gäbe es zwei Möglichkeiten:

- Das verordnete Mittel hat als Katalysator-Reaktionsmittel agiert. Es trägt selbst nicht zum Auflösen des Zustandes bei. Normalerweise hat ein Reaktionsmittel, im Gegensatz zum Katalysator-Reaktionsmittel, eine heilsame und wohltuende Wirkung auf den Menschen. Er spürt, daß ihm das Mittel auch allgemein oder spezifisch guttut.
- Das Mittel paßt nicht, zumindest im Moment nicht, und der alte Zustand ist rein zufällig zu diesem Zeitpunkt zurückgekehrt. Dies ist oft bei Unterdrückungen der Fall. Die Symptome werden sowieso zurückkommen, da das unterdrükkende Mittel nur durch die ständige Einnahme weiter unterdrücken kann. Wenn das Mittel abgesetzt wird, dauert es nicht lange, bis die unterdrückten Symptome noch heftiger zurückkommen. Bei einem anderen Fall der Unterdrückung kann der Körper gerade angefangen haben, die unterdrück-

ten Symptome wieder an die Oberfläche zu bringen. Diese Annahme wird bestätigt, indem man solche Fälle zurückverfolgt und dabei die entsprechenden Anzeichen dafür findet.

In beiden oben genannten Fällen werden die verordneten Mittel nicht mehr gebraucht. Im zweiten Fall hat das Mittel wahrscheinlich die Rolle übernommen, alles zu beschleunigen und möglicherweise zu intensivieren. Dies kann manchmal durch ein unpassendes Mittel oder ein passendes Mittel zum falschen Zeitpunkt passieren. *Jedes Mittel ist im Grunde unpassend, wenn etwas gerade im Entstehen ist.*

Das Entstehen eines alten Zustandes nach einer Verschlimmerung

Die Verschlimmerung des behandelten Zustandes an sich ist, wie die Verschlimmerung selbst, als intensivierte Heilreaktion zu handhaben, deswegen geben wir kein Mittel. Geht es dem Patienten schlechter, wenn der alte Zustand auftritt, sollte auch hier möglichst lange gewartet werden, bis die Verordnung eines Mittels in Erwägung gezogen wird. Alle zusätzlichen Maßnahmen, wie unter Verschlimmerung besprochen, sind zuerst anzuwenden. Nur wenn der alte Zustand hartnäckig bleibt und der Patient deutlich aus der Verschlimmerung herausgekommen ist und sich gut in der darauffolgenden Besserung befindet, ist der Zeitpunkt günstig, ein Mittel für den alten, hartnäckigen Zustand zu geben. In der Regel geht es dem Patienten spätestens innerhalb einer Woche deutlich besser, wenn eine LM-Potenz oder die C-Potenz in der aufbauenden Potenzserie von LM auf C gegeben wird.

Kapitel 15

Neuer Zustand bzw. neue Symptome

Allgemeines

Es gibt viele Gründe, das Mittel weiter zu geben, aber genauso gibt es viele Gründe und Zeichen, das Mittel abzusetzen:

a. Das Mittel hilft nicht mehr weiter und auch höhere Potenzen zeigen keine Wirkung

b. Die Symptome verändern sich

Ein *„neuer Zustand"* bedeutet entweder, daß der Patient einen Zustand, der während der Behandlung auftaucht, noch nie hatte oder daß dieser gelegentlich auftritt, jedoch zu Beginn der Einnahme des Mittels nicht da war.

Der Unterschied zum alten Zustand ist:

Ein alter Zustand hat in der Vergangenheit existiert, jetzt jedoch nicht mehr. In der Regel ist er so weit unterdrückt worden oder in die Latenz geraten, daß er sich von alleine unter keinen Umständen mehr zeigen kann. Nur wenn der Körper in der Lage ist, die Heilung wieder in die Wege zu leiten bzw. zu aktivieren, kann der alte Zustand in dem frisch aktivierten Heilprozeß in Erscheinung treten. Er kann auch ein anderes Gesicht bekommen (siehe Kapitel 14). Natürlich gehört der alte Zustand zur gesamten Krankengeschichte. Im Gegensatz dazu tritt ein neuer Zustand immer wieder in gleicher oder ähnlicher Weise auf, wie z. B. immer wieder ähnliche Arten von Erkältungen oder Kopfschmerzen. Bei einem neuen Zustand müssen keine Heilungsprozesse aktiviert werden, um ihn in Erscheinung zu bringen. Er tritt von allein immer wieder auf.

Eine akute Krankheit ist laut Definition ein neuer Zustand, außer wenn sie *nach einer Unterdrückung* wieder in Erscheinung tritt. Natürlich können auch während einer akuten Erkrankung zusätzlich neue Zustände auftreten. Bei neuen Symptomen geht es immer um Zustände, die der Patient im gegenwärtigen Gesamtbild zwar hat, die aber momentan nicht im Vordergrund stehen oder noch nicht vorhanden sind.

Beispiel: Jemand bekommt bei Erkältungen manchmal nach ein paar Tagen zusätzlich Kopfschmerzen. Die Kopfschmerzen können eine eigenständige Totalität bilden, müssen es jedoch nicht. Sollten die Kopfschmerzen ein eigenständiger Zustand sein, werden sie als neuer Zustand bezeichnet.

Definition:

Ein neuer Zustand oder neue Symptome können

- komplett neu sein,
- in Variationen immer wieder auftreten,
- immer wieder auf dieselbe Art auftreten.

Der neue Zustand gehört zur Pathologie der mehr oder weniger aktiven (im Vordergrund stehenden) Miasmen.

Er kann auch zur Pathologie eines Miasmas gehören, das soeben erst aktiv geworden ist.

Eine Erkältung kann in verschiedenen Variationen auftreten. Erkältung ist ein Oberbegriff bzw. Krankheitsname, genauso wie Bronchitis, Lungenentzündung oder Kopfschmerzen. Eine Erkältung kann z.B. jedes Mal ein anderes Mittel erfordern, was uns dann zeigt, daß es jedes Mal ein anderer, neuer Zustand ist. Das dahinterliegende Miasma, das diesen Zustand jedes Mal neu erzeugt, ist immer dasselbe.

Es können jedes Mal dieselben ein oder zwei Mittel in Frage kommen, aber auch andere Mittel sind möglich.

Tritt der Zustand immer ohne Variationen auf, werden jedes Mal dieselben Mittel benötigt.

Hier ist zu bemerken, daß bei einer akuten Erkrankung grundsätzlich alle Mittel, die bis dahin genommen wurden, abgesetzt werden, jedoch nicht unbedingt beim akuten Schub einer chronischen Krankheit.

Das Folgende betrifft daher chronische Krankheiten oder das Entstehen eines neuen Zustands während einer akuten Erkrankung.

Tritt ein *neuer Zustand* im Laufe einer Behandlung auf, müssen wir ihn unter den gleichen Gesichtspunkten wie den *alten Zustand* betrachten. Also:

A. Der neue Zustand paßt zum Arzneimittelbild
B. Der neue Zustand paßt nicht zum Arzneimittelbild

Ferner betrachten wir die beiden Möglichkeiten unter den Gesichtspunkten:

1. Geht es dem Patienten weiterhin besser?
2. Geht es ihm mit dem Auftauchen des neuen Zustandes schlechter?

A. Der neue Zustand paßt zum Arzneimittelbild

1. Dem Patienten geht es weiterhin besser

Wenn irgendwelche Symptome auftauchen, möchte der Mensch sie sofort behandelt haben. Das ist im Grunde auch richtig. Warum sollen wir Belastendes mit uns herumtragen? Jedoch sind die Symptome, die uns belasten, nur ein Ausdruck der dahinterliegenden Ursache. Wenn es dem Patienten weiter-

hin gutgeht, stellen die neuen Symptome keine echte Belastung dar, obwohl sie vielleicht nicht gerade angenehm sind. Ferner deckt das Mittel auch den neuen Zustand ab und wird weiter gegeben. Ist der neue Zustand sehr heftig, können wir die Dosis entsprechend reduzieren.
Wie immer gibt es zwei Möglichkeiten:

a. Der neue Zustand verschwindet durch die weitere Wirkung des Mittels.

Durch die Weitergabe des Mittels verschwinden die Symptome wieder. Dies ist der einfachste Fall. Es gibt nichts anderes zu berücksichtigen. Man gibt das Mittel nach der Regel der Besserung weiter. Diese Reaktion ist mit der „Ausscheidungsreaktion" zu vergleichen. In dem Fall geht es dem Patienten auch gut und es ist ebenfalls ein neuer Zustand. Nur haben wir dort eine eindeutige Ausscheidung.

b. Der neue Zustand verschwindet nicht durch die weitere Wirkung des Mittels.

Wenn der neue Zustand nicht von alleine verschwindet, brauchen wir logischerweise ein anderes Mittel dafür. Da das momentane Mittel weiterhin guttut, wird das neue Mittel parallel gegeben. Sollte ein Mittel gefunden werden, das den laufenden und den neuen Zustand insgesamt abdeckt, ist das laufende Mittel natürlich nicht mehr notwendig. Das finden wir z. B. bei Fällen von Nux vomica, wenn während Nux vomica Einnahme eine Erkältung entsteht. *Nux vomica* deckt die Erkältung mit ab, und es geht dem Patienten weiterhin besser. Nux hilft schon bei der Erkältung, aber oft nicht vollständig. In solchen Fällen ist häufig *Tuberculinum bovinum* das Mittel, welches beide Symptomatiken gut abdeckt und den Fall samt Erkältung weiterbringt.

A.1.b.: Neuer Zustand paßt zum AMB des laufenden Mittels - es geht besser - NZ bleibt

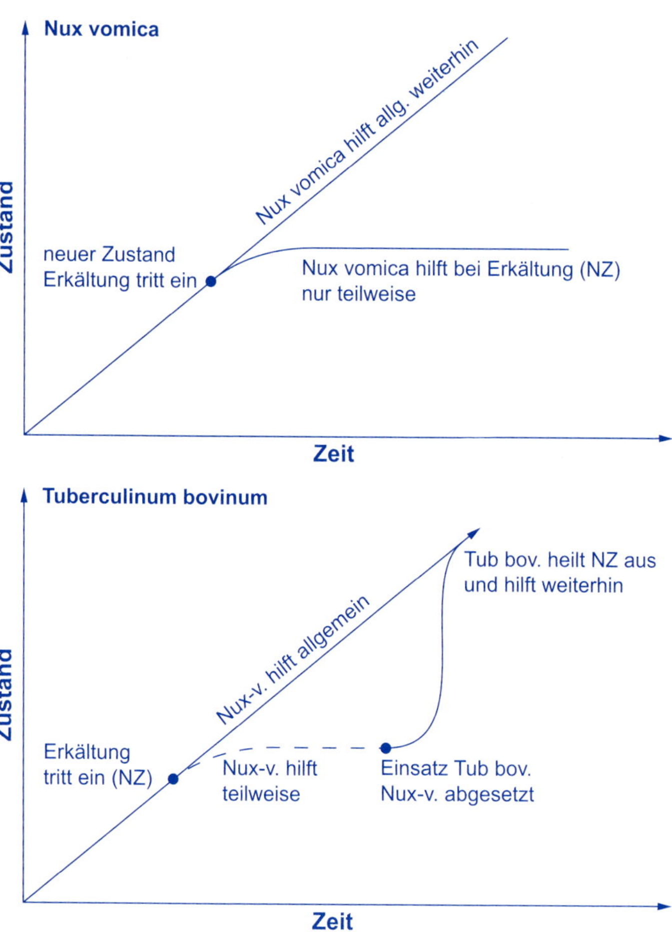

Bei einer akuten Erkrankung wird durch das passende Mittel der normale Krankheitsverlauf immer wesentlich abgekürzt. Diese Bedingung muß durch die weitere Einnahme des Mittels erfüllt werden.

Dies gilt auch für akute alte Zustände, wobei dort, wegen der Unterdrückungen, die Zeiträume anders zu bewerten sind.

2. Dem Patienten geht es schlechter

Das Mittel wird, wie immer beim Schlechtergehen, abgesetzt. Wir müssen auch überprüfen, ob nicht zur gleichen Zeit eine Verschlimmerung stattfindet. Das weitere Vorgehen wird durch das bestimmt, was nach Absetzen des Mittels mit dem Patient geschieht.

a. Der neue Zustand verschwindet von selbst

In diesem Fall hat das Mittel in der Regel eine Beziehung zu dem neuen Zustand und konnte ihn deswegen heilen. Bei akuten Fällen muß selbstverständlich der neue akute Zustand ent-

A.2.a.: Neuer Zustand paßt zum AMB des laufenden Mittels - es geht schlechter - NZ verschwindet

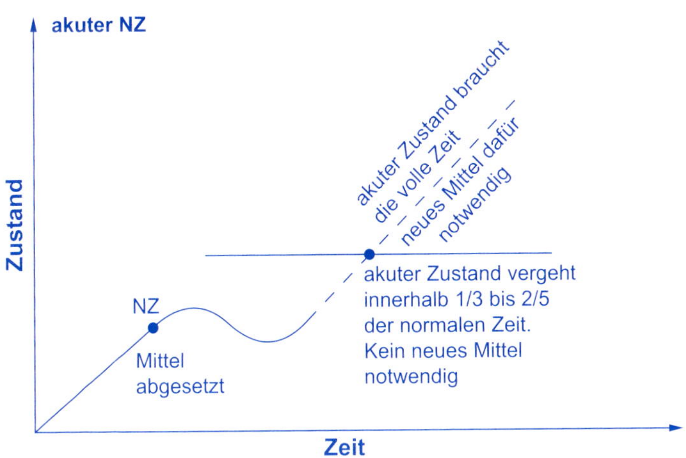

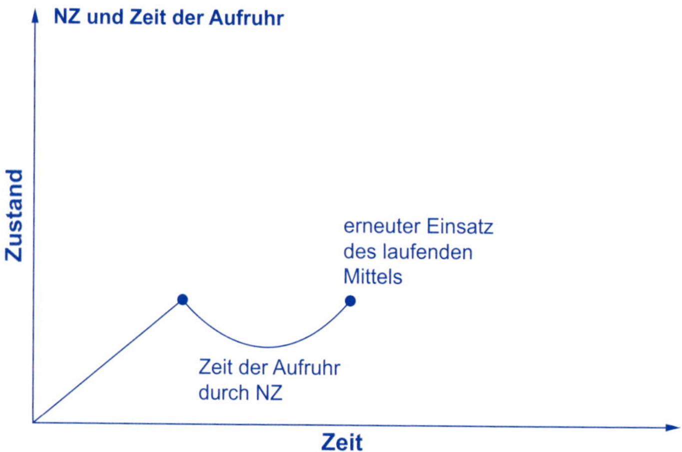

sprechend schnell vergehen. Das Mittel ist also weiterhin für den Patienten angezeigt. Nachdem der Organismus sich vom Aufruhr des neuen Zustandes erholt hat, kann das Mittel wieder eingesetzt werden. Der Zeitraum, bis der Organismus zur Ruhe kommt, ist unterschiedlich und kann manchmal länger dauern. Es könnte dann auch sinnvoll sein, die Dosis zu reduzieren.

b. Der neue Zustand verschwindet nicht von selbst

Ein neues Mittel ist jetzt notwendig, es muß jedoch überprüft werden, ob das vorherige noch benötigt wird. Dabei richten wir uns danach, wie es dem Patienten nach dem Absetzen des Mittels weiter ergeht. Verschlimmern sich die Symptome, die durch das letzte Mittel besser waren, sehr bald nach dem Absetzen, geben wir das vorherige Mittel erneut, jedoch in reduzierter Dosis und das neue Mittel parallel dazu. Sollten die vorherigen Symptome nach dem Absetzen des Mittels eher gleich bleiben, dann eilt es nicht und es wird bis beheben des neuen Zustandes abgewartet. Wenn dieser behoben ist, können wir, wenn es noch angezeigt ist, zum alten Mittel zurückkehren.

A.2.b.: Neuer Zustand paßt zum AMB des laufenden Mittels - es geht schlechter - NZ verschwindet nicht

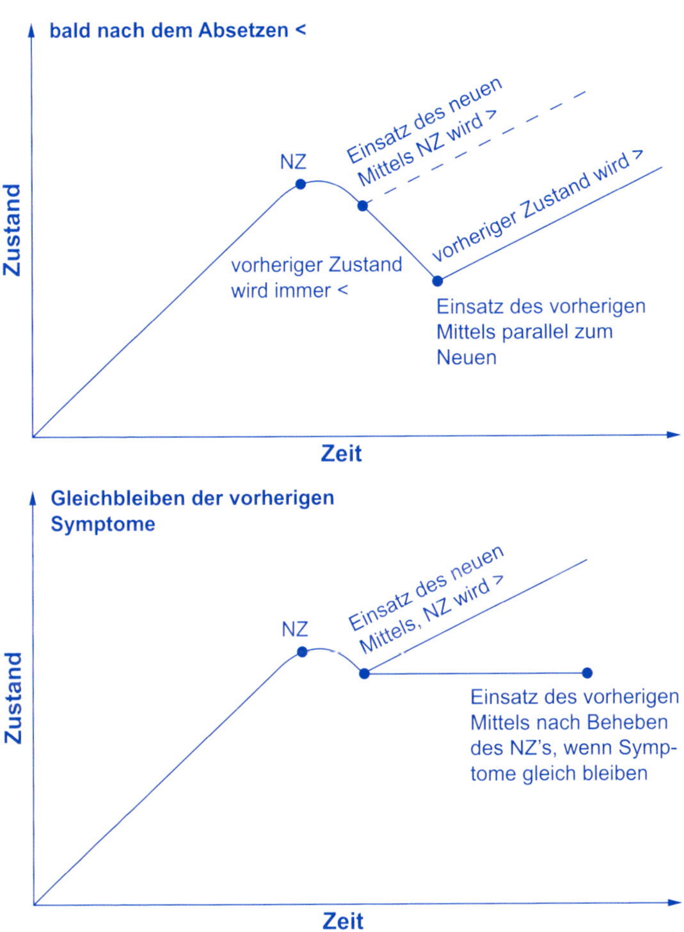

Kommt es aber zusätzlich zu einer Verschlimmerung, wird für den vorherigen Zustand nach der Regel der Verschlimmerung gehandelt. Der neue Zustand wird unabhängig vom vorherigen angegangen.

B. Der neue Zustand paßt nicht in das Arzneimittelbild

1. Dem Patienten geht es weiterhin besser

Wie bei *alten Zuständen* ist es möglich, daß tiefwirkende Mittel den neuen Zustand abdecken, von dem wir noch nicht wissen, daß er zu dem Mittelbild gehört. Also sollten wir das Mittel eine Weile weiter wiederholen, um zu sehen, ob das Mittel den neuen Zustand beheben kann. Wie bei **A1** können wir die Dosis verringern, wenn der neue Zustand sehr heftig ist. Wieder sind zwei Möglichkeiten vorhanden:

a. Der neue Zustand verschwindet durch die weitere Wirkung des Mittels.

Dies bedeutet, daß der neue Zustand ein Teil des Mittelbildes des alten Mittels ist. Wir haben also etwas neues über das Mittel dazugelernt und können das Mittel nach den Prinzipien der Besserung weiter geben.

b. Der neue Zustand verschwindet nicht durch die weitere Wiederholung des Mittels.

Wenn der neue Zustand tatsächlich nicht zum alten Mittel paßt, brauchen wir ein neues Mittel für den neuen Zustand. Deckt dieses Mittel auch den vorherigen Zustand ab, brauchen wir nur dieses zu geben, andernfalls wird zusätzlich das alte Mittel benötigt. Sobald der neue Zustand behoben ist, setzen wir das neue Mittel ab und geben nur noch das alte Mittel weiter. War nur ein Mittel notwendig, wird es einfach weiter gegeben.

2. Dem Patienten geht es schlechter

In diesem Fall setzen wir das Mittel sofort ab. Dann warten wir und beobachten, was als Nächstes passiert. Wenn der neue Zustand zu intensiv ist, dann handeln wir sofort nach Punkt b unten.

a. Der neue Zustand verschwindet von alleine.

Da aber der neue Zustand nicht zum Mittelbild gehörte, können wir das Mittel nicht ohne weiteres erneut einsetzen. Hinterläßt der neue Zustand ein aktiviertes Miasma, auch wenn nur sehr leicht aktiviert, brauchen wir in diesem Fall ein Übergangsmittel bzw. Zwischenmittel, bevor wir das alte wieder geben können, wenn es dann noch angezeigt ist. Jegliche Aktivierung eines Miasma durch den neuen Zustand muß gründlich behandelt werden, damit dieser aktivierte Teil des Miasma umfassend heilsam bearbeitet wird.

B.2.b.: Neuer Zustand paßt nicht ins AMB des laufenden Mittels - es geht schlechter - NZ verschwindet

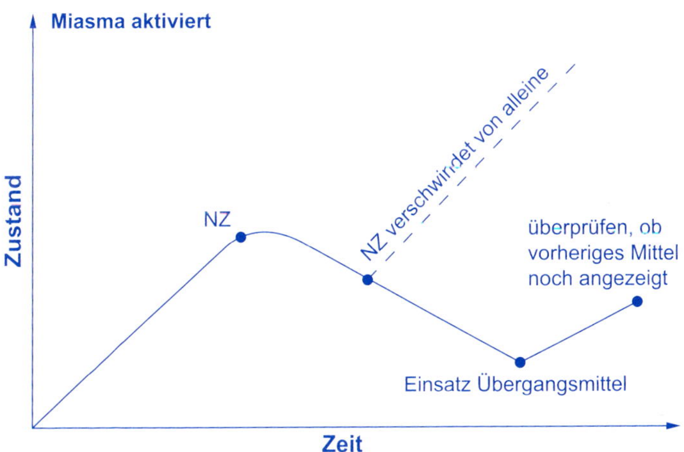

b. Der neue Zustand verschwindet nicht von selbst

Wir brauchen auf jeden Fall ein neues Mittel, am besten eines, welches beide Zustände abdeckt. Wie immer, wenn wir kein gemeinsames Mittel dafür finden, nehmen wir zwei. Aber wie unter Punkt a müssen wir uns besonders darauf konzentrieren, den neuen Zustand gründlich zu behandeln.

Sollte es dem Patienten nach dem Absetzen bei 2 a besser gehen, war es eine Verschlimmerung, wobei die neuen Symptome ein Teil des vorherigen Zustandes sind und unterschwellig bereits vorhanden waren. Nach dem Absetzen findet eine grundsätzliche Besserung aller Symptome statt.

Im Falle eines Heuschnupfens z. B. bekommt der Patient Husten mit etwas erschwerter Atmung. Es geht ihm nicht gut. Das Mittel wird abgesetzt. Der Husten sowie die andere Heuschnupfensymptomatik verschwinden. Eine Befragung ergibt, daß der Patient sowieso zum Husten bei Heuschnupfen neigt, doch er bekommt ihn nicht immer, oder er ist so leicht unterschwellig vorhanden, daß er nicht nennenswert ist.

Bei einer Verschlimmerung von Punkt b werden nur die vorherigen Symptome besser, jedoch nicht die neuen, wofür wir gleich ein neues Mittel brauchen.

Der neue Zustand entwickelt sich nach einer Verschlimmerung

Das Entstehen eines neuen Zustandes nach einer Verschlimmerung ist ähnlich zu handhaben wie im Kapitel 14, „Alter Zustand“. Wenn der neue Zustand große Probleme macht, gehen wir ihn gleich an, nachdem alle Möglichkeiten, die oben besprochen wurden, überprüft sind (z. B., wenn der neue Zustand unterschwellig zum momentanen gehört). Andernfalls warten wir, bis der Patient deutlich aus der Verschlimmerung heraus ist und gut in die nachfolgende Besserung hineinkommt. Erst dann und nur wenn der neue Zustand hartnäckig vorhanden bleibt, behandeln wir ihn. Selbstverständlich setzen wir auch alle Maßnahmen ein, die bei einer Verschlimmerung angezeigt sind (Kapitel 3).

Begriffserläuterungen

Alle Begriffe, welche im Text nicht genau definiert wurden, werden hier kurz erläutert.

Kapitel 1

Palliativ

Ein Palliativ in der Homöopathie wird auch auf der Basis des Similiaprinzips ausgewählt, hat aber keine Wirkung auf die tieferen Ursachen und soll nur zur Linderung dienen. Das eigentliche Gebiet palliativer Behandlungen sind unheilbare Fälle. Ein tiefergehendes Mittel kann nicht gegeben werden, da es tödlich wirken und dabei sogar Verschlechterungen auslösen könnte. Der Patient stirbt also und leidet zusätzlich beim Sterben.

Bei einem Krebsfall z.B. könnte Arsen homöopathisch gegeben dem Patienten alle Beschwerden nehmen, ohne den Fortschritt der Krankheit aufzuhalten. Der Patient verbringt seine restliche Zeit in Freude mit seiner Familie. Er kann alles essen und trinken und in Maßen seinen Wünschen gerecht werden.

Diese Darstellung wirft viele Fragen auf, aber hier ist nicht der Platz dafür, näher darauf einzugehen.

Es gibt auch die Möglichkeit einer palliativen Behandlung bei Menschen, die noch länger leben werden. Das Prinzip ist das gleiche. Es ist nicht möglich, tiefer zu gehen, da alles dadurch in Aufruhr geriete, und es gibt danach kein heilsames Ende, sondern nur ein Zurückkehren zum vorherigen Zustand. Das Palliativ nimmt dem Menschen seine hauptsächlichen Beschwerden, und er lebt mit den anderen humaner.

Potenzwahl

Die Potenzwahl ist ein ziemlich umfangreiches Thema und kann eingehend erst im nächsten Buch erörtert werden. Sie hängt von vielen Faktoren ab. Drei Punkte sind dabei wesentlich:

- Im welchem Bereich liegt hauptsächlich der Zustand – im mentalen, emotionalen, oder körperlichen, oder ist er traumatisch bedingt? Bei mentalen Zuständen kann hoch angefangen werden. Bei emotionalen Zuständen muß meist mit mittleren Potenzen begonnen werden. Traumata vertragen meist gleich hohe Potenzen. Rein körperliche Beschwerden brauchen niedrige Potenzen, besonders wenn sich eine Eigendynamik entwickelt hat.
- Hat sich eine Eigendynamik auf irgendeiner Ebene entwikkelt? Eine Eigendynamik auf der körperlichen Ebene verlangt die niedrigsten Potenzen. Die Eigendynamik verhindert einen Zugang zu einer anderen Ebene als dieser.
- Wie weit hat sich die Pathologie entwickelt? Der Schweregrad der Pathologie begrenzt auf jeden Fall die Höhe der Potenz. Ferner spielen die Vitalität und die Lebenskraft eine wichtige Rolle. Schwäche bei beiden verlangt niedrigere Potenzen und kleinere Dosen.

Kapitel 2

Dynamis

Die Dynamis ist die Kraft, die das Gewünschte in Bewegung setzen kann. Z.B. Durch die Potenzierung entsteht die Dynamis, welche tiefere Heilungen bewirken kann.

Kapitel 3

Altbekannter Zustand

Ein Zustand, der seit eh und je immer wieder auftaucht. Es ist jedoch kein „Alter Zustand“ (Kapitel 14).

Miasmatische Überlegungen

Bei den miasmatischen Überlegungen betrachten wir alle Symptome und Zustände bei einem Fall, welche auffallend auf Miasmen deuten, um eventuell den Einsatz von bestimmten Mitteln in Erwägung zu ziehen.

Ergänzungsmittel

Ein Ergänzungsmittel hat eine ähnliche Pathologie wie das Mittel für den momentanen Zustand und führt die Heilwirkung des verordneten Mittels weiter, wenn dieses nichts mehr bringt. In Büchern über die Beziehung der Mittel werden sie ohne weitere Angaben aufgeführt. Um sie jedoch sinnvoll einsetzen zu können, sollten die Zustände, bei denen sie bei einem Mittel als Ergänzungsmittel fungieren würden, auch aufgeführt sein.

Zwischenmittel

Ein Zwischenmittel ist einfach das Mittel, das für eine Zwischenkrankheit benötigt wird. Nur muß eine Zwischenkrankheit von einem Heilungsprozeß unterschieden werden. Sollte ein Mensch durch das verordnete Mittel etwas akutes durchmachen, darf mit einem Zwischenmittel nicht gestört werden (siehe Kapitel 12, Ausscheidungsreaktion).

Der direkte zerstörerische Prozeß

Ein direkter zerstörerischer Prozeß kann nicht aufgehalten werden. Außer die treibende Kraft wird ausgeschaltet.

Kapitel 4

Tiefergehendes Mittel

Ein tiefergehendes Mittel geht zuerst in die psychische Ebene und wenn es noch tiefer wirkt, dann in die Ebenen der miasmatischen Ursachen bis zu den Wurzeln. Die Miasmen haben auch Ebenen und nicht alle antimiasmatischen Mittel gehen zu den tiefsten Ebenen, aber es ist trotzdem eine tiefergehendes Mittel.

Kapitel 6

Parallel und abwechselnd

Wenn ein Mittel neben einem anderen gegeben wird, bedeutet das eine parallele Verabreichung, wie z. B. ein Mittel morgens und das andere abends.
Das Verfahren der abwechselnden Mittelgabe besteht aus mehr als einer Gabe des ersten Mittels, bevor man mehrere Gaben des zweiten Mittels gibt. Dies kann in einem bestimmten Rhythmus von einem Tag, Stunden oder Wochen sein.

Tiefere Ebene

Die tieferen Ebenen sind vom Körper aus betrachtet die Ebene des Traumas, dann die Emotionen und das Mentale. In all diesen wirken jedoch die miasmatischen Ursachen, welche zu den noch tieferen Ebenen zählen. D. h. von jeder Ebene aus kann man noch tiefer gehen.

Kapitel 15

Zustände

Sichtbare Zustände, sind diejenigen, die sich zeigen. Dabei spielt es keine Rolle, wie deutlich sie sind.
Erkennbare Zustände haben entweder schon eine deutliche Form angenommen oder sind dabei, eine anzunehmen.
Nicht vorhandene Zustände sind zwar in den aktiven beinhaltet, aber im Moment nicht da. Es sind Symptome, welche immer wieder auftauchen.
Vordergründige Zustände sind diejenigen, die jetzt behandelt werden müssen.

Latente Zustände sind nicht mehr in der aktiven Pathologie sichtbar. Im Grunde ein alter Zustand (siehe Kapitel 14).

Allgemein

Schlechter gehen

„Schlechter gehen" ist ein Allgemeinbegriff und hat mit einer klar definierten Reaktion nichts zu tun.

Schlimmer werden

„Schlimmer werden" ist auch ein Allgemeinbegriff.

Besser gehen

„Besser gehen" ist ebenfalls ein Allgemeinbegriff und sagt uns nichts darüber aus, in welcher Weise es besser geht oder in Folge welcher Reaktion es besser geht.

Literaturempfehlung

- Allen, J. H.

  Die chronischen Miasmen

  Dieses Buch von James Henry Allen ist das ausführlichste und detaillierteste über die Miasmen. Es vermittelt auch am besten den spirituellen, geistigen Hintergrund der Miasmen. Die Prinzipien und Regeln der antimiasmatischen Behandlung, welche Hahnemann dargestellt hat, werden in diesem Buch sehr gut herausgearbeitet und praxisnah erläutert.

- Burnett, James Compton

  Burnett schreib eine Reihe von kleinen Schriften zu verschiedenen Themen (22 insgesamt). Sie sind eine Goldgrube für homöopathische Weisheit und Erfahrungen. Burnett betont ausdrücklich, daß er nur das homöopathische Prinzip und das Wissen der vorangegangen Homöopathen zu nutzen pflegt. Es ist nichts neues, was er zu bieten hat, außer seiner Überzeugung und seinem dauerhaften Erfolg mit der Homöopathie, auch bei den schwierigsten und schwersten Fällen.

  Burnett hat einfach viele schon bekannte, wichtige Prinzipien und Regeln zusammengefaßt und sie sehr klar und deutlich dargestellt.

  Er gehört zu den Homöopathen, die Mittel regelmäßig wiederholt haben.

- Case, Erastus E.

  Some Clinical Experiences

  Case ist ein Name in der Homöopathie, der vielleicht in Vergessenheit geraten ist, obwohl sein Buch von 1916 vor etwa 20 Jahren wieder neu aufgelegt worden ist. Er hatte den Ruf, den Nagel immer auf den Kopf treffen zu können. Es muß ein tiefes inneres Verständnis des Wesens und der Pathologie der Mittel gewesen sein, da in vielen Fällen kein anderer auf das richtige Mittel gekommen wäre. Natürlich im Nachhinein schon.

Stuart Close, ein bedeutender Homöopath, schreibt über das Buch: „Keine wertvollere und wichtigere Darstellung und Bestätigung der homöopathischen Methodik und Prinzipien ist je veröffentlicht worden. Dies kann ich mit Sicherheit behaupten, weil jeder einzelner Fall darin ein Exempel der Klarheit, Prägnanz und Vollständigkeit ist."

Case war ein Einzelgabe- und Hochpotenz-Homöopath. Wo notwendig, wechselte er zum nächsten Mittel und das gegebenenfalls auch sehr schnell. Er konnte aber auch warten, wenn die Heilwirkung weiterlief.

Bernhardt Fincke, ebenfalls ein bedeutender Homöopath, kommentiert zu einem Fall von Case, bei dem Case seine Hilfe in Anspruch nahm: „Wiederholung zu tabuisieren ist genauso unwissenschaftlich wie die Einzelgabe abzulehnen. Es ist die Kunst des Heilers zu unterscheiden – qui bene distinguit bene curat (wer gut unterscheiden kann, heilt gut) – und Homöopathie ist tatsächlich ein schwerer Pfad, aber schau, wieviel wir schon geschafft haben, jedoch das Ende ist es nicht."

- Clarke, John Henry

Clarke war ein Zeitgenosse von Burnett und verehrte ihn auf das Höchste. Er schrieb auch eine Reihe von Schriften und war viele Jahre der Herausgeber der Zeitschrift „Homoeopathic World".

Sein wichtigstes Werk ist seine Materia medica, „Der Neue Clarke". Seine Einführungen zu jedem Mittel enthalten unglaublich viel verschiedenartige Information und Wissen. Clarke ist auch der einzige, den ich kenne, der Kent kritisiert hat. Zu der Zeit, als ich die Kritik las, habe ich von Kent alles akzeptiert, aber die Kritik hat mich kurz stutzig gemacht.

Jedoch habe ich weiter gelesen und ausprobiert und mit der Zeit erkannt, daß die Kritik berechtigt war. Das war einer der wichtigsten Wendepunkte in meinem Leben. Es gibt im Leben viele Wendepunkte, wenn man sich auf den „schweren Pfad“ begibt.

- Farrington, Ernest A.
  Klinische Homöopathische Arzneimittellehre
  Farrington war ein späterer Zeitgenosse Herings. Sein logisches und präzises Denken brachte ihm große Anerkennung in homöopathischen Kreisen. Seine Arzneimittellehre ist voller wertvoller Bemerkungen und Hinweise. Sein Bemühen war es, dem Schüler eine solide Basis zu geben, damit dieser sein Selbststudium später problemlos weiterführen konnte. Für Farrington war ein Prinzip eine Grundlage, die man keinesfalls verläßt. Er arbeitete unaufhörlich weiter, jedoch anscheinend über seine Kräfte hinaus, da er mit 39 Jahren akut erkrankte und sich nicht mehr davon erholte. Als die homöopathischen Mittel nicht mehr griffen, schlug einer vor, doch die Schulmedizin zu probieren. Seine Antwort war: „Sollte ich sterben, möchte ich als Christ sterben.“

- Hoyne, Temple S.
  Clinical Therapeutics
  Ein sehr wertvolles Buch. Zum ersten Mal habe ich deutlich und in dieser Fülle herausfinden können, was das Spezifische eines Mittels bei einem Krankheitszustand ist. Es ist kein Lehrbuch, sondern ein systematisches Aufführen von Heilungsberichten der verschiedenen Krankheitszustände eines Mittels mit teilweisen Herausarbeitungen der wichtigen Symptomenkomplexe. Im Rückschluß darauf habe ich viele wichtige Regeln und Prinzipien ausarbeiten können.

- Kent, James Tyler

  Arzneimittellehre

  Lesser Writings (Kleine Schriften)

  Kent hatte eine starke Persönlichkeit, und mit seinen drei Grundbüchern, „Zur Theorie der Homöopathie", die Arzneimittellehre und das Repertorium, schaffte er es, einen Grundstein für seine Lehre zu legen. Wie Sie dem Reaktionsbuch entnehmen können, ist diese Lehre nur eine schmale Spur im breiten Spektrum der Homöopathie. Trotzdem hat er einen großen Schatz an Erfahrung zurückgelassen, der viel zur Verbreitung der Homöopathie beigetragen hat. In seiner Arzneimittellehre finden wir die meisten dieser Schätze. Sie sind überall verstreut und wir müssen sie sammeln.

  In den *Lesser Writings* (es gibt keine deutsche Übersetzung davon) hat er über viele wichtige Fragen philosophiert, wodurch er Gedankenanstöße gibt, welche sehr fruchtbar sein können.

  Seine Schriften sind mit Vorsicht zu lesen, da er sehr überzeugend sein kann, und es deshalb nicht leicht zu merken ist, wo er von Hahnemann abweicht. Wichtig sind eigentlich die Erfahrungen, die er gemacht hat.

- Teste, Alphonse

  The Homoeopathic Materia Medica

  Teste war einer von den früheren Homöopathen. Sein Buch erschien 1853 auf Französisch und wurde ein Jahr später von Charles Hempel in Amerika übersetzt. Clarke hat ihn sehr gelobt. Teste hat ein sehr gutes Verständnis dafür, worauf es ankommt, und in seinem Buch kann man präzise Informationen bekommen. Seine Abhandlung über homöopathische Behandlungen bzw. die praktische Anwendung der Theorie sind absolut klar und logisch. Seine Kritik über bestimmte Punkte bei Hahnemann ist immer positiv und schmälert die Persönlichkeit Hahnemanns nie. Über die Reichweite seiner

Gruppierung und seiner Vergleiche der homöopathischen Mittel bin ich noch unschlüssig. Jedoch ist es die Zeit wert, die man investiert.

Es gibt viel mehr Bücher und selbstverständlich auch Zeitschriften. Aber die oben aufgeführten sind die wichtigsten.

Erfahrung macht die Praxis aus

Die fortlaufende Arbeit am Online-Repertorium und praktische Therapeutiken

Um ein Buch über die Lehre der Behandlung einer Krankheit (einer Therapeutik) praktisch und nützlich zu gestalten, sollte die darin enthaltene Arzneimittellehre aus zwei wesentlichen Teilen aufgebaut werden:

- eine Liste der bewährten Symptome und Symptomenkomplexe der homöopathischen Arzneien und
- eine Liste der noch zu bestätigenden Symptome und Symptomenkomplexe.

Bewährte Symptome sind diejenigen, die durch die Erfahrung in der Praxis einer oder mehrerer Homöopathen eindeutig bestätigt worden sind. Sie haben ihren Wert in der Praxis gezeigt und wir können uns auf sie verlassen. Sie sind Gold wert.

Die *noch zu bestätigenden Symptome* sind auch nützlich. Um sie jedoch adäquat benutzen zu können, braucht der Therapeut ein tiefes Wissen und Verständnis der pathologischen Wirkung der Mittel sowie ein Körnchen Intuition und Einfühlungsvermögen.

Die Bücher über die Lehre der Behandlung von Krankheiten (Therapeutiken) werden auf der Basis des Online-Repertoriums geschrieben. Die Therapeutiken erfassen in einer praktischen Struktur die wichtigen, die bewährten und die nützlichen Symptome von Hahnemann bis heute. Sie werden kurz, bündig und deutlich beschrieben und nicht nur trocken aufgelistet.

Die Symptome sind genauso, wie im Online-Repertorium beschrieben, in verschiedenen Farben gehalten, was die Zuverlässigkeit des jeweiligen Symptoms ausdrückt:

- Magenta = essentielles Symptom
- Orange = bewährt und charakteristisch
- Grün = bestätigt
- Violet = viel versprechend, aber noch nicht voll bestätigt
- Blau = alle anderen Symptome

Andere Kategorien werden auf verschiedene Weisen hervorgehoben, wie z.B. Boenninghausens Verallgemeinerungen, welche mit einem „B“ versehen sind.

Die Therapeutiken sind in sieben Teile gegliedert:

- Allgemeine Materia medica mit Beschreibung des Wesentlichen bei der entsprechenden Krankheit. Spezielle wesentliche Darstellung, welche die verschiedenen Phasen (Stadien) der Krankheit, die atypischen Zustände, die einseitigen Fälle und die Komplikationen sowie die Symptomenkomplexe abdeckt.
- Die Liste der Symptome, die für dieses Mittel bei dieser Krankheit wichtig sind.
- Die homöopathische Behandlung der betreffenden Krankheit.
- Die Folgebehandlung und -mittel und deren Symptome in bezug auf die spezielle Materia medica.
- Das spezielle Repertorium für diese Krankheit.
- Die pathologische Beschreibung der Krankheit mit Berücksichtigung der homöopathischen Lehre von Krankheiten und der Miasmenlehre.
- Fallbeispiele, welche die unterschiedlichen Aspekte der Krankheit und der Mittel darstellen.

Die folgenden Therapeutiken sind als erstes geplant. Anfänglich aber *nur online:*

- Erkältungskrankheiten, Husten, Schnupfen, Fieber
- Lungenentzündung
- Durchfall

Es folgen:
- Notfallsituationen: Verletzungen, Schock, Kollaps und Ohnmacht, Operationen, akute Erkrankungen des Herzens und des Darms u. a.
- Rheuma
- Asthma
- Krebs
- und vieles mehr

Informationen:
www.roy-repertorium.de oder **www.lage-roy.de**

Index

HOMÖOPATHISCHE RATGEBER 

HR 1 – REISEN

Ein Buch, das auf allen Reisen dabei sein muss. Homöopathische Behandlung von Zeckenbissen, Jetlag, Reiseübelkeit etc. Prophylaxe und Behandlung von Tropenkrankheiten.

Der Ratgeber enthält die Beschreibung der wichtigsten Chakrablüten Essenzen auf Reisen. *156 S. (Pocketformat), 14. Auflage 2007*
ISBN 978-3-929108-77-4, 12,50 €
Englische Version 9,50 €
Auch als E-Book 10,50 €, plus Ratgeber 19,50 €

HR 2 – NOTFÄLLE

Gehört in jeden Haushalt. Ein Muss für jeden Gruppenleiter. Wundversorgung, Sportverletzungen, Insektenstiche und Verbrennungen, Begleitung von OP's. Folgen von Sonne und Hitze, Ohnmacht, Angina pectoris. *80 S., Paperback, 10. Auflage 2008*
ISBN 978-3-929108-02-6, 8,50 €

HR 3 – IMPFSCHÄDEN

Lesen Sie selbst, welche Daten das statistische Bundesamt über Impffolgen bereithält. Gefährliche Impfstoffzusätze: Quecksilber, Formaldehyd, etc. Müssen wir das unseren Kindern antun? Ebenso enthalten: Rechtshilfe für Impfgeschädigte.
78 S., Paperback, 8. Auflage 2005
ISBN 978-3-929108-03-3, 11,00 €

HR 4 – DIE HOMÖOPATHISCHE PROPHYLAXE

Homöopathischer Schutz vor Kinderkrankheiten (Scharlach, Keuchhusten, Diphterie, Polio, Masern, Mumps, Röteln, Tetanus) für Eltern, die ihre Kinder sanft, sicher und verantwortungsbewußt schützen möchten. Funktioniert seit 200 Jahren! *96 S., Paperback,*
11. Aufl. 2008, ISBN 978-3-929108-04-0, 12,50 €

HR 5 – ERKÄLTUNGSKRANKHEITEN

Für alle Menschen, die entweder die Grippeimpfung schlecht vertragen oder sich auch vor anderen Erkältungskrankheiten – ausser der Grippe schützen möchten. Je nach Konstitution gibt es vier verschiedene homöopathische Verfahren zur Stärkung der Infektabwehr. Behandlung von Schnupfen, Husten, Heiserkeit und Co. Was tun bei Fieberkrämpfen? *144 S., Paperback, 5. Auflage 2005*
ISBN 978-3-929108-05-7, 12,90 €

HR 6 – SCHWANGERSCHAFT

Eine homöopathische Behandlung in dieser Zeit erleichtert dem Kind den Eintritt ins Leben – genetische Familiencodes können umgewandelt werden. Die sanfte, nebenwirkungsfreie und schnelle Behandlung von Übelkeit, Erbrechen, Sodbrennen, etc. Gewöhnen Sie sich das Rauchen mit der Homöopathie ab. Informieren Sie sich über die Risiken von Ultraschall und pränatalen Tests.
160 S., Paperback, 7. überarbeitete Auflage 2008
ISBN 978-3-929108-06-4, 14,90 €

HR 7 – GEBURT

Der Start ins Leben prägt das gesamte Leben Ihres Kindes. Warum sollten nicht auch Sie die fast unglaublichen homöopathischen Möglichkeiten für sich und ihr Kind nutzen? Schluss mit der gewaltsamen Geburt – Saugglocke, unerträglichen Schmerzen und Kaiserschnitt.

80 S., Paperback, 5. Auflage 2005
ISBN 978-3-929108-08-8, 10,50 €

HR 8 – DIE MUTTER IN DER STILLZEIT

Zeit der Stille! Wann hat die Frau sie schon im Leben – ausser in der Stillzeit? Machen Sie die Stillzeit unter Inanspruchnahme der Homöopathie zu einer Quelle der Kraft. Sie werden Sie für sich und Ihr Baby brauchen.

104 S., Paperback, 1. Auflage 2004
ISBN 978-3-929108-28-6, 10,50 €

HR 9 – DAS BABY

Hier finden Sie Rat, wie Sie Ihr Kind vor belastenden Medikamenten im ersten Lebensjahr schützen können. Je früher Sie mit der homöopathischen Behandlung beginnen, desto leichter können die genetischen Anlagen veredelt werden.

112 S., Paperback, 1. Auflage 2004
ISBN 978-3-929108-29-3, 10,50 €

HR 10 – KINDERKRANKHEITEN

Keine Angst vor Kinderkrankheiten! Sie sind wichtige Läuterungsprozesse für Kinder und Eltern. Ihr Kind hat ein Recht darauf, krank zu sein und liebevoll gepflegt zu werden. Die Behandlung von Masern, Windpocken, Mumps, Keuchhusten und Röteln.

56 S., Paperback, 6. Auflage 2000
ISBN 978-3-929108-10-1, Restposten 6,50 €

HR 11 – ZÄHNE

Schützen Sie die Zähne Ihres Kindes homöopathisch vor Karies – effektiv nebenwirkungsfrei und mit dem Begleiteffekt einer stabileren Gesundheit. Was können Sie bei Zahnarztphobie, Zahnschmerzen und Amalganbelastung tun? Hier finden Sie den erfahrenen Rat des Expertenpaares.

80 S., Paperback, 3. Auflage 2005
ISBN 978-3-929108-11-8, 10,50 €

HR 12 – GRUNDLAGENWISSEN

Warum die Homöopathie von Dr. Samuel Hahnemann mehr ist als die perfekte „Heilkunst" des neuen Zeitalters, erfahren Sie in diesem Buch. Für bewußte Menschen ist sie ein Lebensweg. Viele falsche Vorstellungen, durch welche die Heilkraft der Homöopathie verzerrt wird, werden wieder an den richtigen Platz gerückt.

144 S., Paperback, 5. erweiterte Auflage 2005
ISBN 978-3-929108-12-5, 12,50 €

HR 13 – RADIOAKTIVITÄT, OZON UND SONNE

Die radioaktive Belastung hat durch die mit atomaren Waffen geführten Kriege, kleinere Atomreaktorunfälle und Atombombenversuche, von der Öffentlichkeit kaum bemerkt, schleichend zugenommen. Jetzt kommen Ihnen unsere Erfahrungen nach Tschernobyl, wie Sie sich homöopathisch schützen können, zugute. Es kommt immer häufiger vor, dass homöopathische Radioaktivitätsmittel als „Blockademittel" eingesetzt werden müssen, wenn eine Behandlung stagniert.

72 S., Paperback, 5. Auflage 1998
ISBN 978-3-929108-13-2, 8,50 €

HR 14 – NEURODERMITIS

Wussten Sie, dass geimpfte Kinder und ungeimpfte Kinder von geimpften Eltern wesentlich häufiger an Neurodermitis erkranken, als von Impfstoffzusätzen

HOMÖOPATHISCHE RATGEBER 

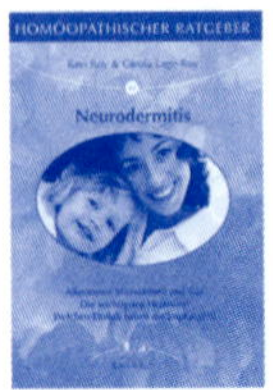

unbelastete? Um das seuchenartige Ausbreiten der Neurodermitis in den Griff zu bekommen, wurde darüber diskutiert, die Kinder wieder mit den Kinderkrankheiten zu beimpfen, denn durch das Durchleben der Kinderkrankheiten wird das Immunsystem aktiviert – und schützt so vor Allergien.
72 S., Paperback, 7. Auflage 2008
ISBN 978-3-929108-14-9, 8,50 €

HR 15 – IMPFFOLGEN BEHANDELN

Betroffene und Eltern von geimpften Kindern, die sich manchmal direkt zur Impfung gedrängt gefühlt haben, fühlen sich ausnahmslos bei einem Impfschaden von der Schulmedizin im Stich gelassen. Ein Impfschaden ist aus schulmedizinischer Sicht irreparabel. Hier füllt die Homöopathie seit 200 Jahren eine Behandlungslücke. Impffolgen können sein: Autismus, Neurodermitis, Allergien, schmerzhafte Regel, Platzangst, Lähmungen, MS.
144 S., Paperback, 7. Auflage 2009
ISBN 978-3-929108-15-6, 14,90 €

HR 16 – MENSCH UND TIER

Hunde- und Katzenhalter finden hier die wichtigsten Konstitutionsmittel herrlich beschrieben mit treffenden Zeichnungen. Sie lesen, wie Sie ihre Lieblinge homöopathisch vor Tollwut und der Tollwutimpfung schützen können. Auch mit Anleitung zur homöopathischen Vorgehensweise zum Entwurmen. Die homöopathische Behandlung von einigen Pferdekrankheiten wird ebenfalls vorgestellt.
120 S., Paperback, 5. Auflage 2008
ISBN 978-3-929108-16-3, 14,00 €

HR 18 – VÖGEL, GEFLÜGEL UND ZIERVÖGEL

Dieser Ratgeber hilft Vögel- und Geflügelzüchtern sowie Hobbyzüchtern, ihre Vögel mit einfachen Mitteln gesund zu halten. Es werden die wichtigsten Krankheiten der Vögel beschrieben und die entsprechenden homöopathischen Massnahmen beschrieben. *80 S., Paperback, 1. Auflage 1995*
ISBN 978-3-929108-18-7, 8,50 €

HR 19 – SCHULSCHWIERIGKEITEN

Sie möchten Ihrem Kind oder sich selbst das Lernen erleichtern? Diese Problematik wird umfassend und ursächlich mit der Homöopathie angegangen: Lese-Rechtschreib-Schwäche, Schulangst, Depressionen, Lernunlust, ... *120 S., Paperback, 5. Aufl. 2008, ISBN 978-3-929108-19-4, 10,50 €*

HR 20 – AIDS

Hier geht es um die Behandlung von Aids und ähnlichen schweren Immunschwächekrankheiten. Was sind die wahren Ursachen und Hintergründe, die Sie in keiner Zeitung finden?
120 S., Paperback, 2. Auflage 2005
ISBN 978-3-929108-07-1, 12,50 €

HR 22 – ARZNEIMITTELWESEN

Eine einzigartige Arzneimittellehre! Hier wird nicht nur auf die krankhaften Aspekte der Mittelwesen eingegangen, sondern auf ihren reinen Charakter. *160 S., Paperback, 1. Aufl. 1999, ISBN 978-3-929108-17-0, 12,50 €*